지은이 **최완수**

1942.　　　　　충남 예산 출생
1965.2.　　　　서울대 사학과 졸업
1965.4.~1966.3. 국립박물관
1966.4.~현재　　간송미술관 연구실장
1975.3.~1977.2. 서울대 인문대 국사학과 강사
1976.3.~1992.2. 서울대 미대 회화과 및 대학원 강사
1991.3.~2000.2. 이화여대·동국대 대학원, 연세대 강사
2000.3.~현재　　연세대·용인대·국민대 대학원 강사

저서

『秋史集』(1976), 『金秋史研究艸』(1976), 『그림과 글씨』(1978),
『佛像研究』(1984), 『謙齋 鄭敾 眞景山水畵』(1993),
『名刹巡禮』1·2·3(1994), 『우리문화의 황금기 진경시대』1·2(1998),
『조선왕조충의열전』(1998), 『겸재를 따라 가는 금강산 여행』(1999),
『한국불상의 원류를 찾아서』(2007), 『겸재의 한양진경』(2004)

주요 논문

「간다라 佛衣攷」, 「釋迦佛幀圖說」, 「謙齋鄭敾」, 「謙齋眞景山水畵考」,
「秋史實紀」, 「秋史書派考」, 「碑派書考」, 「韓國書藝史綱」,
「秋史 一派의 글씨와 그림」, 「玄齋 沈師正 評傳」,
「尤庵 당시의 그림과 글씨」, 「古德面誌總史」

겸재謙齋 정선鄭敾 2

발행일 | 2009년 10월 5일

글 | 최완수

펴낸곳 | (주)현암사　펴낸이 | 조미현
기획 | 이승철　사진 | 김해권　디자인 | 결게이트 김효창
종이 | 한솔제지·(주)푸른솔
인쇄 | 삼성문화인쇄(주)　제책 | (주)명지문화

등록일 | 1951년 12월 24일·10-126
주소 | 서울 마포구 서교동 442-46
전화 | 02-365-5051~6　팩스 | 02-313-2729
전자우편 | editor@hyeonamsa.com
홈페이지 | www.hyeonamsa.com

ISBN 978-89-323-1530-0　94650
ISBN 978-89-323-1532-4　(세트)

이 도서의 국립중앙도서관 출판시도서목록(CIP)은
e-CIP 홈페이지(http://www.nl.go.kr/ecip)에서 이용하실 수 있습니다.
(CIP제어번호 : CIP2009002881)

겸재謙齋 정선鄭敾
2

최완수 지음

ⓖ현암사

차례 __ 겸재정선 2권

제8장 **당대 최고 풍류객의 극찬과 인정 - 퇴우이선생진적첩**

제1권

제3권

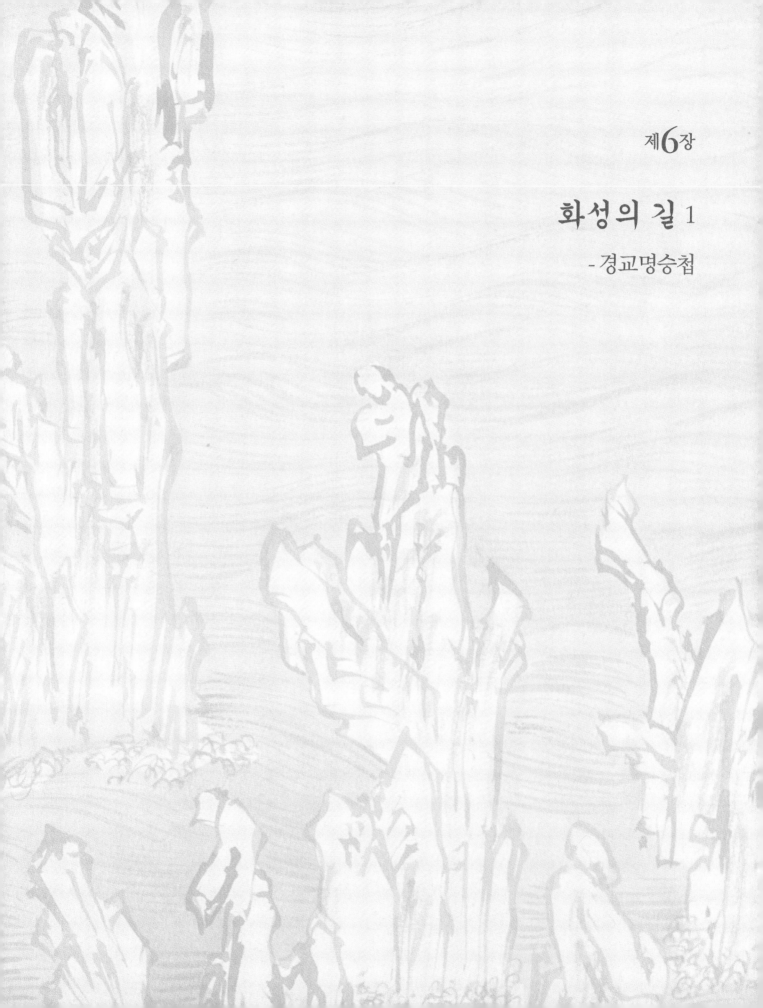

제6장

화성의 길 1

- 경교명승첩

16
화성畵聖의 길

겸재 64세 되는 영조 15년(1739) 기미己未는 영조 통치시대에서 또 한 번 정국의
변화가 일어나는 해였다. 소위 조송건곤趙宋乾坤으로 야유되던 조현명趙顯命 송
인명宋寅明 중심의 소론 탕평당이 실세하고 효종 부마 흥평위興平尉 원몽린元夢
麟(1648~1674)의 장손인 창하蒼霞 원경하元景夏(1698~1761)가 중심이 되는 노론
탕평당이 대두하기 시작했기 때문이다.

영조는 경종의 독시설毒弑說을 주장하며 자신의 대통大統 계승을 인정하지 않
으려는 준소峻少와 남인南人 세력을 무마하기 위해 자신의 세력 기반인 백악사
단白岳詞壇과 혈연이나 학연으로 연결되어 있는 완소緩少 인사들을 포섭하여 탕
평蕩平을 당론으로 내세우는 근위정당을 만드니 이것이 소론 탕평당이었다.

이 소론 탕평당을 주도한 인물이 노가재의 사위이자 농암 문인인 조문명趙文
命과 그 아우 조현명 형제 및 농암의 장인이자 스승인 정관재靜觀齋 이단상李端
相의 외손자로 농암의 이질이 되는 송인명이었다. 모두 당색만 소론일 뿐 백악사
단과 혈연 학연으로 깊이 연관된 인물들이었다.

그래서 무신년(1728) 이인좌난 이후 10여 년 이들이 정국을 좌우해 오게 되었
었는데 이제 10년 이상 대권을 장악하게 되니 스스로 거오倨傲해져서 노론과 남
소론 사이의 완충 역할을 해 내기는커녕 오히려 양측과 불화를 빚어내어 대립을
보다 첨예화 다변화시키는 복잡성만 가중시키기에 이르렀다. 이에 뚜렷한 주장
도 없는 이들의 장기집권에 대한 여론이 극도로 악화되어 소위 조송건곤趙宋乾
坤 금장식설金粧飾說이 항간에 유포될 정도가 되었던 것이다.

이에 현군賢君 영조는 정국의 변화를 눈치채지 못하게 유도해 나가니 사친私
親인 숙빈淑嬪 최씨崔氏의 묘소墓所를 국왕인 영조가 전배展拜하는 의례를 소론

俞知守齋拓基

유척기兪拓基 초상肖像^{삽도58}
19세기, 견본채색絹本彩色, 29.1×37.0cm, 일본 덴리대天理大 도서관 소장.

탕평정국이 불만스럽게 처리한 것으로 트집을 잡아 백악사단의 소장 영수로 실제 노론의 세도를 장악하고 있던 지수재知守齋 유척기兪拓基(49세)[삽도58]를 8월 20일에 우의정으로 특배特拜한다.

그리고 9월 1일에 좌의정 송인명을 면직하고 좌의정에는 탕평당과 밀착되어 있던 노론계의 김재로金在魯를 다시 등용하고 영의정 이광좌李光佐를 맹공하다 해남으로 귀양 가 있던 민형수閔亨洙(1690~1741)를 특방한다. 민형수는 인현왕후仁顯王后 민씨閔氏의 오라버니 단암丹岩 민진원閔鎭遠(1664~1736)의 차자次子이니 영조에게는 외사촌형에 해당했다.

이렇게 되니 왕의王意를 짐작한 노론 측에서는 영의정 이광좌를 집중 공격하고 좌의정 김재로까지 이광좌와는 동석同席할 수 없다고 사직소를 올린다(11월 7일). 이런 분위기 속에서 우의정이 된 유척기는 정미환국 후에 이광좌 일파가 신하로서 임금을 선택한 것이 대역죄라 하여 관작을 추탈한 김창집金昌集과 이이명李頤命의 복관을 강력하게 주장한다(11월 23일).

이런 상황에서 12월 17일에 정언正言 원경하元景夏가 붕당이 나라를 망치는 화근이라는 것과 탕평으로 나라를 바로잡는 방법을 말하고 경종 신축년간에 건저建儲를 청한 일과 연명하여 차문箚文을 올린 일을 모두 씻어 버리자고 한다. 소위 건저와 연차라는 것이 김창집과 이이명을 복관시킬 수 없다는 명분이었는데 이를 탕평하는 입장에서 불문에 부치기로 하자 했으니 영조로서는 자신을 보호하다가 역적으로 몰려 죽음을 당한 저들에 대한 죄책감을 벗어날 수 있는 좋은 계책이라 하지 않을 수 없었다.

청풍계淸風溪^{도판40}

이런 정치 상황이니 겸재는 국왕을 비롯한 백악사단 사우들의 든든한 후원 속에서 자기완성의 길을 착실히 다져 갈 수 있었을 것이다. 이렇게 이루어 낸 겸재의 걸작이 현재 간송미술관에 비장된 대폭의 견화인〈청풍계淸風溪〉이다. '기미년 봄에 그리다. 겸재.己未春寫. 謙齋.'라는 겸재 자필 관서가 있고 그 아래에는《관동명승첩關東名勝帖》의 끝폭인〈정자연亭子淵〉관지款識에 찍혀 있던 것과 같은 '원백元伯'이라는 방형주문方形朱文 인장이 찍혀 있다.

이 그림은 바위를 처리한 부벽찰법斧劈擦法이나 소나무와 잡수를 그리는 송수법松樹法, 음양조화陰陽調和의 화면구성법 등에서 겸재 특유의 진경산수화법의 특장이 모두 갖춰진 완벽한 걸작품이다. 이제야 겸재는 그가 평생 바라던 이상의 경지에 도달한 것이다.

청풍계는 인왕산 동쪽 기슭의 북쪽에 해당하는 종로구 청운동淸雲洞 52번지 일대의 골짜기를 일컫는 이름이다. 원래는 푸른 단풍나무가 많아서 청풍계靑楓溪라 불렀었다 하는데 병자호란丙子胡亂(1636) 때 강화도를 지키다 순국殉國한 우의정 선원仙源 김상용金尙容(1561~1637)이 별장으로 꾸미면서부터 맑은 바람이 부는 계곡이라는 의미인 청풍계淸風溪로 바뀌었다 한다.

선원이 이곳을 별장으로 꾸민 것은 선조 41년(1608)이다. 이해 2월에 선조가 돌아가고 광해군이 즉위하면서 8월에 선원이 한성부漢城府 우윤右尹(현재 서울시 제2부시장 격)이 되니 아마 이 어름에 이루어진 일일 것이다.(선원선생연보仙源先生年譜 만보萬曆 36년 무신戊申조 참조) 그러나 이 터는 원래 선원의 고조부인 사헌부 장령 김영수金永銖(1446~1502)가 살던 집터였다. 그의 맏형인 학조學祖대사가 잡아 준 명당터라는 것이다.

학조대사는 세조 때부터 중종 때까지 왕실의 귀의를 한 몸에 받았던 불교계의 대표였다. 당연히 풍수지리에 정통했을 그가 자신을 극진하게 공경하는 막내 제수 강릉김씨를 위해 잡아 준 집터라 하니 한양 도성 안에서 가장 빼어난 명당터였을 것은 두말할 나위가 없다. 그래서 사실 이곳은 훗날 안동김씨 200년 집권 60년 세도의 산실이 되었던 것이다. 지금 이 터는 청운초등학교와 정주영 회장

청풍계淸風溪^{도판40}
1739년 기미己未 봄,
견본채색絹本彩色,
58.8×133.0cm,
간송미술관 소장.

댁 등 몇몇 부호들의 사가로 나뉘어져 있다.

선원仙源의 방손傍孫인 동야東野 김양근金養根(1734~1799)이 영조 42년(1766) 경술庚戌에 「풍계집승기楓溪集勝記」라는 글을 지어 당시 청풍계의 규모와 경치를 자세하게 기록해 놓고 있다.

이제 그 원문 일부를 옮겨 그 당시 청풍계의 모습을 살펴보겠다.

청풍계靑風溪는 우리 선세의 옛 터전인데 근래에는 선원선생의 후손이 주인이 되었다. 경성京城 장의동壯義洞 서북쪽에 있으니 순화방順化坊 인왕산 기슭이다. 일명 청풍계靑楓溪라고도 하는데 단풍 풍楓으로 이름 지어 말함에는 반드시 그 뜻이 있겠으나 지금 상고할 길이 없다. 대체 백악산이 그 북쪽에 웅장하게 솟아 있고 인왕산이 그 서쪽으로 둘러쌌다.

한 시내가 우레처럼 돌아내리고 세 연못이 거울처럼 열려 있다. 서남쪽 뭇 봉우리들은 수풀과 골짜기가 더욱 아름다우니, 계산溪山의 아름다움으로는 도중都中에서 가장 뛰어날 것이다. 서리서리 꿈틀거려 내려온 언덕을 혹은 와룡강臥龍岡이라 일컫는데 실은 집 뒤 주산主山이 되고 그 앞이 곧 창옥봉蒼玉峯이다.

창옥봉 서쪽 수십 보에는 작은 정자가 날아갈 듯이 시내 위에 올라앉아 있다. 띠로 지붕을 이었는데 한 간은 넘을 듯하고 두 간은 못 되나 수십 인이 앉을 수 있는 것이니 태고정太古亭이다. 오른쪽으로 청계淸溪를 끼고 왼쪽으로는 삼각산을 끌어들이거늘, 당자서唐子西의 '산이 고요하니 태고太古와 같다山靜似太古'는 구절을 취하여 그것으로 이름 지었다.

늙은 삼나무 몇 그루와 푸른 소나무 천여 그루가 있어 앞뒤로 빽빽이 에워 쌌고 정자를 따라서 왼쪽에 세 못이 있는데 모두 돌을 다듬어서 네모나게 쌓아 놓았다. 정자 북쪽의 구멍으로 시냇물을 끌어 들여 바위바닥으로 흘러들게 하니 첫째 못이 다 차고 나면 그 다음 못이 차고 그 다음 못이 다 차고 나면 다시 셋째 못으로 들어가게 되었다. 위 못을 조심지照心池라 하고, 가운데를 함벽지涵碧池라 하며 아래를 척금지滌衿池라 한다. 우리 낙재樂齋 선조(김영金瑛, 1475~1528)께서 또 삼당三塘이라고 호를 쓰신 것은 이 때문이다.

함벽지의 왼쪽에 큰 돌이 있는데 평평하고 반듯한 표면은 두께가 서로 비슷하고 사방 넓이는 흡사 자리 몇 닢을 펴놓은 듯하여 가히 앉아서 가야금을 탈 수 있으므로 처음부터 부르기를 탄금석彈琴石이라 했다. 들건대 충주忠州 탄금대彈琴臺로부터 조선漕船을 따라온 것이라서 그렇게 이름 지었다고 하니 역시 그 유적이기 때문이다. 탄금석의 왼쪽에 4간 마루와 2간 방이 있는데 방 앞은 또 반간 툇마루로 되었으니 곧 이른바 청풍지각靑楓池閣이다. 우리 창균蒼筠 선조 김기보金箕報(1531~1599, 청송聽松·퇴계문인退溪門人)께서 남쪽으로 돌아오신 뒤에 드디어 선원께서 꾸며 사시던 곳이다.

각액閣額은 한석봉韓石峯 호濩(1543~1605)의 글씨이며 또 들보 위에 '청풍계淸風溪' 삼자三字를 걸어 놓고 붉은 깁으로 둘러놓은 것은 선조宣祖(1552~1608) 어필이고, 각閣의 동쪽이 소오헌嘯傲軒이 되는데 곧 도연명陶淵明(365~427, 이름은 잠潛, 자가 연명이다) 시 '휘파람 불며 동헌東軒을 내려오니, 문득 다시금 이 삶을 얻은 듯하다嘯傲東軒下, 聊復得此生' 는 뜻이다. 헌軒의 오른편은 온돌방으로 되었는데, 방 안의 편액은 와유암臥遊菴으로 했으니 종소문宗少文(375~443, 이름은 병炳, 자는 소문이다)의 '명산名山을 누워서 유람한다臥遊名山' 는 뜻으로 산속 경치를 베개 베고 다 바라볼 수 있다.

남쪽 창문 문미門楣 위에는 소현세자昭顯世子(1612~1645)께서 쓰신 '창문을 물 떨어지는 쪽에 내고 흐르는 물소리 듣는데, 길손은 외로운 봉우리에 이르러 흰구름을 쓴다窓臨絶磵聞流水, 客到孤峯掃白雲' 는 시를 새겨 걸었다. 비교할 수 없는 경지임을 상상할 만하다.

마당 남쪽에는 수백 길 되는 큰 전나무가 있으니 나이가 수백 년은 됨 직하나 한 가지도 마르지 않아서 보기 좋다. 서쪽 창문 밖의 단상壇上에는 두 그루 묵은 소나무가 있어 서늘한 그늘을 가득 드리우는데 특히 달밤에 좋아 송월단松月壇이라고 부른다. 단壇의 북쪽은 석벽石壁이 그림 병풍 같고 세 그루 소나무가 있다. 형상이 누워 덮은 듯하여 창옥병蒼玉屛이라 하니, 청음淸陰께서 시로 읊으시기를 '골짜기 수풀은 그대로 수묵화인데, 바위벼랑 스스로 창옥병蒼玉屛 이루었구나林壑依然水墨圖, 岩厓自成蒼玉屛' 라 하셨다. 또한 화병암畵屛岩이라고도 한다.

회심대會心臺는 태고정 서쪽에 있으며 무릇 3층인데, 진간문眞簡文이 이른바 '마음에 맞는 곳이 꼭 멀리 있어야 하는 것은 아니다會心處, 不必在遠者也' 라는 뜻이다. 회심대의 왼쪽 돌계단 뒤에 늠연사凜然祠가 있으니 곧 선원仙源의 영정을 봉안한 곳이다. 사당 앞 바위 위에 '대명일월大明日月'이라는 4글자를 새긴 것은 우암尤庵 송선생宋先生의 글씨이다.

천유대天遊臺는 회심대 위에 있는데 푸른 석벽이 우뚝 솟아 저절로 대를 이루었으며, 일명 빙허대憑虛臺라고도 하니 근처의 빼어난 경치를 모두 바라볼 수 있다. 석벽 위에 주자朱子의 '백세청풍百世淸風' 4글자가 새겨져 있으므로 청풍대淸風臺라고도 한다.

淸風溪 吾先世舊居, 而近爲仙源先生後承所主. 在京城壯義洞西北, 坊是順化, 麓是仁王, 一名靑楓溪. 以楓名言, 必有其義, 而今未可攷. 盖白嶽雄峙於其北, 仁王環擁於其西, 一溪雷轉, 三塘鏡開, 西南諸峯, 林壑尤美, 溪山之勝, 殆甲於都中. 蟠龍之岡, 或稱臥龍, 實爲屋後主山. 其前卽蒼玉峯也.

峯西數十步, 爰有小亭, 翼然臨于溪上, 用茅覆之, 一間有餘, 二間不足, 可坐數十人者, 太古亭也. 右挾淸溪, 左挹華岳, 取唐子西, 山靜似太古之句名之. 有老杉數株 碧松千章, 前後森蔚, 循亭而左有三池, 皆鍊石而方築之. 自亭北穴, 引溪流于岩底, 一池旣盈又第二池, 二池旣盈, 又入第三池. 上曰照心, 中曰涵碧, 下曰滌衿. 我樂齋先祖之又號三塘以此.

涵碧之左, 有大石, 平正其面, 厚薄相等, 廣袤恰如數席布, 可坐彈琴, 故刱名曰彈琴石. 聞自忠之彈琴臺, 隨漕船來者而名之, 亦以其蹟也. 彈琴之左, 有四間堂二間房, 房前又爲半間軒, 卽所謂靑楓池閣. 我蒼筠先祖南還後, 遂爲仙源粧點者也. 閣額韓石峯護筆, 又於梁上, 揭淸風溪三字, 籠之以紅紗者, 宣祖御筆, 而閣之東, 爲嘯傲軒, 卽陶詩 嘯傲東軒下, 聊復得此生之意也. 軒右爲溫室, 室中扁以臥遊庵, 用宗少文 臥遊名山之義, 山內勝槪, 枕上可盡.

南窓楣上, 刻揭 昭顯世子所書, 窓臨絶磵聞流水, 客到孤峯掃白雲之詩, 境絶可想也. 庭南有數百丈大檜, 年可數百, 而無一枝向衰, 可喜. 西窓外壇上, 有二株古松, 凉陰滿地, 最宜月夜, 名曰松月壇. 壇之北 石壁如畵屛, 有三松, 狀如偃盖者, 爲蒼玉屛. 淸陰詩曰. 林壑依然水墨圖, 岩厓自成蒼玉屛, 亦名畵屛岩.

會心臺, 在太古西, 凡三層, 眞簡文所謂 會心處 不必在遠者也. 會心之左 石磴上 有凜然祠, 則仙源影子奉安處也. 祠前石面, 刻大明日月四字者, 尤庵宋先生筆. 天遊臺,

在會心上, 翠壁斗起, 自然成臺, 一名憑虛, 一區形勝盡輸于此. 壁面 刻朱夫子百世淸

風四大字, 故又 名淸風臺.

『安東金氏文獻錄』第三册卷四, 楓溪集勝記

이 글은 겸재가 돌아간(1759) 후 불과 7년 뒤(1766)에 지어진 것이다. 따라서 겸재가 본 청풍계는 바로 위에 서술된 그 모습 그대로였을 것이다. 그래서 이 글에 서술된 태고정太古亭, 조심지照心池, 함벽지涵碧池, 척금지滌衿池, 청풍지각靑楓池閣, 마당 남쪽의 수백 길 되는 큰 전나무 늠연사凜然祠, 청풍대淸風臺, 노송老松 등을 모두 이 그림에서 확인할 수 있다.

'기미년己未年 봄에 그렸다己未春寫'는 관서款書가 있으므로 겸재가 64세 되던 해인 영조 15년(1739)에 그려진 것이 분명하다. 따라서 이 그림은 동야東野가 「풍계집승기」를 짓기 27년 전에 그린 것이다.

그런데 바로 이해 3월 19일에 춘당대春塘臺 알성謁聖 문과시험에서 이천보가 내시교관의 신분으로 급제하여 바로 세자시강원 설서說書(정7품)에 임명된다. 혹시 간송미술관 소장의 이〈청풍계〉가 이천보의 문과급제를 축하하기 위해 그려졌던 것은 아닌지 모르겠다.

〈청풍계〉가 병자호란 당시 강화성이 청군에게 함락되려 하자 화약에 불붙여 자폭한 전 우의정 선원 김상용의 고택인데 이천보의 증조부인 빙헌氷軒 이가상 李嘉相(1615~1637)도 급제한 수재로 강화도에서 순절했기 때문이다. 뿐만 아니 라 이천보의 외증조부인 생원 김익겸金益兼(1614~1636)도 선원을 시종하다 함께 자결했으니 이천보에게 〈청풍계〉는 단순한 명현의 고택이라는 의미만 있는 것이 아니었다.

이런 사정을 잘 아는 겸재가 자신의 진경산수화를 너무 좋아하고 정확하게 평가하며 화법완성을 돕기 위해 영조를 움직여 해악海嶽 명승과 강산江山 승경을 두루 사생할 수 있는 여건을 마련하는 등 가진 편의를 다 제공한 이천보에게 그의 문과급제를 축하할 만한 선물로 〈청풍계〉 그림을 그려 주었다면 당연한 일이라 할 수 있다. 이에 《해악첩》, 《영남첩》, 《사군첩》 등을 그리면서 완성해 낸 진경기법眞景技法을 총동원해서 심혈을 기울여 그려 낸 것이 이 〈청풍계〉였다고 생

20 청풍계淸風溪 부분

각된다.

그래서 이제까지 겸재 진경산수화에 항상 묻어 다녔던 미숙성이 이 그림에서는 말끔히 씻겨 나가 최고의 완성도를 보여 주고 있다. 이천보와 같은 예리한 안목을 가진 감상자에게 기증하는 그림이 아니라면 겸재와 같은 대가가 이렇게 완성도에 집착하지 않았을 것이다. 이는 곧 영조의 어람御覽을 예상해야 하는 일이기도 했다. 그래서 그랬던지 겸재는 5월 24일 무반직인 부사과副司果에 제수된다.

이때 겸재는 청하현감淸河縣監을 지내면서(1733~1735) 관동팔경關東八景 등 동해안 명승지를 사생하는 것을 비롯해서 경상도 명승지를 두루 섭렵하며 진경사생眞景寫生을 계속하여《영남첩嶺南帖》을 이루어 내었었다. 이후 모부인母夫人 밀양박씨密陽朴氏(1644~1735) 상喪을 당하여 3년 거상居喪하는 중에 일체一切 화업畵業을 중단하게 되자 화의畵意가 더욱 순숙醇熟해져서 그 진경화법眞景畵法이 가경佳景에 이르렀었다.

◆사군四郡
청풍, 단양, 영춘, 영월

뿐만 아니라 탈상 직후에는 강상江上 경치의 백미라는 남한강 상류의 사군四郡◆ 산수를 사생하고 와서《사군첩四郡帖》을 완성해 내었다. 그런 단계의 기량技倆으로 그려 낸 것이 이 〈청풍계〉니 여기에 추호秋毫의 허술함이 있을 리 없다.

늠연당 뒤로 보이는 수직 절벽이 청풍대일 것이고 늠연당 아래 사모정이 태고정인데 그 일대가 중경中景으로 화면의 중심부를 이루고 있다. 복건幅巾 쓴 선비가 막 나귀에서 내려 담장을 터서 낸 협문狹門 안으로 들어서고 있다. 그 안마당에 수백 길 되었다는 전나무가 우람한 수세樹勢를 자랑하며 우뚝 서 있고 그 안으로 누각 형태의 청풍지각靑楓池閣이 자리 잡고 있다. 청풍지각 왼편으로는 세 못 중 하나인 함벽지의 모습이 네모지게 보인다.

원경遠景을 이루는 뒤뜰은 그대로 인왕산仁王山으로 이어지니 세이암洗耳岩 아래에서 2층으로 폭포 지는 계곡물이 삼당三塘으로 흘러드는 것이나 조진등朝眞磴의 위태로운 바위벼랑길 등이 실감나게 표현돼 있으며 그 위로는 역시 바위벼랑이 부벽찰법斧劈擦法◆으로 대담하게 쓸어내려져 있다.

◆부벽찰법斧劈擦法
도끼로 쪼갠 단면처럼 수직으로
보이도록 붓으로 쓸어내려 절벽을
나타내는 먹칠법

한 덩어리로 되어 있는 인왕산 특유의 잘생긴 백색암벽白色岩壁들이 마치 음화陰畵인 양 겸재의 대담 장쾌한 묵찰법墨擦法에 의해 검은 바위로 표현되어 있는데 흑백의 상반된 색채감각 속에서 어떻게 그리도 백색 화강암에서 느낄 수 있는 사실감을 그대로 인지認知할 수밖에 없도록 만드는지 불가사의한 일이다. 아마 그 암괴岩塊가 가지는 막중한 괴량감塊量感을 포착하여 중묵重墨◆의 찰법擦法으로 재현해 냈기 때문일 것이다.

◆**중묵**重墨
먹을 덧칠함

그 중에 대표적인 바위 절벽인 청풍대는 1960년대까지만 해도 이 모습대로 남아 있었다. 그런데 지금은 어느 사가의 뜰 안으로 숨었는지 아니면 파괴되어 사라졌는지 아무리 찾아보아도 그 흔적조차 가늠할 길 없다.

나무의 표현도 둥치를 거친 붓으로 속도 있게 처리함으로써 일체의 기교와 세밀한 표현을 배제했는데, 그것이 가지는 우람하고 장대한 기품이 우리 주변에서 보는 수목의 특징을 너무도 잘 반영해 준다. 특히 이곳에서 보이는 버드나무, 소나무, 전나무, 느티나무 등 노거수老巨樹의 거친 표현은 바로 그 본질을 정확하게 파악하여 재현해 낸 것이라고 보아야 하겠다. 이것이 모두 겸재가 육십 평생을 사생으로 일관하면서 터득해 낸 진경의 묘리다.

이와 비슷한 구도를 가진 〈청풍계〉[도판41]가 고려대학교 박물관에도 소장되어 있다. 규모는 간송본보다 작지만 시점은 훨씬 멀어 인왕산 낙월봉으로 파고든 청풍계 계곡 전체를 그려 내고 있다. 간송본이 선원고택을 중심으로 한 좁은 의미의 〈청풍계〉라면 이 고대본 〈청풍계〉는 계곡 전체를 포괄하는 넓은 의미의 〈청풍계〉다.

따라서 선원고택은 전경으로만 처리되고 그 뒤로는 청풍계 계곡 전체가 굽이 굽이 이어져 나가 있다. 시점을 높이 띄웠기 때문에 선원고택의 앞부분까지도 눈 안에 들어와 늙은 버드나무 사이에 세워진 삼문 형식의 솟을대문까지도 표현하고 있다. 건물의 표현에서 보다 섬세한 필치로 사진寫眞하려는 성실성이 엿보이고 대상의 취사선택에서 아직까지 소극성을 벗어나지 못한 점 등으로 비추어 보아 대담한 생략과 웅혼장쾌한 필묵법으로 일관한 간송본보다는 10년 정도 앞선 그림일 듯하다.

청풍계淸風溪^{도판41}
1730년 무술戊戌경,
지본채색紙本彩色,
36.0×96.0cm,
고려대학교박물관 소장.

옥동척강玉洞陟崗^{도판42}

그리고 겸재는 6월에 당시 도승지都承旨로 있던 이춘제李春蹐(1692~1761)를 위해 〈옥동척강玉洞陟崗〉을 그린다. 이춘제는 세종대왕 제9왕자 영해군寧海君 당瑭(?~1478)의 10대손으로 자字를 중희仲熙라 했는데 그 부친 언경彦經(1653~1710)이 감사를 지낸 명문으로 그 저택이 겸재의 인곡정사仁谷精舍 부근에 있어 겸재와는 친교가 깊었던 모양이다.

비록 소론이나 백악사단에 동조하는 인물이라 소론 탕평당의 중진으로 영조의 신임이 두터워 여러 차례 도승지를 역임하는데 조현명趙顯命(1691~1752)의 재종형이며 인조 왕자 인평대군의 서랑인 대사헌 조원명趙遠命(1675~1749)의 맏사위이기도 했다.

그런 그가 현재 옥인동 48번지 서울교회 부근 인왕산 기슭에 있던 그의 저택으로 그와 친교가 깊은 소론 탕평당 인사들인 조현명, 송원직宋元直 익보翼輔(1689~1747), 서보국徐國寶 종벽宗璧(1696~1751), 심시서沈時瑞 성진星鎭(1695~1778) 등을 초청하여 왕년 소동파蘇東坡의 서원아집西園雅集을 재현하는 모임을 갖는다. 주인 이춘제는 48세, 조현명 49세, 송익보 51세, 서종벽 49세, 심성진 45세로 거의 사십대 후반에서 오십대 초반에 걸친 장년층들의 모임인데 69세의 사천과 64세의 겸재가 이에 동석하고 있다.

이들이 진경시화眞景詩畵 쌍벽雙璧으로 백악사단의 양대 거두인 이 두 선배를 한동네 사는 존장尊丈으로 정중히 모셔 와서 풍류아회風流雅會를 빛내려 했던 모양이다. 이춘제의 욕심이기도 했겠지만 조현명이 특청한 일이었으리라 생각된다. 이때 조현명은 오래도록 이조판서로 인사권을 장악해 오고 있다가 잠시 우참찬의 자리로 옮겨 앉으며 어영대장을 겸직하고 있었다.

이 모임에서 조현명은 이춘제로 하여금 「서원아회기西園雅會記」를 짓도록 하고 시 한 수를 짓고 나서 참가자 전원에게 이를 화답하도록 한 다음 사천과 겸재에게는 진경시화眞景詩畵로 이 아회雅會를 사생해 주도록 요청한다. 그래서 겸재는 이 〈옥동척강〉을 그려 남긴다. 옥류동玉流洞에서 산등성이를 오른다는 의미인데 이들은 이춘제 집의 후원인 서원에서 모인 다음 옥류동 산등성이를 넘어 세심대洗心臺를 거쳐 청풍계淸風溪까지 가서 놀다 왔으므로 이춘제 집이 있는 옥류동에서 산등성이를 올라 세심대로 넘어가는 장면을 그린 것이었다.

이춘제의 「서원아회기西園雅會記」와 그 칠언율시七言律詩를 옮기면 다음과 같다.

휴관休官한 이래로 병과 게으름이 서로 이루어져서 집 뒤 소원小園을 들여다보지 못한 지가 오래였다. 송원직宋元直, 서국보徐國寶가 심시서沈時瑞, 조군수趙君受 두 영감과 약속하고 소회小會를 도모했는데 귀록歸鹿 조趙대감이 소문을 듣고 이르렀다.

그때 소나기가 동이를 뒤집는지라 개기를 기다려서 서원에 올라가 앉았다가 그대로 소매를 잇대어 사립문을 나서서 옥류동玉流洞의 천석泉石 사이를 배회했다. 홀연 귀록이 지팡이를 날리며 짚신을 신고 비탈을 타며 산마루를 오르니 걸음 빠른 것이 소장少壯 못지않다.

제공諸公이 뒤따라 오르는데 땀나고 숨차지 않음이 없었으나 잠깐 사이에 산등성이를 넘고 골짜기를 지날 수 있어서 청풍계의 원심암遠心庵과 태고정太古亭이 홀연 눈 아래 있다. 이는 거의 『시경詩經(권11 소아小雅 정월正月)』에서 이른바 '마침내 절험絶險을 넘었으니, 일찍이 뜻하지 않은 것이다'라고 한 것과 같다.

급기야 숲을 뚫고 내려가서 시내에 임해 앉으니 곧 한 줄기 걸린 폭포가 바위 사이로 졸졸 흐른다. 갓끈을 빨고 발을 씻고 답답한 가슴을 내어 씻어 땀나고 숨찬 것을 다 버리고 나서는 모두 이르기를 '풍원豊原이 아니었으면 어찌 이렇게 힘쓸 수 있었겠는가. 오늘 계곡놀이는 실로 평생 으뜸일 것이다.'라고 했다.

정자에서 소요하는 것으로 마침내 저녁이 되어도 돌아갈 줄 모르다가 파하기에 임해서 귀록이 입으로 시 한 수를 읊고 제공에게 잇대어 화답하라고 하며, 겸재에게 화필을 청하여 장소와 모임을 그려 달라 하니 그대로 시화첩을 만들어서 자손이 수장하게 하려 함이다. 심히 기이한 일이거늘 어찌 기록이 없을 수 있겠는가.

나를 돌아보건대 어려서부터 시학詩學을 좋아하지 않았고 늦게는 또 눈만 높고 손이 낮은 병이 있어서 무릇 시를 짓는 데 마음을 두지 않았으니 친구와 헤어

25

옥동척강玉洞陟崗^{도판42}

1739년 기미己未 6월, 견본담채絹本淡彩, 33.5×33.8cm, 개인 소장.

지고 만날 때 시를 주고받는 일에 일체 길을 연 적이 없다. 그런 까닭으로 문득 이 것으로써 사양했더니 귀록이 또 시령詩令을 어긴 것으로 책망한다. 부득이 파게 하여 책망을 막기는 하나 참으로 육담시肉談詩라고 할 수 있을 뿐이다. 기미년 (1739) 늦여름 서원주인西園主人.

休官以來, 病懶相成, 未窺家後小園者, 久矣. 宋元直 徐國寶, 約沈時瑞 趙君受兩令, 而謀小會, 歸鹿趙台, 聞風而至. 于時驟雨飜盆, 後晴, 登臨西園, 仍又聯袂, 而出柴扉, 徘徊於玉流泉石. 歸鹿 忽飛筇着芒, 攀崖陟巓, 步履之捷, 不減少壯. 諸公躋後, 無不膚 汗氣喘, 而俄頃之間, 乃能越嶺, 而度塹, 楓溪之心庵 古亭, 倏在目下. 此殆詩所謂, 終 蹂絶險, 曾是不意者也.

及其穿林而下, 臨溪而坐, 卽一條懸瀑, 潺湲石間. 濯纓濯足, 出滌煩襟, 去之膚汗而 氣喘者, 咸曰 微豊原, 安得務此. 今谷之游, 實冠平生. 於亭逍遙, 竟夕忘歸, 臨罷, 歸鹿 口呼一律, 屬諸公聯和, 請謙齋筆, 摹寫境會, 仍作帖, 以爲子孫藏. 甚奇事也, 豈可無 識.

顧余 自少不好詩學, 老又有眼高手卑之症, 凡於音韻淸濁高低者不經, 與親舊抱別 逢歸酬唱, 一切未嘗開路. 故輒以此謝之, 則歸鹿, 又責之以違詩令, 不得已 破戒塞責, 眞是肉談詩云乎哉, 己未季夏 西園主人

뒤이어 칠언율시七言律詩 한 수를 남겨 놓고 있다.

소원小園의 가회佳會 우연히 이루어지니, 지팡 막대 짚신으로 비 걷힌 저녁 산 소 요한다.
선각仙閣이 번거로움 사양하니 마음 이미 고요하고, 구름 산 승경勝景 찾으니 다 리 가볍다.
멀리 올라 오늘 저녁 피로하다 말하지 말게, 와서 논 것 자랑하면 이 생애 제일이 라네.
파할 때 정녕 뒷기약 두니, 장군의 풍치와 사천 노장老丈 맑은 뜻일세.
귀록이 바야흐로 장군 신부信符를 띠고 또 매양 장군이라고 자칭하기 때문에 이 렇게 읊었다.

小園佳會偶然成, 杖屨逍遙趁晚晴. 仙閣謝煩心已靜, 雲巒耽勝脚益經.

休言遠陟勞今夕, 誇詫來遊冠此生. 臨罷丁寧留後約, 將軍風致老槎清.

歸鹿方帶將符, 且每自稱將軍故云.

다음 영조 16년(1740) 경신庚申은 겸재에게 매우 뜻깊은 해였다. 우선 정월 10일에 김창집과 이이명의 복관작復官爵이 이루어진 것이다. 송인명은 물론 조현명까지도 시기상조론을 펴며 이를 반대해 왔건만 영조는 과감하게 이를 단행했던 것이다. 유척기가 50세의 나이로 이제 표면에 나서서 세도를 좌우할 만하고 여론과 민심도 남소론 측의 강경자세와 탕평소론의 장기집권에 염증을 느끼는 듯하니 예민한 영조가 이를 간파하고 내린 결정이었다.

이에 신임사화를 배후에서 교사敎唆했다는 함원咸院부원군 어유구魚有龜(1675~1740)가 1월 16일 공포를 못 이긴 듯 66세로 세상을 떠나고, 양 대신을 역적으로 몰아 신임사화를 일으켰던 장본인인 영의정 이광좌는 설 자리를 잃고 공주로 낙향한다. 드디어 5월 19일 삼사제신三司諸臣들이 합계合啓로 신임사화를 주도했던 유봉휘와 조태구의 추탈관직과 이광좌의 선파先罷를 요청하는 상소를 빗발치듯 올리는데 마침 공주 유생 박동준朴東俊이 이광좌가 그 부모 산소를 왕자王字 산맥에 장사 지내고 말이 새지 않도록 경계했다는 일을 충청감사 김성운金聖運(1681~1747)에게 밀고하게 되니 이광좌는 분통이 터져 단식하다가 5월 26일 타계한다.

이로써 준소는 구심점을 잃어 더 이상 노론에 대항할 힘이 없게 되니 비로소 영조의 왕권에 정면 도전하던 세력이 완전 소멸한 셈이었다. 그러나 영조는 여론을 의식하여 삼사제신과 김성운이 내외內外 화응和應하여 이광좌를 모함에 빠뜨린 것이라고 격노하며 우의정 유척기兪拓基가 이 사실을 알고 있었을 것이라는 이유로 즉일 파직시킨다.

6월 1일 지수재는 미련 없이 서울을 떠나는데 이로부터 4년 동안을 강교江郊에 머물면서 아무리 영조가 간곡하게 불러도 사양하고 일체 서울에 발걸음조차 하지 않는다. 스승 삼연으로부터 배운 피세은일避世隱逸의 자세가 지수재로 하여금 이렇듯 고고孤高한 생활 태도를 유지하게 했을 것이다.

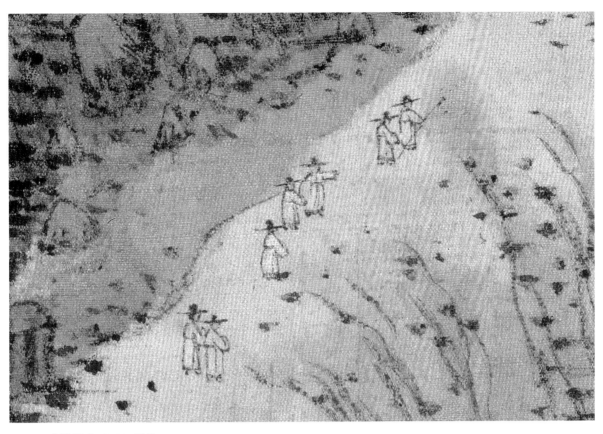

옥동척강玉洞陟崗 부분

이제 송인명이 다시 우의정으로 입각하여 6월 5일에 탕평을 국시로 정할 것을 청한다. 영조는 짐짓 교리 원경하元景夏에게 물으니 원경하는 노소에 그치지 말고 동서남북을 불문하고 재주에 따라 인재를 등용해야 공도公道가 회복될 것이라고 진언한다. 이에 영조가 그 공정함을 장려하니 사람들은 비루하게 생각하여 이를 대탕평大蕩平이라 했다 한다.

어떻든 영조는 이 경신년을 고비로 해서 이렇게 서서히 자신의 왕위계승 정통성을 정면 부정하려 드는 준소의 세력을 약화시켜 나가면서 차츰 자신의 세력기반인 백악사단 계열의 노론 세력을 부상시키는 정책을 소리 없이 진행시켜 나가게 된다. 그래서 인사권을 장악하는 이조판서 자리에 인현왕후의 친정 당질인 오헌梧軒 민응수閔應洙(1684~1750)와 (3월 3일) 농암 문인인 학당鶴塘 조상경趙尙絅(1681~1746)을 갈마들이며 앉히고 (윤6월 18일) 9월 28일에는 병조판서 조현명을 우의정으로 제수하고 김재로를 영의정, 송인명을 좌의정으로 차례로 승차시

29

켜 탕평정국을 완전 회복해 놓는다. 그리고 10월 10일에는 원경하를 승지로 발탁해서 측근으로 불러들인다.

뿐만 아니라 2월 22일에는 인원대비에게 존호를 올려 왕실의 권위를 과시하고 4월 5일에는 기준척基準尺을 새로 만들어 척도尺度를 일신하고자 한다. 이 과정에서 최천약은 옥책玉冊·옥보玉寶의 조성과 신척 조성의 대공을 세워 벌써 품계가 가선嘉善(종2품 하위)에서 가의嘉義(종2품 상위)로 상승하는 영광을 누리게 된다.

6월 3일에는『속오례의續五禮儀』의 편찬을 의정하여 예치禮治의 기준을 개정하기로 한다. 이런 개혁의 기운은 병기개량兵器改良에도 영향을 주어 윤6월 18일에는 전라좌수사 전운상田雲祥(1694~1760)이 해골선海鶻船을 새로 만들어 냈다. 몸체가 작고 가볍고 빠른 쾌속전선이었다.

삼승정三勝亭도판43

이런 정국의 변화 속에서 겸재는 다시 늦여름, 즉 윤6월 어느 날 이춘제李春蹄를 위해 〈삼승정三勝亭〉과 〈삼승조망三勝眺望〉을 그리게 된다. 이해에 이춘제는 자신이 49세 되는 것을 기념하기 위해 그의 집 후원後園인 서원西園에 모정茅亭을 고쳐 짓고 연못을 파며 화목花木을 심는 등 치원治園 사업을 벌이고 나서 조현명에게 정자의 이름 지을 것을 의논하게 된다.

이에 조현명은 그가 전에 그 정자에 올라가서 '사천의 아름다운 시와 겸재 그림, 좌우에 맞아들여 주인 노릇한다槎川佳句謙齋畵, 左右招邀作主人'라고 읊었던 시를 상기시키며 경치가 빼어나고(景勝) 시가 빼어나고(詩勝) 그림이 빼어나다(畵勝)는 의미의 삼승三勝으로 이름을 지으라고 권유한다.

그리고 「서원소정기」를 지으면서 그 내력을 모두 기술해 놓는다. 이에 이춘제는 이 정자 이름을 삼승정三勝亭이라 하고 사천과 겸재를 맞아다가 이를 시화詩畵로 사생해 주기를 간청했던 모양이다.

그래서 이루어진 것이 〈삼승정〉과 〈삼승조망〉인데, 이 그림들은 사천의 진경시眞景詩와 조현명의 「서원소정기西園小亭記」 및 전년에 그려진 〈옥동척강〉과 이춘제의 「서원아회기西園雅會記」, 아회인雅會人들의 창수시唱酬詩 등과 함께 시화첩詩畵帖으로 합장合粧되어 이춘제 집에 보장된다. 이후 이 시화첩은 이춘제 후손가에 전해져 오다가 근년에 모두 해체되어 각 개인 소장으로 흩어져서 그 전모를 짐작할 수 없게 되었다.

〈삼승정〉은 세심대와 옥류동 사이의 산비탈 송림 속에 자리한 이춘제 집 후원 모정으로 이춘제가 동자에게 일금一琴을 들려 올라가는 정경을 포착한 그림이다. 임리淋漓한 송수법松樹法이나 음양이 조화된 화면구성법, 소쇄瀟灑한 모정의 표현 등에서 겸재 화법이 가경佳境에 이르렀음을 보여 주는 대표적인 그림인데 이춘제의 모습에서는 겸재가 인물을 얼마나 정확하게 전신傳神해 내는가를 확인할 수 있다.

삼승정三勝亭 도판43
1740년 경신庚申 6월, 견본담채絹本淡彩, 66.7×40.0cm, 개인 소장.

삼승조망三勝眺望도판44

〈삼승조망〉은 이춘제가 바로 이 정자에 앉아 한양 도성 일대를 조망하는 장면을 그린 것이다. 경복궁, 사직단, 인경궁仁慶宮을 비롯한 한양 도성 안은 물론이려니와 남산과 관악산, 남한산성까지 시계視界가 미치는 곳을 모두 그렸는데 오히려 앉아서 내려다보는 높은 쪽을 좌측 하단에 낮게 그리는 묘한 시각으로 화면을 처리함으로써 광활한 시계를 소폭小幅 안으로 응축凝縮해 들이는 묘리를 보였다. 역리易理에 통달한 겸재이기에 팔괘구궁진법八卦九宮陣法의 원리를 이끌어 이런 묘법을 강구해 냈으리라 생각된다.

〈삼승정〉이 그려지는 내력을 귀록 조현명은 「서원소정기」에서 이렇게 밝히고 있다.

이중희李仲熙의 서원西園 정자가 북산北山 아름다운 곳을 차지하니 계곡은 그윽하고 깊으며 앞은 넓게 툭 터져 있고 좌우에는 늙은 소나무가 빽빽하다. 곧 그 가운데에 층급을 지어 계단을 삼고 꽃과 대나무를 벌려 심었으며, 구덩이를 파서 연못을 만들고 마름과 가시연을 덮어놓았다. 위치가 매우 정돈되어 신묘하게 운치를 얻으니 북산 일대를 따라서 대개 명원승림名園勝林이 많으나 홀로 중희의 정자가 그 빼어남을 독차지하게 되었다.

하루는 중희의 편지가 왔는데 "이 정자가 이루어진 것이 마침 내 49세 되는 해이니(지비지년知非之年)이니 그런 까닭으로 사구정四九亭이라고 이름 지을까 하기도 하고 또 세심대洗心臺와 옥류동玉流洞 사이에 있으니 그런 까닭으로 혹은 세옥정洗玉亭이라 할까도 한다. 당신이 그를 택하시오." 라고 했다.

나는 이렇게 회답했다. "사십에 잘못을 안다는 것은 비록 군자가 덕德을 닦아 나아가야 할 바의 것이기는 하나 그러나 이 정자에 그것으로 이름 붙이기에는 넓어서 적절치 않고 또 옥류동과 세심대는 돌아보면 곧 족하거늘 그것으로 이 정자에 거듭하겠는가. 내가 일찍이 자네 정자에 올라가서 시를 지어 이르기를 '사천槎川의 아름다운 시와 겸재謙齋 그림을, 좌우에 맞아들여 주인 노릇 한다.槎川佳句謙齋畵, 左右招邀作主人' 했으니 정자의 이름은 여기에 있다."

대저 이태백李太白, 두보杜甫의 시와 고개지顧愷之, 육탐미陸探微의 그림은 천하에 이름났으나 그러나 그 출생한 것이 각각 떨어져서 서로 앞뒤를 달리 했으므로 더불어 동시에 어깨를 나란히 하지 못했으니 비록 향로봉의 폭포와 동정호의 누각으로써일지라도 시는 있으되 그림이 없었다. 이는 천고千古 승지勝地의 한스러움이었다.

이제 사천과 겸재 씨의 시와 그림은 다 같이 일세一世에 가장 뛰어나다 할 수 있고 그 사는 곳이 모두 자네 정자에 멀지 않다. 대저 이 정자의 빼어남으로 또다행히 이씨二氏에 이웃하여 날마다 지팡이와 짚신으로 서로 한 자리에 오갈 수 있으니 거의 이태백·두보를 왼쪽으로 하고 고개지·육탐미를 오른쪽으로 한 것과 같다. 어찌 그리 성대하겠는가.

계산溪山에 끼는 안개구름이 아침저녁으로 변하는 모습과 바람에 살랑이는 꽃으로부터 눈 위에 비치는 달빛에 이르는 사시四時의 아름다운 경치가 시와 그림 속에 들어오지 않음이 없는데, 시가 형용할 수 없는 바의 것은 그림이 혹은 그것을 형용해 내는 것이 있기도 하고 그림이 발현해 낼 수 없는 바의 것은 시가 혹은 그것을 발현해 내는 것이 있기도 하니 대개 더불어 서로 꼭 필요로 하여 서로 없을 수가 없다.

이에 정자의 빼어난 것이 이씨를 만나서 삼승三勝을 갖추게 되었다. 나는 그런 까닭으로 이 정자를 이름 지어 삼승이라 하고 드디어 그것을 위해 기기를 짓노라. 경신년 늦여름에 귀록산인歸鹿山人이 쓴다.

李仲熙 西園之亭, 占北山佳處, 溪塑 窈而深, 面界 敞而豁, 左右 古松森然. 卽其中, 級之爲階, 而花竹列焉, 坎之爲池, 而菱芡被焉. 位置甚整, 妙有韻致, 沿北山一帶, 蓋多名園勝林, 而獨仲熙之亭, 擅其勝絶焉. 一日 仲熙書來, 以爲斯亭之成, 適在吾知非年, 故或名之爲四九, 以且在洗心臺 玉流洞之間, 故或名之爲洗玉, 子其擇焉.

余復之曰, 四十知非, 雖君子所以進德者, 然其於名斯亭也, 汎而不切, 玉流 洗心, 顧卽足, 以重斯亭也. 余嘗登子之亭, 而賦詩曰, 樣川佳句謙齋畵, 左右招邀作主人. 亭之名, 在是矣. 夫李杜之詩, 顧陸之畵, 名於天下. 然其生也, 落落相先後, 不與之同時竝峙, 雖以香爐之瀑, 洞庭之樓, 有詩而無畵, 此千古勝地之恨也.

今樣川謙齋氏之詩與畵, 俱可爲 妙絶於一世, 而其所居, 皆不遠於子之亭也. 夫以斯

삼승조망三勝眺望도판44

1740년 경신庚申 6월, 견본담채絹本淡彩, 66.7×39.7cm, 개인 소장.

亭之勝, 又幸隣於二氏, 日以杖屨, 相周旋於一席, 殆若左李杜, 而右顧陸. 何其盛也.
溪山烟雲, 朝暮之變態, 風花雪月, 四時之佳景, 無不入於唫哢揮灑之中, 而詩之所不
能形者, 畵或有以形之, 畵之所不能發者, 詩或有以發之, 蓋與之相須, 而不可以相無
也. 於是 亭之勝絶者, 遇二氏而三勝具焉. 余故名是亭, 曰三勝, 遂爲之記. 庚申 季夏
歸鹿山人記.

귀록은 이렇게 이춘제의 서원소정西園小亭 이름을 삼승정三勝亭이라 지은
연유를 밝힌 다음 바로 삼승정이라고 이름 붙이는 계기가 된 그의 시를 써 놓고
있다.

아득한 서원 정자 세상 밖에 있는데, 꽃 심어 줄 짓고 연못을 새로 팠다.
사천의 아름다운 시와 겸재 그림을, 좌우에 맞아들여 주인 노릇 한다.
迢遞西亭出世塵, 種花成列鑿池新. 槎川佳句謙齋畵, 左右招邀作主人.

백악산白岳山^{도판45}

이 어름에 겸재는 김정겸金貞謙(1709~1767) 직보直甫에게 〈백악산白岳山〉을 그려 준다. 그림을 살펴보기로 하겠다.

세종로 네거리 부근에서 북악산을 바라보면 산이 마치 하얀 연꽃봉오리처럼 보인다. 그래서 원래 백악산白岳山이라 불렸던 모양이나, 그 아래에 경복궁景福宮을 터 잡아 짓고 난 뒤로는 서울의 진산鎭山으로 북주北主가 된다 하여 북악산北岳山이라고도 부르게 되었다.

백색 화강암으로 이루어진 금강산 줄기가 북한강 물줄기를 몰고 내려오다가 그 강 끝에 이르러 혼신의 힘을 기울여 정기를 죄다 분출시킨 것이 삼각산三角山이라 할 수 있겠는데, 그 중 서쪽 봉우리인 만경대萬景臺의 남쪽 줄기가 뻗어 나와 마지막으로 용솟음쳐 놓은 것이 백악산이다.

이로부터 천하제일 명당이라는 한양 서울의 형세가 이루어져 나간다. 동쪽으로 뻗어 나간 줄기가 응봉鷹峯을 거쳐 낙산駱山으로 이어지면서 좌청룡左靑龍이 되고 서쪽으로 이어진 인왕산仁王山이 우백호右白虎가 된다. 목멱산, 즉 남산이 남쪽을 가로막아 남주작南朱雀을 이루니 백악산은 북현무北玄武에 해당하여 한양 서울은 풍수지리에서 말하는 명당의 요건을 완벽하게 갖춘다. 더구나 그 산들의 생긴 모양이 제 이름값을 그대로 드러내고 있음에랴!

낙산은 청룡답게 길게 치달려 나갔고 인왕산은 백호처럼 웅크려 앉았으며 남산은 주작인 듯 두 날개를 펼치고 있다. 백악산은 현무답게 머리를 솟구쳐 허공에 우뚝 솟았는데 마치 산 전체가 하나의 흰색 바윗덩어리처럼 보인다. 그러나 첫눈에 한 덩어리 바위처럼 보이던 이 산은 자세히 관찰하면 골짜기도 있고 시냇물도 있으며 소나무숲과 잡목숲이 각기 제자리를 찾아 우거져 있다. 이 그림은 바로 그런 모습을 정확히 파악하고 그려 낸 것이다.

상봉에 가까운 동쪽 기슭에 거대한 거북머리龜頭처럼 생긴 바위가 우뚝 솟아난 바위 절벽 위에 얹혀 있는 모습이 한눈에 잡혀 드는데 이것이 백악산을 특징지어 주는 비둘기바위다. 조선시대에는 오리바위鳧岩라고도 했던 모양이나 겸재 눈에는 이 바위가 그런 오리나 비둘기 따위의 잔약한 모습으로 보이지 않았던

백악산白岳山^{도판45}
1740년 경신庚申경, 지본담채紙本淡彩, 25.1×23.7cm, 간송미술관 소장.

가 보다. 힘차게 치켜든 현무의 거북머리 형태로 보였던 모양이다.

그래서 대담한 붓질과 짙은 먹칠로 흰색 화강암을 완전 반대색인 검은빛 일색으로 그려 놓고 있다. 그런데도 이상하게 이것이 백색 화강암으로 이루어진 새하얀 비둘기바위로 느껴지는 것은 어쩐 까닭인지 알 수 없다. 겸재가 인왕산이나 백악산을 그리면서 이런 흑백 도치법을 구사해 성공할 수 있었던 것은 『주역周易』에 정통하여 음양대비와 음양조화의 논리를 거침없이 사용했기 때문이었을 듯하다.

솔숲 우거진 산등성이나 잡수림이 무성한 골짜기는 큼직한 미점米點으로 그 임상林狀을 대강 형용하고 바위 절벽은 부벽찰법斧劈擦法으로 확확 쓸어내렸다. 그리고 바탕색을 그대로 살려 두어 산등성이들이 저절로 노출되도록 했다. 서쪽 산 능선을 따라서 한양성이 보이는데 지금 보아도 이 모습 그대로다.

제사에 「겸재가 직보直甫에게 그려 준다謙齋寫與直甫」고 했는데 직보는 한성부 서윤庶尹을 지낸 김정겸金貞謙(1709~1767)의 자字이다. 김정겸은 영의정을 지낸 김수흥金壽興(1628~1690)의 손자다. 김수흥이 삼연 김창흡의 둘째아버지이니 삼연에게는 5촌조카가 되는 셈이다. 뿐만 아니라 김정겸의 처조카들인 근재近齋 박윤원朴胤源(1734~1799)과 금석錦石 박준원朴準源(1759~1807) 형제들이 겸재로부터 주역을 배운 제자들이었다. 이런 인연이라면 겸재로부터 〈백악산〉 그림을 그려 받기에 부족함이 없지 않았겠는가.

인가가 들어서 있던 대은암동, 도화동, 유란동 등은 모두 구름으로 가려 놓았다. 지금 청와대가 차지하고 있는 너른 터전이 모두 이 구름 속에 잠겨 있는 것이다. 이런 정경을 사천은 이렇게 읊어 놓고 있다.

백악에 아침 빛 찾아오면, 푸르름 반쯤 머리 내민다.

응당 허리 아래 비 내리리니, 내 서루 감춰 주겠지.

白嶽朝來色, 蒼蒼出半頭.

祇應腰下雨, 藏得我書樓.

李秉淵, 『槎川詩抄』 卷下, 爲尹浩而 光天題書

이 백악산 아래에는 율곡선생의 옛집도 있었던 모양이다. 사천의 시제자인 창암蒼巖 박사해朴師海(1711~1778)가 다음과 같이 시화詩話 곁들인 시를 남겨 놓고 있기 때문이다.

계미癸未(1763) 3월 초이튿날 율곡선생 사당이 해서海西로부터 장동壯洞 옛집으로 되돌려 모셔지니 선비들이 교외에 나가 맞이했다. 이날 아침 차문箚文＊을 올리는 일로 성균관 동료들은 대궐 아래 모여 있어서 갈 수 없었으나 비답批答＊을 받고 나자 드디어 함께 나가서 사당을 뵙고 절했다. 내친김에 혼자 가서 남계선생 영정을 뵙고 절하고 돌이켜 청풍계로 향해서 여러 동료와 더불어 노닐다가 파하다.

癸未三月初二日, 栗谷先生祠宇, 自海西還奉壯洞舊第, 搢紳章甫, 出迎郊外. 是日適以陳箚事, 館僚聚闕下, 不克徃, 旣承批, 遂齊進, 瞻拜祠宇. 仍獨徃瞻拜南溪先生影幀, 旋向淸風溪, 與諸僚, 逍遙而罷.

＊**차문**箚文
국왕에게 올리는 글

＊**비답**批答
상소문에 대한 임금의 대답

어진 스승 어느 곳에서 찾나, 백악산 자락이로다. 백 세에 우뚝한 모습, 산과 함께 우러러본다.

賢師何處尋, 白岳山之趾. 百世高人風, 與山同仰止.

朴師海,『蒼巖集』卷二

풍악내산총람楓岳內山摠覽^{도판46}

◆부감俯瞰
위에서 아래를 내려다봄

◆작화作畵
그림을 그림

◆웅자雄姿
크고 아름답고 씩씩한 모양

◆기자묘태奇姿妙態
기이하고 신묘한 자태

◆상악준霜鍔皴
서릿발처럼 끝을 모지고
날카롭게 꺾어 내려 바위산을
이루어 내는 선묘법.
주로 수직 암봉의 표현에 쓴다.

◆기고준초奇高峻峭
기이하게 높고 깎아지른 듯함

◆피마준披麻皴
삼 껍질을 째서 널어놓은 것과
같이 부드러운 필선이 가지런히
중복되면서 산의 형상을
이루어 내는 선묘법. 토산 구릉을
표현할 때 주로 쓴다.

◆승경勝景
빼어난 경치

◆와유臥遊
누워서 노님

◆금강산준金剛山皴
금강산을 그려 내는 데 알맞는
특유의 예각 수직 선묘법

◆겸재준謙齋皴
겸재 특유의 예각 수직 선묘법

◆배포配布
그림의 내용을 적당히 나누어
펼쳐 놓음

이렇게 겸재의 진경산수화법이 가경佳境에 이르렀을 때 겸재는 금강내산을 총도總圖형식으로 완성해 내니 간송미술관 소장 〈풍악내산총람楓岳內山摠覽〉^{도판46}이 그 대표작이다.

화제畵題가 가리키듯이 가을의 내금강內金剛 전경전경全景을 화폭에 압축해 넣은 그림이다. 풍악楓岳은 금강산金剛山의 가을 이름이기 때문이다.

단발령斷髮嶺 쪽에서 부감俯瞰[◆]한 것으로, 망원경이 아직 일반에 보급되지 않고 비행기도 없던 시대에 어떻게 이렇게 수백수천의 봉우리들로 이루어진 내금강의 전모를 세세히 파악하여 한 화폭 안에 담을 수 있었던지 겸재의 작화作畵[◆] 요령에 감탄을 금할 길이 없다. 그에게는 금강산 일만이천봉一萬二千峯이 가슴 속에 가득 차 있어서 마치 자신의 손바닥을 들여다보듯 그것을 환히 알 수 있었던 모양이다.

금강산 자체가 천하의 명산으로 과부족過不足이 없는 웅자雄姿[◆]를 지니고 있어 그것을 그대로 화폭에 옮기면 명화名畵가 되게 되어 있다 하지만, 겸재 아니고서는 이 명산의 기자묘태奇姿妙態[◆]를 이렇게 요령 있게 화폭에 담은 경우가 거의 없다.

뭇 암봉岩峯들을 서릿발 같은 상악준霜鍔皴[◆]으로만 처리함으로써 금강산의 기고준초奇高峻峭[◆]한 암봉의 진미를 살려 냈으며, 이를 둘러싼 토산土山은 피마준披麻皴[◆]과 미점米點만으로 부드럽게 처리하여 음양陰陽의 조화를 이루었다. 요소요소에 사암寺庵을 배치하되 산세수맥山勢水脈에 거스름이 없고 그 규모도 산을 해치지 않을 만큼 절제돼 있으나 가람 사생에 조금도 소루疏漏함이 없어 진경眞景으로의 정확성을 기하고 있다.

명승고적名勝古蹟에 하나하나 그 이름을 써 놓아 내금강內金剛의 전모를 일목요연하게 파악할 수 있게 했으니 그야말로 내금강의 승경勝景[◆]을 가 보지 않고도 와유臥遊[◆]하게 해 주는 명품이라 할 수 있겠다.

겸재의 금강산준金剛山皴[◆], 즉 겸재준謙齋皴[◆]이라 할 수 있는 상악준법이 능숙하게 구사되고 배포配布[◆]에 토산이 암산을 포용하는 음양조화의 묘리妙理를

풍악내산총람楓岳內山總覽도판46

1741년 신유辛酉경, 견본채색絹本彩色, 73.8×100.8cm, 간송미술관 소장.

금강전도金剛全圖^{도판47}

1748년 무진戊辰경, 견본채색絹本彩色, 28.0×37.5cm, 간송미술관 소장.

적용하되 주봉主峯인 비로봉毘盧峰이 중봉衆峯◆ 위로 군림하게 하여 주종主從의
질서와 주양종음主陽從陰◆의 이치를 분명히 드러내고 있는 것으로 보아 겸재 그
림이 난숙기에 접어든 64세경의 작품이라고 생각된다. '정鄭'·'선歚'이라는 사
방 7밀리미터 크기의 두 방 백문인장白文印章◆은 63세의 연기年記가 있는《관동
명승첩關東名勝帖》에서도 확인됐으므로 이 인장이 쓰여진 기간을 대강 짐작할
수 있다.

조금 뒷 시기에 소폭〈금강전도金剛全圖〉도판47도 그려 남기는데 비단 바탕에
금강산 일만이천봉을 남김없이 그려 낸 그림이다. 내금강 초입의 장안사 비홍교
에서부터 금강천 물길을 따라 올라가면서 일만이천 백색 화강암봉을 얼음 기둥
처럼 줄줄이 세워나가다 마치 창검이 숲을 이룬 듯 날카로운 바위봉우리들이 빽
빽이 들어찬 중향성에 이르러 그 위로 주봉인 비로봉을 솟구쳐 냄으로써 금강산
전체를 한 화면에 압축해 넣을 수 있었다. 금강산 일만이천봉이 가슴속에 가득
차 있었다는 겸재가 아니고서는 그려 낼 수 없는 그림이다.

〈풍악내산총람〉과 거의 같은 구도나 장안사 비홍교를 왼쪽으로 몰아 외금강
쪽을 보다 더 많이 나타내려는 의도를 보였다. 작은 그림이라 금강천 물길을 가
파르게 잡고 올라갔지만 골골마다 전개되는 수림과 사찰의 배포에 조금도 소홀
함이 없다. 표훈사, 정양사, 원통암, 보덕굴, 마하연, 은적암, 영원암, 지장암 등
사찰 건물들이 정확하게 묘사되고 그를 둘러싸고 있는 수림의 현황까지도 매우
상세하게 표현되었다.

장안사와 표훈사, 정양사 같은 큰 절이 몰려 있는 왼쪽 산들은 수목이 울창한
토산으로 그려 내고 금강천을 경계로 그 맞은편과 위쪽 중향성, 비로봉 일대는
골기삼엄한 백색 화강암봉으로 일관 표현하고 있다. 이는 음양대비를 화면구성
원리로 삼으려는 겸재의 의도일 것이다. 골골마다 청록색 수림을 짙게 포치한
것도 음양조화 원리를 강조한 것이라 보아야 한다.

〈금강전도〉라는 화제가 표방하듯 이 그림은 봄의 금강산 경치를 내금강 쪽에
서 바라보고 그려 낸 것이다. 금강산의 계절별 이름에서 금강산은 봄철에 해당
하는 이름이기 때문이다.

◆중봉衆峯
뭇 봉우리

◆주양종음主陽從陰
양을 주主로 하고 음을 종從으로 함

◆백문인장白文印章
글씨가 희게 나오도록 찍은 인장

17

경교명승첩 京郊名勝帖 _상권上卷 1

이런 그림들이 영조의 어람御覽을 거쳤던지 12월 11일 연말 도정都政에서 뜻밖에 겸재에게 양화나루 건너에 있는 양천현陽川縣의 현령縣令(종5품)으로 승진 발령한다는 왕명이 떨어진다. 양천은 지금 강서구 가양동加陽洞 파산巴山 아래 향교가 있는 부근에 읍치邑治가 있던 곳이다.

경강京江의 인후咽喉에 해당하여 근밀近密의 요충일 뿐만 아니라 삼각산으로부터 북악산 인왕산으로 이어지는 백색암봉岩峯들이 남산과 한강과 어우러지면서 천하 절승의 도읍인 한양 서울을 만들어 내고 있는 과정을 일목요연하게 조망眺望할 수 있는 곳이다. 그래서 상당히 배경이 든든한 풍류문사만이 맡을 수 있는 고을이었다. 하기야 국왕을 후원자로 둔 겸재이니 당시 겸재 말고 이런 고을을 맡아 갈 만한 사람이 누구였겠는가.

영조로 하여금 겸재를 상기시키게 하는 작용은 도승지로 늘 측근에서 봉사하던 이춘제와 병조판서 조현명이 했을 것이다. 이들이 어느 자리에서 겸재가 〈삼승정〉과 〈삼승조망〉 그린 얘기를 영조에게 들려주고 그 그림을 보여 주었을 가능성도 크다.

이에 영조는 겸재로 하여금 마음 놓고 한강을 오르내리며 한강 주변의 승경勝景을 그리고 배를 띄워 임진강 예성강도 오르내리며 진경 시화로 그 경개를 사생해 내게 하는 것이 좋겠다고 생각하여 이런 아름다운 정사를 단행했던 모양이다. 참으로 진경문화를 극진히 애호하던 현군 영조 아니고서는 베풀기 힘든 문화적 배려였다. 물론 여기에는 겸재 그림의 최고 애호자인 이천보의 입김도 상당히 작용했을 것이다.

이렇게 겸재가 양천으로 떠나게 되자 백악사단의 사우들은 성대한 전별연을

47

베풀었을 것이다. 그러나 겸재 그림을 이해하고 지극히 애호하던 동년배의 대감식안들은 거의 타계하고 오직 사천과 관아재가 남아 있을 뿐인데 관아재는 안의安義현감으로 나가 있었기 때문에 그 전별의 자리에 참석할 수 없었다. 이에 양천으로 떠나는 자리에서는 오직 사천만이 전별시를 짓는다.

> 마중 나온 아전들 양화나루 건너니, 나루 끝이 바로 현아縣衙로구나.
>
> 서울에서 삼십 리, 온 지경 백여 집일세.
>
> 정사政事는 원래 옥사獄事가 없고, 누대樓臺에 다만 차茶가 있을 뿐.
>
> 때때로 단령團領 찾으니, 봉명奉命행차 강화江華로 든다.
>
> 迎吏楊花渡, 津頭是縣衙. 去都三十里, 闔境百餘家.
>
> 政事元無獄, 樓臺但有茶. 時時覓團領, 星蓋入江華.
>
> 『槎川詩抄』卷下, 送元伯之任巴陵

그리고 다음 해인 영조 17년(1741) 신유辛酉 중춘仲春, 즉 2월에 시를 보내면 그림이 오기로 하는 시화환상간詩畵換相看의 약조를 한다. 이 약조는 사천이 시로 먼저 제의하자 겸재가 그림으로 화답해 이루어지는 듯하다. 그래서 그 약조를 지키기 위해 사천은 겸재에게 계속 시를 써 보냈고 겸재는 그 시제詩題에 따라 시정詩情을 화의畵意로 바꾸는 작업을 계속했다.

그런데 겸재는 그때마다 두 벌의 그림을 그려서 한 벌은 사천에게 보내고 한 벌은 자신이 가졌던 듯 경신년(1740) 겨울 세밑부터 신유년(1741) 동짓달까지 만 1년 동안 그렇게 그렸다는 그림들과 사천으로부터 보내 온 시찰詩札을 합장하여 화첩畵帖을 꾸미고 있다. 그 화첩이 현재 간송미술관에 비장돼 있는《경교명승첩京郊名勝帖》상·하 2첩帖이다.

이 화첩은 겸재의 차자次子인 정만수鄭萬遂(1710~1795)가 그의 조카 손암巽庵 정황鄭榥(1735~1800)의 권유를 받고 벽파僻派의 거두인 영의정 만포晚圃 심환지沈煥之(1730~1802)삽도59에게 전수한다. 이때 보낸 정만수의 서찰書札과 만포의 발문跋文에 의하면, 원래 1권의 화첩으로 꾸며져 있었던 것을 심환지가 영의정을 지내다 서거하는 순조 2년(1802) 임술에 2권으로 개첩改帖했다 한다. 이때 겸재의

領議政文忠公晩國沈先生生眞

심환지沈煥之 초상肖像^{삽도59}
1800년, 견본채색絹本彩色,
89.2×149.0cm,
경기도박물관 소장.

◆산거刪去
깎아 버림

시詩는 산거刪去◆했다고 하는데 이는 원첩原帖에 합장合粧된 시찰詩札은 타가他
家에 둘 것이 아니니 나누어 돌려 달라는 만수의 청에 따른 약속이행이었다.
　　정만수의 편지^{삽도60}와 심환지의 발문^{삽도61}을 옮기면 다음과 같다.

　　이 사람이 영공令公과 더불어 비록 술자리를 함께 하는 은근한 일은 없었지만 모
임 중의 안면은 있었습니다. 또 내 조카 광중光仲이 때때로 영공의 좌상에 나가
조용히 말씀을 나누고 돌아오면 곧 이 마음이 기쁘고 즐거워 한자리에 참석해 얘
기한 것과 다름이 없었으나 늙고 병듦을 돌아보건대 좇아 만남이 없을 터이니 곧
또한 마음속에 섭섭함이 없을 수 없을 뿐입니다.

49

此書鄭同樞與
煥之者而堪供
文苑一奇事故
識之云

정만수鄭萬遂 편지 및 심환지沈煥之 발跋^{삽도60}

정만수 찬서, 지본묵서紙本墨書, 39.9×22.3cm,
심환지 찬서, 지본묵서紙本墨書, 22.1×27.7cm,《경교명승첩京郊名勝帖》하권 20면, 간송미술관 소장.

不倦與此老耶常念拜此塌憊

慈之事之禰中之面耶之且為紀光

仲村起吳會產延容譚叙而悔

今此以欣憩參參一席桑語云顧云

病年涯際舍此又此無作五千中

耳上海帖中吳之四面之先於甚

文人之海耶先筆傳佳庵此名氏人

多此以崖此此人平求蜀此府之

下诗札此代家如邊此令身以延而

且帖邊廣花箋江此此穆有次先人

筆此頭以此佳佃君題先人章之云

澳西以趣味于讯餘此喜其如佃共此

孔書西二平以如於於

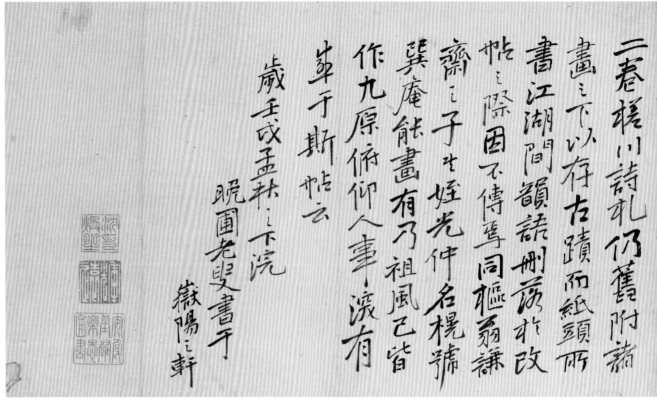

경교명승첩京郊名勝帖 발跋 ^{삽도61}
심환지沈煥之 찬서撰書, 1802년 임술壬戌 7월 하순, 지본묵서紙本墨書, 72.3×41.5cm,
《경교명승첩京郊名勝帖》하권 21·22면, 간송미술관 소장.

위의 놀이첩은 듣자니 영공이 보고 좋아하셨다는데 이 사람은 아침저녁 하는 사람이고 매양 선고 필적을 뒤에 전할 방도에서 그 사람을 얻지 못했습니다만 영공이 어찌 그 사람이 아니겠습니까. 영원히 서고書庫에 머물러 두시고 그 아래 시찰詩札◆은 남의 집에 둘 바의 것이 아니니 나누어 돌려주셨으면 좋을 듯합니다.

이 화첩 가장자리의 당화전唐花箋에 쓴 바는 곧 사천 시에 선인先人(겸재)의 글씨이며 앞머리에 쓴 것은 그림에 임해서 제한 바가 아니라 선인이 평상시에 강호江湖 사이에서 취미에 맞는 일이 있으면 기록해 둔 것이니 그러므로 그것을 우연히 썼다 하겠습니다. 무릇 글씨와 그림은 나온 곳의 내력을 자세히 알면 더욱 재미가 있는지라 어지럽게 이를 받들어 고하는데 붓이 몽그라져서 쓰기 어려우니 이 폐해를 구원해 주실 수 있겠습니까 아닙니까.

◆ **시찰**詩札
시로 쓴 편지

鄭同樞萬邃氏居嶽下
年且八十以書抵余谷口之
軒托其家藏舊畫一卷
乃謙齋老人平居用意之
筆也謂余嗜畫得此爲
寶可壽也傳而遂慨然
藏之藏焉無所惜焉夫物
恒歸於好之者余固好畫
而得此卷然嗣余而愛此
卷者後世復有何人邪
噫同樞之不私也藏諸有
古人風流之書與此卷將
同傳而不可泯也書今爲

답장을 내리실 필요 없습니다. 수응하는 번거로움을 없애는 것이 어떻겠습니까. 극늙은이는 병이 또 심하여 무릇 일머리에서 모두 풀어놓고 구속하지 않으니 편지모양새가 이루어지지 않아 두려워 숨죽입니다.

이 편지는 정동추鄭同樞가 환지煥之에게 보낸 것인데 문원文苑에 한 가지 기이한 일을 맡겨 이바지하므로 이를 기록해 일컫는다. 정동추 만수萬邃(1710~1795)씨는 북악산 아래에서 살며 나이 또한 80인데 편지로써 내 곡구지헌谷口之軒(삼청동 심환지댁)에 보내 그 집안 소장의 그림 한 권을 기탁寄托하니 이는 곧 겸재謙齋 노인이 평상시에 마음먹고 그린 그림이다.

내가 그림을 좋아하여 이를 얻어 보배로 삼고 그 전함을 오래게 할 수 있으리라 이르고 드디어 용감하게 그 수장을 열어 아까운 바 없는 듯했다. 대체 물건은 그것을 좋아하는 사람에게 항상 돌아가니 내가 진실로 그림을 좋아하여 이 화권을 얻었으나 그러나 나를 이어서 이 화권을 사랑할 자로 후세에 다시 어떤 사람이 있을까. 아아!

동추가 그 수장을 사사로이 하지 않음은 진실로 옛사람의 풍류가 있음이니 그 편지와 이 화권은 장차 함께 전하여 사라지지 않으리라. 그림은 지금 두 권으로 했는데 사천의 시편지는 예전대로 그림 아래에 붙여서 옛 자취를 보전하고, 종이머리에 쓴 바 강호 사이의 운어韻語♦는 개첩할 때에 떼어 냈으니 전하지 않게 하려함으로 인해서이다.

♦**운어**韻語
시구

동추옹은 겸재의 아들이고 그 조카 광중光仲은 이름이 황고, 호가 손암巽庵인데 그림에 능하여 그 조부풍이 있었다. 이미 모두 구원九原♦의 손님이 되었으니 사람의 일을 살펴봄에 이 화첩에서 깊이 느껴지는 바가 있다고 하겠다. 임술년(1802) 초가을(7월) 하순에 만포晚圃 노수老叟가 숭양지헌崧陽之軒에서 쓰다.

♦**구원**九原
구천九泉, 저승

不佞, 與令公, 雖無含杯酒接 慇懃之事, 而稠中之面有之. 且吾姪光仲, 時赴令公座上, 從容譚敍而歸, 則此心欣慰, 無異一席參話, 而顧老病, 無從際會, 則又不能無悵然于中耳. 上游帖, 聞令公, 見而好之, 此乃朝暮之人, 而每於先筆傳後之道, 不得其人矣, 令公豈非其人乎. 永留書府, 而其下詩札, 非他家所置者, 分界以還, 似好. 此帖邊唐花箋所書, 卽槎川詩, 先人筆, 地(紙)頭所書, 非臨畫所題, 先人常時於江湖間, 有趣味事, 記錄以置者, 故偶然書之. 凡書畫, 詳知出處來歷, 則尤有味, 漫此奉告, 筆禿難書, 可救此弊否. 不必賜答. 除一酬應之煩 如何. 篤老之人, 病又甚, 凡於事體, 都放逸勿拘, 不成書規, 悚息之.

此書, 鄭同樞, 與煥之者, 而堪供文苑一奇事, 故識之云. 鄭同樞萬遂氏, 居嶽下, 年且八十, 以書抵余谷口之軒, 托其家藏舊畫一卷, 乃謙齋老人 平居用意之筆也. 謂余嗜畫, 得此爲寶, 可壽其傳, 而遂慨然發其藏, 若無所惜焉. 夫物恒歸於好之者, 余固好畫, 而得此卷, 然嗣余而愛此卷者, 後世復有何人耶. 噫 同樞之不私其藏, 誠有古人風流, 其書與此卷, 將同傳而不可泯也. 畫今爲二卷, 槎川詩札, 仍舊附諸畫之下, 以存古蹟, 而紙頭所書, 江湖間韻語, 刪落於改帖之際, 因不傳焉. 同樞翁 謙齋之子, 其姪光仲 名棍 號巽庵, 能畫有乃祖風. 已皆作九原, 俯仰人事, 深有感于斯帖云. 歲壬戌孟秋之下浣, 晚圃老叟, 書于嶽陽之軒.

澗松美術館 所藏,《京郊名勝帖》下卷 20, 21, 22面 原蹟

　따라서 이《경교명승첩》은 재장첩 과정에서 그 순서가 약간 교란됐을 수도 있는데, 그 가능성은 하권下卷에서 더욱 크다. 겸재의 고향인 한양 도성의 진경풍속을 그린 내용이나 추상화된 진경 및 중국이나 조선의 고사도故事圖가 뒤섞여 있어 그 순서의 일관성을 찾기 힘들기 때문이다. 더구나 화법으로 보아 10여 년 후에 다시 그려 보충한 듯한 그림도 상당수 있어서 더욱 그 가능성을 높여 준다.

　다만 상권上卷은 모두 겸재가 양천현령으로 부임해 간 다음 해인 신유년(1741) 봄부터 겨울까지 그린 것이 확실한데 대강 상류로부터 하류로 이어지는 위치순서로 장첩했으니 이 역시 그린 시기순서와 꼭 일치한다고 보기는 어렵다. 내용을 살펴보면 하권에 장첩된〈양천현아陽川縣衙〉와〈개화사開花寺〉도 경신년(1740) 세밑이나 신유년 정초에 그려졌을 가능성이 크다.〈개화사〉다음에 이런 시찰詩札삽도62이 장첩되어 있기 때문이다.

　　또 양천사군使君에게 드립니다.

　　양천에 떨어져 있다 말하지 말게, 양천에 흥이 넘쳐날 터이니.

◆ **계옥**桂玉
보배

　　처자를 데리고 부임해 가면, 계옥桂玉◆이 비로소 곳간에 들며.

　　비 온 뒤에는 선유객船遊客되고, 봄이 오면 세어稅魚◆를 그물질할걸.

◆ **세어**稅魚
공물로 바쳐야 할 웅어, 황복 등

　　홀연히 오리와 백로들 바쁜 걸 보니, 날아와 이르는 것 문서 같구나.

　　또 군택君澤에게 드립니다.

　　봄이 오면 행주 배에 오르지 마오, 손님 오면 어찌 꼭 소악루小岳樓에 이르러 하나.

　　서책을 서너 번 읽을 곳이라면, 개화사開花寺에서 등유燈油를 소비해야지.

　　경신년 세밑에, 병든 일원一源이.

　　又贈陽川使君.

　　莫謂陽川落, 陽川興有餘. 妻奴上官去, 桂玉入倉初.

　　雨後船遊客, 春來網稅魚. 忽看鳧鷺迅, 飛到似文書.

　　又贈君澤.

　　春來莫上杏洲舟, 客到何須小岳樓. 書冊三餘完課處, 開花寺裏費燈油.

55

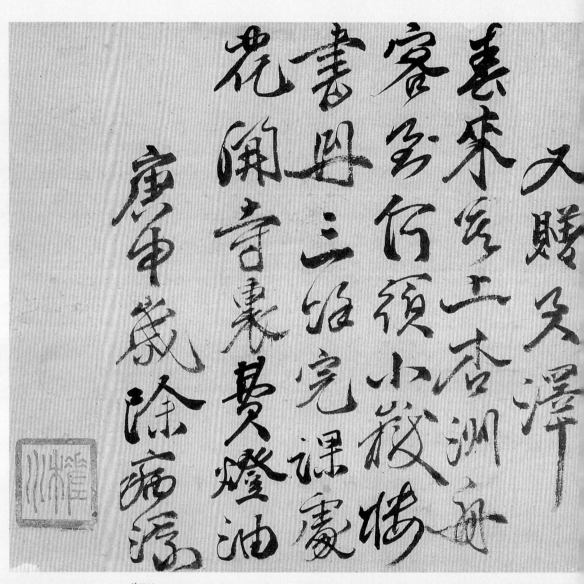

又贈陽川使君 삽도62

又贈及澤
壽來客上杏洲亦
客至須小板橋
書四三姫完課裏
花開寺裏甚燈油
庚申歲除病淫

우증양천사군又贈陽川使君 삽도62
이병연李秉淵, 1740년 경신庚申 세제歲除, 지본묵서紙本墨書, 60.8×24.3cm,
《경교명승첩京郊名勝帖》하권 6면, 간송미술관 소장.

又贈　陽川艾又

莫謂陽川彦陽

川興有餘妻孥

上官去桂玉入食

初雨後船游客

春來綱稅魚鱼

睂凭等逕飛弓

似文書

庚申歲除, 病源.

《경교명승첩京郊名勝帖》 상권上卷은 〈독서여가讀書餘暇〉^{도판48}, 〈녹운탄綠雲灘〉^{도판49}, 〈독백탄獨栢灘〉^{도판50}, 〈우천牛川〉^{도판51}, 〈미호渼湖〉1-석실서원石室書院^{도판52}, 〈미호〉2-삼주삼산각三洲三山閣^{도판53}, 〈광진廣津〉^{도판54}, 〈송파진松坡津〉^{도판55}, 〈압구정狎鷗亭〉^{도판56}, 〈목멱조돈木覓朝暾〉^{도판57}, 〈안현석봉鞍峴夕烽〉^{도판58}, 〈공암층탑孔岩層塔〉^{도판59}, 〈금성평사錦城平沙〉^{도판60}, 〈양화환도楊花喚渡〉^{도판61}, 〈행호관어杏湖觀漁〉^{도판62}, 〈종해청조宗海聽潮〉^{도판63}, 〈소악후월小岳候月〉^{도판64}, 〈설평기려雪坪騎驢〉^{도판65}, 〈빙천부신氷遷負薪〉^{도판66} 등 19폭을 담고 있는데 대강 한강을 따라 내리며 그린 것으로 흐름의 순서를 맞춰 장첩해 놓았다.

이 그림들을 차례로 살펴보면 다음과 같다.

독서여가讀書餘暇^{도판48}

녹운탄綠雲灘^{도판49}

독백탄獨栢灘^{도판50}

우천牛川^{도판51}

59

미호渼湖 1-석실서원石室書院 도판52

미호渼湖 2-삼주삼산각三洲三山閣 도판53

광진廣津 도판54

송파진松坡津 도판55

압구정狎鷗亭 도판56

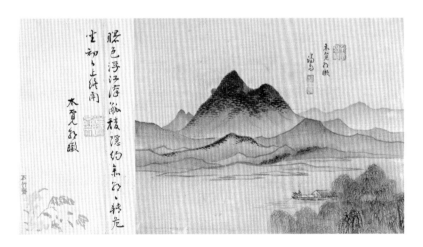

목멱조돈木覓朝暾 도판57

61

안현석봉鞍峴夕烽 도판58

공암층탑孔岩層塔 도판59

금성평사錦城平沙 도판60

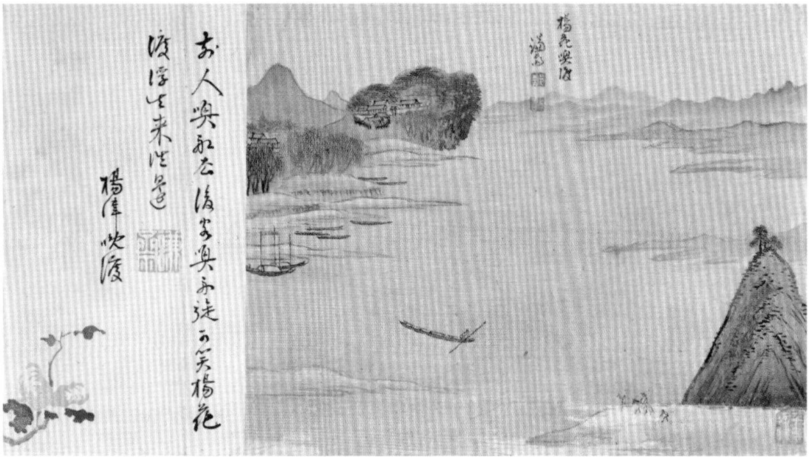

양화환도楊花喚渡 도판61

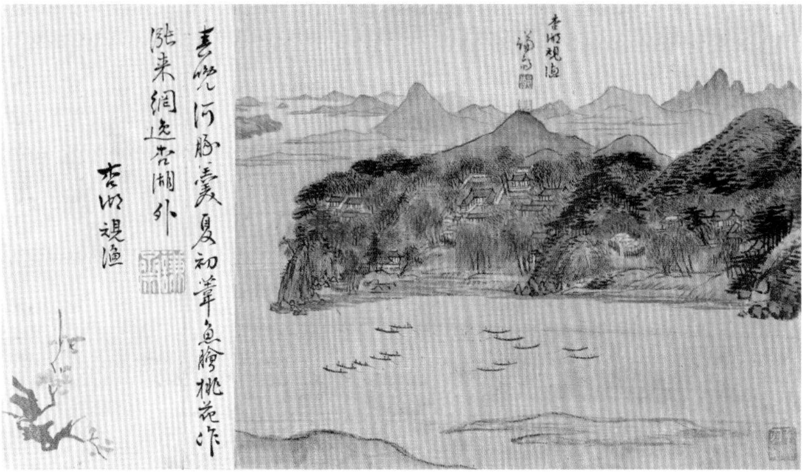

행호관어杏湖觀漁 도판62

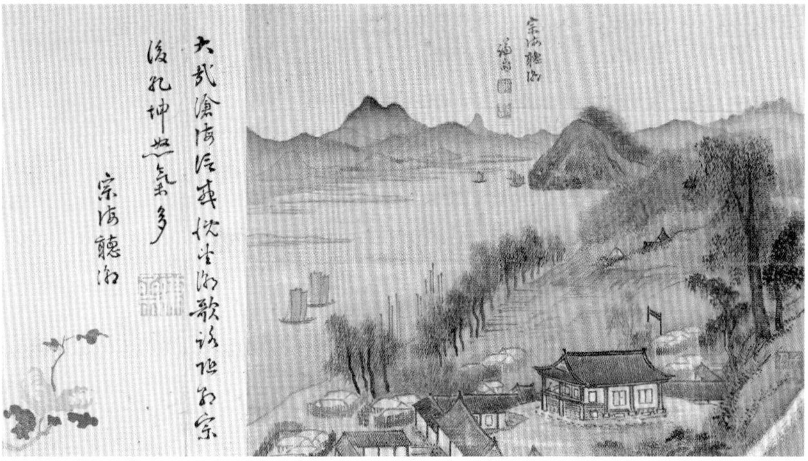

종해청조宗海聽潮 도판63

소악후월小岳候月^{도판64}

설평기려雪坪騎驢^{도판65}

빙천부신氷遷負薪^{도판66}

독서여가讀書餘暇 도판48

〈독서여가〉는《경교명승첩》상권上卷 맨 처음에 장첩된 그림이다. 겸재가 50대 초반 북악산 아래 유란동幽蘭洞에서 생활하던 모습을 그림으로 그려 낸 자화상 自畵像이라고 생각된다. 인왕곡 인곡정사仁谷精舍로 이사 가기 직전인 52세경에 기념으로 그려 두었을 가능성이 크다. 사랑채의 지붕이 초가지붕이라서 인곡정 사 사랑채의 기와지붕과 다르기 때문이다. 실제 이 그림에서 보면 인물화 역시 상승에 이른 것으로 오히려 관아재를 능가한다 할 수 있겠다.

바깥사랑채에서 독서의 여가에 잠시 더위를 식히며 한가롭게 시상詩想에 잠 겨 화리畵理를 탐구하고 있는 자신의 모습을 사생적인 필치로 그려 냈다.

앞문은 다 떼어 내서 활짝 트여 있고 곁문도 열어젖혔는데 방 앞에 잇대 놓은 두 쪽 송판 툇마루 위에 한 선비가 나앉아 화분에 담긴 화초를 감상하고 있다. 옥 색 중치막에 사방관四方冠을 쓰고 오른손에 쥘부채를 펴든 채 비스듬히 안락좌 安樂坐 형태로 기대 앉아 망연히 화분에 정신을 빼앗긴 상태다. 화리畵理를 탐구 하는 화성畵聖다운 면모라 하겠다.

수염은 많지 않고 이마는 단단하며 이목구비가 분명하여 청수淸秀한 기품이 감 도는 동안童顔 형태인데 체수는 작달막하다. 조선 사대부의 전형적인 모습이다.

삿자리가 깔린 방 안에는 서책書冊이 질질帙帙이 쌓인 책장이 맞은편 벽에 기 대어 있어 겸재가 학문하는 선비임을 말해 주는데 그 책장 문에 장식된 겸재 그 림에서 이 방이 겸재의 서재임을 실감할 수 있다. 쥘부채에 그려진 그림 역시 겸 재 그림이다. 열어젖힌 곁문을 통해 해묵은 향나무의 뒤틀린 굵은 둥치가 보이 는데 그 푸른 가지는 초가지붕 앞까지 뻗어 나 있다.

독서여가讀書餘暇도판48

1741년 신유辛酉, 견본채색絹本彩色, 16.8×24.0cm,《경교명승첩京郊名勝帖》상, 간송미술관 소장.

녹운탄 綠雲灘 ^{도판49}

겸재의 《경교명승첩京郊名勝帖》 상권은 한강변의 진경산수화로 꾸며져 있는데
그림은 남북한강이 합수되는 양수리 부근에서부터 시작된다. 그 첫째가 녹운탄
綠雲灘이다. 이런 지명은 현재 없다. 겸재 이전 기록에도 보이지 않는 지명이다.
아마 겸재가 지어 불렀고 겸재 이후에는 다시 변한 지명일 것이다. 그곳이 바로
지금 광주시廣州市 남종면南終面 수청리水靑里 큰청탄에 해당하리라 생각된다.

그 이유는 겸재의 스승인 삼연三淵 김창흡金昌翕(1653~1772)이 겸재가 13세 나
던 해인 숙종 14년(1688) 무진戊辰 3월 4일에 남한강 상류의 절경인 청풍淸風·단
양丹陽·영춘永春·영월寧越의 사군四郡 산수山水를 유람하기 위해 덕포德浦, 즉
지금의 덕소에서 배를 띄워 남한강으로 거슬러 오르는 노정을 기록한 일기와 진
경시眞景詩에서 이곳에 해당하는 곳이라고 생각되는 지명을 노온탄老溫灘이라
고 기록하고 있기 때문이다.

이 부근을 지나는 정황을 묘사한 「단구일기丹丘日記」의 기록을 초록抄錄해 보
면 다음과 같다.

월계月溪에 들어가니 어둠이 깔린다. 물가는 조금 희어 강안을 비춰 준다. 긴 벼
랑이 북쪽 언덕을 둘러쌓았는데 다니는 사람이 하나도 없다. 고기잡이의 노랫소
리와 개 짓는 소리가 때때로 아득히 울려오는 중에 4, 5리쯤 어둠을 뚫고 가 검단
黔丹 여가촌呂家村에 이르러 투숙하니 이곳은 강의 남안이다. 이날 50리를 왔고
시는 무릇 7수首를 얻었다.

초初 5일. 아침은 흐렸으나 늦게는 맑다. 대낮에 배를 띄워 여가정呂家亭을 지
나며 바라보니 자못 깨끗하기는 하나 툭 트이지 못했다. 그러나 강안에 울창한
모습이 비쳐서 자못 볼 만하다. 강안이 굽이돌아 노온탄老溫灘으로 되니 물길이
높아져서 여울이 심히 사나워진다. 가운데 거친 돌이 많아 돌이빨이 삐죽삐죽 사
납게 솟아나서 물이 노하여 솟구쳐 오르며 찬 물방울을 사람에게 뿜어 대니 두렵
기 짝이 없다.

入月溪, 有暝色. 洲渚微白, 照見江裡. 長遷繚繞北岸, 而無一行者. 漁歌犬吠, 時自茫

녹운탄綠雲灘 ^{도판49}

1741년 신유辛酉, 견본채색絹本彩色, 31.2×20.8cm,《경교명승첩京郊名勝帖》상, 간송미술관 소장.

昧中送響, 暝行四五里, 到黔丹呂家村, 投宿, 此江之南岸也. 是日行五十里, 得詩凡七首.

初五日朝陰晚晴. 平明發船, 過呂家亭, 望之, 殊瀟灑, 所未者寬敞. 然江岸暎蔚, 頗可留目. 岸轉爲老溫灘, 水道高仰, 瀧勢甚悍. 中多頑石, 石犬牙, 錯以磯悍. 水怒騰沸, 寒沫吹人, 甚可怕也.

金昌翕, 『三淵集』拾遺 卷二十七, 丹丘日記, 戊辰 四月

지금 양평군 양서면楊西面 신원리新院里 월계月溪의 대안對岸에 광주시 남종면 검천리檢川里 검단이 있고 이곳이 함양여씨咸陽呂氏의 세거지지世居之地이다. 그런데 이곳을 지나면 바로 작은 청탄과 큰 청탄이 이어지는 남종면 수청리水靑里 청탄靑灘이 나오는 바 이 「단구일기」의 내용과 맞춰 보면 노온탄이 청탄일 수밖에 없다. 그렇다면 노온탄이 변하여 청탄이 되었을 터인데 어떤 과정을 거쳤을까 의문이 아닐 수 없다.

이런 의문을 풀어주는 것이 바로 이 〈녹운탄綠雲灘〉의 존재다. 노온탄은 본디 우리말 높은 여울(높은탄, 고탄高灘)의 한문 음역이었을 터인데 겸재시대에는 이 음역을 보다 아취 있게 녹운탄으로 바꾸고 그 이후에는 뜻을 취하여 푸른 여울이라 부르다가 결국 뒷날 이를 재한역하면서 청탄으로 된 것이 아닌가 한다. 그러니 이 〈녹운탄〉은 바로 현재 대청탄大靑灘의 진경이라 해야 하겠다.

깎아지른 절벽 아래 여울 물살이 거센 듯 강물을 거슬러 오르는 배에서는 사공들이 있는 대로 다 나와 앞뒤에서 삿대와 노질에 여념이 없는 모습이다. 절벽 위 등 너머 산 밑에는 제법 살 만한 터전이 있는 듯 번듯한 기와집들이 들어서고 벼랑 끝에는 정자가 높이 지어져 있다. 누구의 별서別墅였던 모양이다. 버드나무 느티나무 등 잡목이 숲을 이루어 집 둘레를 감싸고 푸르른 산등성이 위로는 소나무숲이 듬성듬성 보인다.

채색을 지극히 아끼던 조선시대 산수화답지 않게 청록색靑綠色을 풍부하게 써서 화려한 느낌을 주는데 이는 겸재가 국왕 이하 일국 감상안들이 존숭하는 당대 조선 제일의 화가일 뿐만 아니라 청淸에서도 높이 평가하는 세계적인 대가로 고가의 채색을 비교적 자유롭게 사용할 수 있었기에 가능했던 것 같다.

이렇게 진채眞彩를 구사하는 그림이 되니 자연 묵찰법墨擦法과 같은 대담한 용묵법用墨法은 크게 자제되고 벼랑바위의 표현에서도 규각圭角 있는 예리한 필선筆線으로 부벽준斧劈皴을 쳐 낸 다음 군청群靑으로 쇄찰刷擦하는 방법을 사용하고 있다. 나무도 청록훈염법靑綠暈染法을 주로 써 온유하게 나타냄으로써 그림이 전체적으로 섬세하고 부드러운 맛을 내게 되었다. 이는 이 화첩 전체에서 드러나는 공통적 특징이다.

◆**규각**圭角
모서리

독백탄獨栢灘도판50

독백탄獨栢灘도 현재는 쓰지 않는 지명地名이다. 겸재시대에도 겸재나 사천 같은 아취雅趣 있는 문사文士들만 이렇게 표현했을지 모르겠다. 겸재의 스승인 삼연조차 「단구일기丹丘日記」에서 족백단簇栢湍으로 표현하고 있기 때문이다.

그러면 그 족백단이 지금의 어디를 가리킨 것일까. 이제 그 부분의 「단구일기」를 통해 고증해 보기로 하겠다.

3월 초4일. 흐림. 한식이라 선산先山♦에 가 일을 보고 오시午時가 기울어 덕포德浦로 나가 배를 띄웠다. 일사정一絲亭을 지나 굽이굽이 나아가니 방장도方丈島♦명화탄名花灘이 된다. 남쪽으로 꺾어져서 마탄馬灘♦으로 거슬러 오르자 서풍이 막 일어나서 이에 돛을 올리게 했다.

내가 배 타기를 비록 자주 했으나 아직 이래 보지는 못하여 타루舵樓에 올라 앉아 시를 읊으니 호연浩然함이 종각宗慤♦의 풍도가 있는 듯하다. 배 위에서 안을 보면 심히 빠른 줄 모르겠으나 곁을 보니 언뜻언뜻 지나치는 것이 마치 군마群馬가 서쪽으로 치달리는 듯해 여러 산들을 삽시간에 지나쳤다.

보안역保安驛(지금의 봉안奉安)에 이르니 앞에 나루가 있다. 바람기가 서서히 흩어지며 저녁볕이 맑게 드리워지자 마음이 깨끗해진다. 우천牛川 변에 있는 원촌遠村에서 저녁 짓는 연기가 아득하고 근강近江 변 풀꽃들이 물에 비치는 모습이 아름다워 움켜쥐고 싶다. 족백단簇栢湍에 이르니 여울이 심히 사나워 배 저어 나가기에 불리하다. 옆의 배가 와서 부딪자 서로 외치며 밀어낸다.

속으로 장자莊子의 허주虛舟♦라는 말을 생각해 내며 혼자 웃었다. 월계月溪에 들어가니 어둠이 깔린다.

三月初四日. 陰. 寒食過事松楸, 午昃出德浦, 解纜. 歷一絲亭, 逶迤爲方丈島名花灘. 南折而溯馬灘, 西風方興, 乃令掛帆. 余乘船雖數, 而未嘗爲此, 吟坐舵樓, 浩然有宗慤之風. 自船上內觀, 不覺甚疾, 而睨而旁視, 閃閃奔軼, 若群馬西馳者, 斗尾諸山也, 驟過.

至保安驛, 前有津焉. 風氣舒散, 加以夕景澹淸, 襟抱洒如也. 牛川遠村, 煙曖愛然,

♦선산先山
청음淸陰·문곡文谷의 산소가 있는 석실石室을 가리킴

♦방장도方丈島
지금 미사리渼沙里와 당정리堂亭里가 있는 섬

♦마탄馬灘
지금 정다산묘丁茶山墓가 있는 마재

♦종각宗慤
남조南朝 송宋 때 임읍林邑, 즉 지금의 베트남과 캄보디아를 정복한 대장군. 어려서 그 뜻을 묻자 '바람 타고 만 리 파도를 헤치고 싶다 願乘長風 破萬里浪'고 했다.

♦허주虛舟
욕심 없는 사람은 매이지 않은 빈 배와 같이 자유롭게 노닐 수 있다는 의미. 『장자莊子』 열어구列禦寇에 나오는 말이다.

近江卉草芳, 意亦堪掬. 至簇栢湍, 瀧甚悍, 不利進船. 有隣船來觸, 相與呼張. 黙念莊
生虛舟語, 爲之一哂. 入月溪, 有暝色.

『三淵集』 拾遺 卷二十七, 丹丘日記, 戊辰 三月 初四日

이 일기 내용을 통해 보면 족백단은 분명 마재에서 남한강변의 월계月溪 사이
에 있어야 한다. 그렇다면 남북한강이 어우러지는 양수리 근방 어느 곳이어야
하는데 그런 곳은 족자섬 한군데밖에 없다. 바로 이 우리말 족자섬 여울, 즉 족자
여울을 한자로 차기借記◆하면서 족백단簇栢湍이라 했던 것이다. 족은 음音을 취
했고 백은 잣 백栢으로 의역해 훈訓을 취한 것이다. 그래서 족자여울이란 의미로
족백단이라 했던 것이다.

◆차기借記
빌려 씀

이를 겸재는 족이라는 음까지도 순우리말인 쪽이라는 의미로 이해하여 의역
하며 음가音價도 비슷한 독獨으로 표기해 쪽자여울 모두를 훈역訓譯한 이름인
독백탄獨栢灘으로 아취 있게 개명改名해 놓았던 듯하다. 실제 이런 고증이 억측
이 아니라는 사실을 우리는 이〈독백탄獨栢灘〉에서 눈으로 확인할 수 있다.

우선 이곳이 남북한강이 물머리를 맞대는 양평군 양서면楊西面 양수리兩水里
의 전경이라는 것을 한눈으로 알아볼 수 있다. 물 안으로 밀고 들어온 긴 섬 형태
가 중앙에 가로놓여 남북한강을 갈라놓았다. 섬 위로 나 있는 강줄기가 북한강
이라는 것은 수종사水鐘寺가 거의 산 상봉 가까이에 있는 운길산雲吉山의 모습이
그 뒤로 보이는 것만으로도 단정 지을 수 있다. 더구나 그 좌측으로 이어진 예봉
산禮峰山과 운길산 산자락이 강으로 달려들어 만들어 놓은 긴 반도 모양의 남양
주군南楊州郡 조안면鳥安面 능내리陵內里의 지형에 이르면 이곳이 양수리 일대
라는 것을 누구도 부인할 수 없게 된다.

그렇다면 능내리의 마재 끝자락에 해당하는 억센 바위봉우리 앞의 긴 섬이 바
로 쪽자섬이고 그 사이를 지나는 여울목이 바로 쪽자여울, 즉 독백탄이라 할 수
있겠다. 삼연이 「단구일기」에서 지적한 대로 독백탄의 여울목이 얼마나 거세었
던지 오르내리기 위해서는 뱃사공들이 일부는 내려서 밧줄을 배에 매고 쪽자섬
맞은쪽 바위봉우리 위에 올라가 배를 끌어내리거나 끌어올리고 일부는 배에 남
아서 삿대질로 배를 조정해야 했던 모양이다.

독백탄獨栢灘 ^{도판50}
1741년 신유辛酉,
견본채색絹本彩色,
31.2×20.8cm,
《경교명승첩京郊名勝帖》상,
간송미술관 소장.

독백탄獨栢灘 부분

이 그림에서는 배를 끌어올리는 듯 두 사람의 뱃사공이 험준한 바위에 올라 있는 힘을 다해 밧줄을 끌어당기고 있고 사공 하나는 배 앞머리에서 당기는 밧줄을 조정하며 삿대질로 배의 진로를 바로잡고 있다. 이로써 독백탄, 즉 쪽자여울이 바로 이곳이란 사실을 확인할 수 있다.

마재 끝자락을 온통 험한 바위산으로 표현하기 위해 대부벽준법大斧劈皴法으로만 묘사했는데 〈녹운탄〉에서 보듯이 군청색으로 쓸어내려 맑고 깨끗한 분위기가 고조된다. 그 위에 따로 떨어진 바위봉우리 하나와 하류 쪽에 솟구친 석기石磯◆ 한 무더기도 같은 기법으로 처리해 광활하게 전개된 아래위 남북한강의 수면이 자칫 흩어질 뻔한 것을 막아 주고 있다.

◆**석기**石磯
 돌무더기

강한 골선骨線과 검푸른 군청 색조의 신비한 조화는 바위봉우리들을 이상할 만큼 용솟음치게 만들어 질편하게 모여드는 남북한강 물줄기를 갑자기 소용돌이 속으로 끌어들이는 듯 활기차게 해 준다.

이에 비해 원산遠山으로 처리된 운길산과 예봉산의 중첩한 높은 봉우리들은 해삭준解索皴 혹은 피마준披麻皴 계통의 부드러운 선묘에 화사한 청록색靑綠色 설채設彩로 산 전체를 화사하고 부드럽게 묘사해 놓으니 강유强柔와 험이險易의 조화가 추호의 진부함도 용납지 않는다. 거기에다 쪽자섬과 능내리에는 초가집 몇 채씩이 정겹게 모여 있어 명미明媚한 강촌江村의 풍광風光을 드러내고 있으니 금상첨화錦上添花가 아닐 수 없다.

우천牛川^{도판51}

경기도 광주군 남종면 분원리分院里 일대를 그린 진경이다. 지금은 팔당호가 막혀 수위가 높아진 까닭에 그림의 아랫자락이 많이 물에 잠겨 있지만 팔당호 안 웅앞나루 근처에서 이곳을 바라다보면 바로 이렇게 보인다.

소내, 즉 우천牛川이 경안慶安으로부터 중부中部면과 퇴촌退村면을 가르며 북류해 와서 분원리와 금사리를 갈라놓는 망조고개 밑을 휘돌아 한강에 합류하는 지점의 경치인 것이다.

이곳에는 조선왕조시대 도자기 제조를 책임 맡고 있던 관청 사옹원司饔院의 현지 공장인 사옹원 분원分院이 자리 잡고 있었기 때문에 지금도 분원리라고 불려진다. 이곳에 분원이 자리 잡은 것은 겸재가 43세 되던 해인 숙종 44년(1718)의 일이다.

『숙종실록』권62 숙종 44년 무술戊戌 8월 19일 을미乙未조에 보면 다음과 같은 기록이 있다.

을미에 사옹원이 그릇 굽는 번소燔所를 양근군楊根郡 우천강牛川江 위로 옮기고 본원本院의 시장柴場 세미稅米를 분원分院에 넘겨주어 반은 땔나무를 사들여 그릇 굽는 데 쓰게 하고 반은 공장工匠의 급료에 충당하게 하며 공장이 받는 여정포 餘丁布는 스스로 본원에서 쓰도록 하여 운수運輸의 노고를 없애 주기를 청하다. 세자가 그를 허락하다.

乙未 司饔院, 請移設燔所, 於楊根郡牛川江上, 仍以本院柴場稅米, 割屬分院, 一半貿 取柴木, 以資燔役, 一半充工匠料給, 而工匠所受餘丁布, 自本院捧用, 以除運輸之勞. 世子許之.

즉 사옹원의 현지 공장인 분원을 양근군 우천강상으로 옮기고 땔나무 값으로 거둬들이는 세미歲米를 직접 분원에서 관장해 땔나무도 사고 공장들의 급료도 주게 해 본원으로 거둬들였다가 다시 분원으로 내려 보내는 노고를 없애자는 이 야기다. 이는 분원의 재정을 독립시킨 것으로 그만큼 분원의 중요성을 인식한

현명한 문화정책이었다. 이러했기 때문에 조선시대를 대표하는 세계적 수준의 고유색 짙은 백자문화를 이루어 낼 수 있었던 것이다.

이 역시 진경문화의 일환이었으니 조선성리학을 바탕으로 하여 이루어지기는 진경산수화와 마찬가지였다. 진경문화를 주도해 간 당대의 지식인들, 즉 조선성리학도들이 어떻게 문화정책을 펴 나갔는가 하는 것을 우리는 분원 재정의 독립을 본원에서 요청하는 위와 같은 기사에서 확인할 수 있다. 민주주의를 표방하면서도 전제적專制的인 욕구 때문에 중앙에서 재정권을 철저히 장악하고 있는 요즈음 세태와 비교해 볼 만하다.

분원을 이곳 우천강 위로 옮긴 것은 땔나무의 수송이 용이하고 만들어진 그릇의 운송이 편한 곳을 택했기 때문인 듯하다. 남북한강을 통해 경기·충청·강원 3도의 산간지역에서 무진장 땔나무를 실어 올 수 있고 서울로 가는 물길이 여울목 하나 없이 평탄해져서 그릇들을 서울로 안전하게 배에 실어 나를 수 있었다.

그래서 우천이 한강으로 합쳐지는 우천강상牛川江上에 분원을 이설移設했던 모양인데 그 이전에도 분원은 이 근처 어디에 있었던 모양이다. 겸재가 34세 나던 해인 숙종 35년(1709) 기축己丑년 가을에 33세 나이로 자가自家 묘지명墓誌銘의 사번私燔을 위해 몇 달 이곳 분원에 체류하고 있었던 담헌澹軒 이하곤李夏坤(1677~1724)의 다음 시들 속에서 이를 확인할 수 있다.

앵자산鶯子山의 북쪽 우천牛川 동쪽이니, 남한산성南漢山城이 눈 안에 있구나.
강구름 능히 밤비로 이어지고, 산골 나무 끝에 십일풍十日風이 길게 불어제친다.
鶯子之北牛川東, 南漢山城在眼中. 江雲能作連宵雨, 峽樹長吹十日風.

그릇 굽는 사람들 이 산 모롱이에 사는데, 관문官門에 긴 부역이 또한 괴롭다.
지난해도 영남嶺南 넘어갔었다고 스스로 말하니, 진주晉州 백토白土 배에 실어
날라 왔구나.
窯人居在此山隈, 長役官門亦苦哉. 自道前年踰嶺去, 晉州白土在船來.

선천 흙빛 희기가 눈과 같아서, 어기御器를 구워 만드는 데 이것이 제일.

79

우천牛川^{도판51}

1741년 신유辛酉, 견본채색絹本彩色,
31.2×20.8cm,
《경교명승첩京郊名勝帖》상,
간송미술관 소장.

감사監司가 주파奏罷해서 민역民役 덜려 했지만, 진상進上은 해마다 퇴물退物이
많네.

宣川土色白如雪, 御器燔成此第一. 監司奏罷蠲民役, 進上年年多退物.

물 가라앉힌 고운 흙 솜보다 부드럽고, 발로 물레 밟자 저절로 돈다.

잠깐 사이 천여 개 빚어 나가니, 사발 접시 병 항아리 한결같이 원만하구나.

水飛精土軟於綿, 足撥輪機自斡旋. 須臾捏就千餘事, 盂椀瓶瓮一樣圓.

어공기명御供器皿 삼십 종에, 본원本院 인정人情 사백 바리라.

곱고 거침이나 빛깔 모양 반드시 말하지 말게, 바로 돈 없음이 문득 죄과罪過이
거늘.

御供器皿三十種, 本院人情四百馱. 精粗色樣不須論, 直是無錢便罪過.

회청回靑이란 한 글자 은銀처럼 아껴, 갖가지로 그려 내고 고루 색 넣다.

지난해 용준龍樽을 대내大內에 바쳤더니, 내수사內需司 면포로 공인工人들 상 주
었다네.

回靑一字惜如銀, 種種描成着色均. 前歲龍樽供大內, 內司綿布賞工人.

칠십 늙은이 그 성姓은 박朴, 그 중에서 일컫기를 솜씨 좋은 장인이라네.

두꺼비 연적硯滴은 가장 기이한 명품, 팔면八面 당호唐壺도 정말 좋은 모양이로다.

七十老翁身姓朴, 就中稱爲善手匠. 蟾蜍硯滴最奇品, 八面唐壺眞好樣.

李夏坤, 『頭陀草』卷三, 住分院二十餘日, 無聊中, 效杜子美夔州歌體, 雜用俚語, 戲成
絶句 七首

　　겸재가 그린 이〈우천〉은 겸재가 66세 나던 해인 영조 17년(1741)에 그려진 것
이니 담헌이 이 시를 읊은 때로부터는 32년이 지나고 분원을 우천강 상으로 옮기
자고 한 때로부터는 23년이 지난 시기의 모습이다. 그런데 분원 건물이 온 마을

우천牛川 부분

을 차지하고 번듯하게 자리 잡고 있는 곳은 현재 분원초등학교가 들어서 있는 바로 그 분원리 모습 그대로다.

강변의 초가집들은 도공의 살림집인지 혹은 작업장인지 모르겠는데 분원 건물과 비교해 보면 분원 규모가 얼마나 컸었던가를 짐작할 수 있다. 큰 고을의 지방 관아보다도 더 큰 규모였으니 이만한 우대 속에서 어찌 일급 도자기가 만들어지지 않았겠는가. 울창한 잡목숲으로 둘러싸인 분원의 아취 있는 정경에서 조선 백자의 고고한 기품이 어디로부터 연유한 것인지 짐작할 수 있겠다.

83

　　남북한강과 우천이 합쳐져서 외줄기 한강으로 만들어지는 이곳은 높은 산들이 사방을 에워싸 강물이 십자형十字形으로 전개되는 곳이다. 동쪽으로는 정암산·용문산, 서쪽으로는 검단산, 남쪽으로는 무갑산·앵자산鶯子山(퇴촌면에 있으니 일명 우산이라고도 한다在退村面 一名牛山,『중정남한지重訂南漢誌』권1, 산천山川, 앵자산鶯子山), 북쪽으로는 운길산·예봉산 등이 겹겹이 에워싸며 양수리 일대에 분지를 이루어 놓고 있으니 절경이라 하지 않을 수 없다. 이런 아름다운 자연 환경이 도공들의 기품을 무시로 함양해 나갔을 것이다.

　　이런 분위기를 이 그림은 잘 나타내 주고 있다. 분원산 아래 크게 자리 잡은 분원 건물을 중심으로 낮은 산봉우리들이 줄기줄기 이어지고 우천이 감아 도는 망조고개는 급한 벼랑을 이루며 서쪽을 막아 준다. 사실 이런 구도는 웅앞나루 근처에서 본 시각으로만 가능하다. 이렇게 멀리 떨어진 딴 산들을 이어져 감싼 듯 하나로 합쳐 놓아야만 분원터가 좋아지게 되므로 겸재는 이렇게 그려 냈을 것이다.

　　이것이 화가의 기량이다. 보통 화가는 있는 대로 그리고 못난 화가는 있는 대로도 못 그리며 뛰어난 화가는 있었으면 좋도록 그려 낼 줄 안다. 겸재를 화성畵聖이라 하는 이유는 진경을 그리되 항상 이처럼 있었으면 좋은 형태로 그려 낼 줄 알기 때문이다. 이는 사물의 이치에 통달한 성리학자였기에 가능했던 일이다.

　　원산은 군청색으로 혹은 밝게 혹은 어둡게 문질러 놓아 원근감을 나타내고 근산은 온통 초록빛이다. 바위나 벼랑은 부벽준에 군청색을 가하여 군세고 으슥한 느낌이 들게 했는데 이는 태점苔點과 피마준披麻皴에 초록빛 일색으로 부드럽게만 처리한 근산 연봉을 국부적局部的 골기骨氣로 조화시키려는 의도의 표시였다.

미호渼湖 1- 석실서원石室書院^{도판52}

양수리에서 남북한강이 만나고 능내리에서 소내와 합쳐지면 한강은 외줄기가
되어 두미천斗尾遷의 좁은 협곡을 뚫고 서북쪽으로 흐른다. 바로 이 두미천 협곡
의 초입을 막아 놓은 것이 팔당댐이다.

두미천 협곡이 수십 리 이어지다가 평지에 나서게 되면 다시 강물은 두 줄기
로 갈라져 방장도方丈島라는 큰 섬을 만들면서 서북류하게 되는데 이 방장도가
바로 당정리堂亭里와 미사리渼沙里이다.

두 줄기가 되었던 강물이 미사리 앞에서 다시 합쳐지며 좁은 물목에서 꺾이어
서남류로 방향을 틀어 가는 곳의 북쪽 대안이 곧 석실서원촌이다. 지금 행정구
역으로는 경기도 남양주시南楊州市 수석동水石洞인데 이곳에 가 찾으려면 석실
이라든지 서원말이라 해야 알아듣는다. 석실서원이 있었던 마을이기 때문이다.

원래 석실은 이 남양주 석실에서 동북쪽으로 삼십여 리 떨어져 있는 남양주시
와부읍 율석리에 있다. 이곳은 병자호란 때 남한산성에서 최후의 결전을 끝까
지 주장하여 청에게 항복하는 것을 결사반대하던 절의파의 영수 청음淸陰 김상
헌金尙憲(1570~1652)의 묘소를 비롯하여 그의 선대와 후대의 묘소가 밀집해 있는
곳이다.

조선성리학의 기치를 선명히 하고 그 이념의 구현을 위해 인조반정을 성공시
켰던 당시 조선 지식층들이 집권 초기에 야만인 여진족 청淸에게 국권을 유린당
하여 성리학적인 국제 질서를 부정당하자 이에 대한 수치심과 자괴감은 극도에
다다랐었다.

그런 상황에서 의리명분을 내세워 결사 항전을 주장하니 그 외침은 상하 민심
에 비장한 공감을 불러일으켰다. 그 외침이 공허한 외침으로 끝나지 않고 스스
로 목숨을 내건 불굴의 투지로 정복자에게 맞서 6여 년에 걸친 강제 압송 속에서
의 회유와 고문에 굴하지 않음으로써 조선사대부의 기개를 만천하에 드러내게
됨에서랴!

청음에 대한 국민적 존숭이 이로 인해 이루어졌던 것이니 청음이 76세의 노구
를 이끌고 저들의 구금으로부터 풀려나 만주 심양에서 석실로 돌아오자 국왕을

미호渼湖 1-석실서원石室書院**도판52**

1741년 신유辛酉,
견본채색絹本彩色,
31.2×20.8cm,
《경교명승첩京郊名勝帖》상,
간송미술관 소장.

비롯한 온 백성들은 조선의 정기가 살아 있음을 심축했다고 한다. 그래서 청음이 돌아가고 나서 석실촌에 사당이 세워지자(1654) 곧 양주 유림에서는 이를 서원書院으로 승격시키고(1656) 국가에서 사액賜額해 줄 것을 요청한다.

이에 현종顯宗 4년 계묘癸卯(1663)에 석실서원石室書院이란 사액이 내려지는데, 서원 승격과 사액되는 그 사이 어느 때에 이 석실서원이 청음의 선산이 있는 석실촌 원터를 떠나 이곳 미음촌渼陰村으로 이건되는 듯하다. 그래서 석실서원이란 또 하나의 석실이 생기게 되었던 것이다. 이는 이 미음촌 일대가 청음가의 별서別墅가 있던 곳으로 강변에 위치해 풍광이 아름다울 뿐만 아니라 수로에 의한 교통이 편리하여 원생의 내왕과 생활이 원석실보다 더 편리하겠기 때문에 강구된 조치였을 것이다.

초기에는 청음과 병자호란 때 강화에서 순절한 청음의 백씨伯氏 선원仙源 김상용金尙容(1561~1637) 두 분의 위패만을 모시었으나 숙종 23년 정축丁丑년(1697) 4월 병자호란 주갑년周甲年에 당해서는 대청 적개심을 불태운 절의파의 계승자로 이곳과 관련이 깊은 문곡文谷 김수항金壽恒(1629~1689), 노봉老峰 민정중閔鼎重(1628~1692), 정관재靜觀齋 이단상李端相(1628~1669)을 추배향追配享하고 숙종 39년(1713)에는 농암農巖 김창협金昌協을 다시 추배향한다.

문곡文谷은 청음선생의 친손자로 우암 송시열과 함께 복수설치를 외치며 북벌론을 부르짖다 기사사화己巳士禍 때 우암과 함께 사사된 충신이며, 노봉老峰 역시 우암 제자로 우암과 뜻을 같이해 만동묘萬東廟를 세우는 데 앞장서 청의 존재를 인정치 않으려 했던 절의파의 맹장이다. 정관재靜觀齋는 10세 때 병자호란을 만나 강화에서 포로가 되어 청으로 끌려가다 그의 내종사촌형이던 영안위永安尉 홍주원洪柱元(1606~1672)을 길에서 만나 구사일생으로 풀려나 평생 대청 적개심을 불태우던 절의파의 영수였다.

농암農巖은 문곡文谷의 차자次子로 45세 때인 숙종 21년(1695)부터 이곳 석실서원에 주로 머물면서 제자를 많이 길러 낸 까닭에 추배향될 수 있었다. 농암이 이곳에 머물기 시작하던 때가 겸재 20세 나던 해니 아마 겸재도 이후 가끔 이 석실서원에 들러 농암·삼연의 강석에 참여했을 것이다. 그래서 석실서원과 농암이 살던 삼주三洲 일대를 미호渼湖라는 이름으로 세밀하게 각각 두 폭에 나누어 그려 놓고 있다.

이 그림에서 보이는 왼쪽 언덕 위에 있는 마을이 서원말이다. 그 중에 숲 속에 둘러싸인 기와집들이 석실서원이고 그 아래 초가집들은 서원을 수호하기 위해 고용된 재직齋直이나 막군幕軍들이 사는 집일 것이다. 『양주읍지楊州邑誌』 석실서원石室書院조에 의하면 원생院生 20명, 재직 10명, 막군 40명의 규모였다고 한다. 오른쪽 언덕에 있는 기와집 한 채는 청음가淸陰家의 별서인 듯하다. 지금 가보아도 미사리 쪽 강상에서 바라보면 바로 이렇게 보인다. 다만 흥선대원군의 서원철폐령(1864)으로 이 석실서원도 자취 없이 사라져서 그 터에는 어떤 무덤이 들어서 있는 것이 다를 뿐이다.

전경을 연초록빛 일색으로 설채하여 초봄의 새뜻한 맛을 강조했는데 겸재 그림에서 드물게 표현되는 전답田畓의 표현이 있어 가능한 한 사실성에 충실하려 했던 그림인 듯하다. 평구역말로 이어지는 이패리 일대의 논밭이다.

석실 서원말에서 서남류하는 물길을 따라 한 두 모롱이를 돌아 내려오면 광릉光
陵 사릉思陵 동구릉東九陵 쪽의 물을 모아 오는 왕숙천王宿川이 합류되는 외미음
外渼陰이 나온다. 이곳이 겸재의 스승 농암農巖 김창협金昌協(1651~1708)이 터 잡
아 살던 곳인데 농암은 이 앞에 모래밭이 세 군데 있다 하여 삼주三洲라 이름 짓
고 삼산각三山閣을 지어 살았다 했으니 이 그림의 중앙에 자리 잡은 집이 바로 농
암이 짓고 살던 삼산각일 것이다.

   이제 농암이 이곳에 삼산각을 짓고 정착하게 되는 과정을 그 연보年譜를 통해
살펴보겠다. 농암이 39세 되는 숙종 15년(1689) 기사己巳 2월에 소위 장희빈사건
으로 불리는 기사사화己巳士禍가 일어나 농암의 부친인 문곡文谷 김수항金壽恒
과 스승인 우암尤庵 송시열宋時烈이 모두 사사되자 농암 형제들은 연좌 파직되
어 모두 영평永平 백운산白雲山으로 낙향 피신한다.

   그래서 삼연 김창흡은 삼부연三釜淵을 은거처로 삼아 삼연三淵이라고 자호하
고, 농암은 42세 나던 숙종 18년(1692)에 백운산중의 응암鷹巖 동쪽에 있는 속칭
농바위籠巖 밑을 차지하여 이를 같은 음인 농암農巖이라 고치고 농암서실農巖書
室을 지어 평생 농사 지으며 후진 양성할 것을 표방한다. 농암이란 호는 여기서
유래한다.

   그러나 44세 나던 숙종 20년(1694) 갑술환국甲戌換局으로 장희빈이 밀려나고
인현왕후 민씨閔氏가 복위되자 4월에 농암은 호조참의로 복직한다. 이에 5월에
는 가족을 이끌고 선산 석실촌 부근의 금촌金村으로 이사해 왔다가 이어 그 집안
의 장토가 있는 석실서원 부근의 미음촌渼陰村으로 다시 이사해 오니 45세 나던
해 11월의 일이었다.

   이로부터 석실서원에 머물면서 강석講席을 베풀자 원근遠近에서 선비들이 구
름같이 모여들었다. 그래서 47세 나던 숙종 23년(1697) 8월에는 아예 이곳에 정
거定居할 뜻을 세우고 삼산각三山閣을 세우게 되니 그 부분을 다음과 같이 기록
하고 있다.

8월 삼주三洲로 거처를 정하다. 선생은 본래 농암農巖에서 세상을 마치려 했으나 대부인大夫人께서 그때 경제京第에 계신 까닭에 찾아뵙기 편케 하기 위해 근교近郊에 머물러 사시게 되었다. 또 석실서원石室書院은 강산江山이 맑게 트여 있고 자못 재실과 거처가 갖춰 있어 가르치는 즐거움을 누릴 수 있으므로 드디어 거처로 정했다.

바깥사랑 몇 간을 짓고 거처하시면서 삼산각이라는 편액을 붙이셨다. 앞에 모랫벌이 세 곳이 있는 까닭에 또 그 땅을 삼주三洲라 명명하기도 하셨다.

先生本擬畢命農巖, 而大夫人時在京第故, 爲便省侍, 棲息近郊. 且以石室書院, 江山淸曠, 頗有齋居藏修之樂, 遂定居焉. 作外軒數楹, 以處焉, 扁曰三山閣. 前有沙渚三故, 又命其地曰三洲.

사실 이때 농암은 이조참판으로 있으면서 이해 4월 석실서원에서 그의 부친 문곡과 장인이자 스승인 정관재靜觀齋 이단상李端相(1628~1689), 사돈이자 인현왕후 민씨의 백부伯父인 노봉老峰 민정중閔鼎重(1628~1692)을 석실서원에 추배향追配享해 놓아 석실서원을 진경문화의 중심지로 확고히 터 다져 놓고 있었다. 그러니 이곳에서 진경시의 대가인 사천槎川 이병연李秉淵이나 진경산수화의 대가인 겸재 정선, 인물풍속화의 대가인 관아재觀我齋 조영석趙榮祏 같은 대가들이 배출되지 않을 수 없었다.

이들은 모두 북악산과 인왕산 사이의 장동壯洞에 함께 살며 혈연과 학연으로 세계世交**를 맺고 사는 집안 자제들이었다. 특히 관아재는 그 조부 조봉원趙逢源이 농암 형제들의 동몽교사童蒙敎師였고 농암의 처남인 이희조李喜朝의 제자이자 조카사위이기도 했다. 그러니 이들이 이후부터 석실서원과 삼산각을 얼마나 자주 드나들며 진경문화 배양에 주력했겠는가 하는 사실을 미루어 짐작할 수 있다. 겸재가 이곳을 소재로 해 손금 보듯이 세세히 그려 낼 수 있었던 이유도 알 만한 일이다.

큰 언덕 아래 번듯하게 지어진 기와집이 삼산각인 것은 두말할 나위 없다. 세 채의 집 중에 맨 앞에 있는 것이 외사랑으로 농암이 머물며 삼산각이란 현판을 걸었던 집인가 보다. 기와를 이은 반듯한 담장이 둘러쳐지고 그 밖으로는 동쪽

◆세계世交
집안끼리 대를 물려 가며 서로 사귐. 이 경우 交를 '계'로 읽는다.

91

미호渼湖 2 - 삼주삼산각三洲三山閣^{도판53}

1741년 신유辛酉,
견본채색絹本彩色,
31.5×20.0cm,
《경교명승첩京郊名勝帖》상,
간송미술관 소장.

에 노송 몇 그루가 서 있고 서쪽에 잡목으로 둘러싸인 협호夾戶◆들이 몇 채 초가로 지어져 있다.

뒤뜰에는 대숲이 있는 듯하고 뒤안과 왼쪽 골짜기 건너에도 협호들이 두엇 딸려 있다. 이만한 인가는 딸려야 뭇 제자들을 양성해 내는 시골 살림을 꾸려 갈 수 있었을 것이다. 좌우 언덕에도 기와집들이 군데군데 있으니 이는 모두 유식遊息◆을 위한 누정樓亭일 것이다.

이 그림 역시 연둣빛 일색으로 화면을 화사하게 처리하면서 해삭준解索皴이나 피마준披麻皴 계통의 부드러운 선묘를 지극히 절제해 쓰고 미점米點도 성글게 찍어 밝고 섬세한 채색화의 분위기를 살리려 한 특징을 보이고 있다. 잡목 가지들은 연분홍 봄꽃으로 뒤덮여 있고 늘어진 버들가지에는 연초록 새잎이 돋아나고 있다.

화창한 봄날을 상징하기 위해 뒷산도 먼 듯 아지랑이에 싸인 벌거숭이로 만들어 놓았던 모양이다. 오르내리는 많은 돛단배들은 얼음 풀린 한강을 상징하는 표현일 것이다.

◆협호夾戶
큰 집 곁에 딴 살림을 할 수 있도록 지은 작은 집. 큰 집 일을 도우며 사는 사람들이 거주한다.

◆유식遊息
교유와 휴식

18
경교명승첩京郊名勝帖 _ 상권上卷 2

광진廣津^{도판54}

현재 워커힐 호텔과 워커힐 아파트 등이 들어서 있는 광진구 광장동 아차산 일대의 모습이다. 이곳에 한강을 건너는 가장 큰 나루 중의 하나인 광나루가 있었다. 광나루가 언제부터 이곳에 있었던지는 분명치 않다. 그러나 의정부·동두천·포천 쪽에서 내려와 한강을 건너 광주·여주·충주·원주 쪽으로 가려면 이 나루를 건너는 것이 가장 빠른 지름길이니 우리 역사가 시작될 때부터 이 나루도 함께 생겨났을 듯하다. 더구나 이 나루 건너가 백제의 옛 도읍지인 하남위례성으로 추정되는 풍납토성임에랴!

요즘 학계에서는 그 토성을 발굴하여 그곳이 하남위례성이었던지 여부를 밝히려는 노력이 한창 진행 중이다. 이곳 풍납토성이 하남위례성이었다면 백제시조 온조왕溫祚王(서기전18~서기27)이 백제를 건국하면서부터 이 광나루는 한강 나루 중 가장 큰 나루가 되었을 것이다.

그래서 큰 나루 또는 너른 나루라는 뜻으로 광나루라 부르지 않았나 한다. 이로 말미암아 백제 개로왕 21년(475)에 고구려 장수왕(413~491)이 하남위례성을 함락해 백제가 도읍을 공주로 옮겨 간 뒤에도 이 나루 이름만은 그대로 남게 되었다. 물론 광주廣州라는 지명도 백제 때 서울이 있던 큰 고을이라는 의미일 것이다. 이에 광주로 건너가는 나루라는 뜻도 겸할 수 있었다.

조선왕조가 한양을 수도로 정하면서 이 광나루의 기능은 되살아나게 됐으니 광주를 거쳐 충청좌도忠淸左道*와 강원도·경상도를 잇는 교통의 요지로 떠올랐기 때문이다. 이에 아차산과 한강이 어우러지는 아리따운 경치와 함께 이곳은

*충청좌도忠淸左道
임금은 남쪽을 바라보고 앉으므로
좌측은 동쪽에 해당함

95

광진廣津도판54
1741년 신유辛酉,
견본채색絹本彩色,
31.5×20.0cm,
《경교명승첩京郊名勝帖》상,
간송미술관 소장.

별장지대로 각광을 받게 되어 권문세가들이 다투어 아차산 기슭에 별장을 지었다.

특히 겸재가 살던 진경시대는 평화와 안락이 절정에 이르러 서울 상류층들이 이런 아취 있는 풍류생활을 맘껏 누리고 있었다. 겸재는 그런 그 시대 상황을 이 광나루 진경에서 극명하게 보여 주고 있다.

지금도 배를 타고 바라보거나 천호동 쪽에서 바라보면 아차산의 층진 모습이 바로 이와 같이 보인다. 다만 이 그림에서 즐비하게 늘어서 있는 운치 있는 한식 기와집들이 크고 볼품없는 현대식 고층건물로 바뀌어 있는 것이 다를 뿐이다. 당시도 세력 있는 집안의 별서別墅들이 각기 터 잡고 있었던 듯 몇 구역으로 나뉘어 혹은 노송老松에 둘러싸이기도 하고 혹은 잡수림에 둘러싸이기도 하며 고루거각高樓巨閣을 자랑한다.

그 중에는 강변 가까이 초가 서너 채를 가지고 있는 집도 있는데 섭울타리로 둘러친 좁은 터 주변에 노송 서너 그루와 잡목 한두 그루가 있어 조촐한 분위기를 자아낸다. 아마 어떤 청빈한 선비 집안의 격조 높은 별서別墅인가 보다. 혹시 정관재靜觀齋 이단상李端相이 38세 나던 현종 6년(1665) 8월에 잠시 빌려 살았었다는 그의 사돈 귀천歸川 이정기李廷夔(1612~1671)의 별서는 아니었던지 모르겠다.

이곳에는 겸재와 친분이 두터웠던 소론少論 탕평蕩平 재상宰相 학암鶴巖 조문명趙文命(1680~1732), 귀록歸鹿 조현명趙顯命(1691~1752) 형제의 부친 백분당白賁堂 조인수趙仁壽(1648~1692)가 살고 있어 정관재靜觀齋 문하에서 배웠다 했으니 등성이 위의 으리으리한 기와집이 혹시 그의 별서였을지 모르겠다.

그래서 백분당의 장자로 학암과 귀록의 백씨伯氏인 귀락정歸樂亭 조경명趙景命(1674~1726)이 이곳을 자주 드나들었던 듯, 삼연三淵의 문인門人으로 진경시眞景詩의 의발衣鉢을 전수받았던 모주茅洲 김시보金時保(1658~1734)는 그가 52세 나던 숙종 35년(1709) 기축己丑에 광나루 배안에서 귀락정歸樂亭과 이별하며 이런 시詩를 남긴다.

돛단배 바람 따라 구비구비 돌아가니, 가는 손 오는 이 함께 이별 아낀다.
술잔 들고 뒤채어 놀랠 적에 광나루 다가오고, 어린 종은 벌써 물가 갈대밭에 서 있구나.

帆隨風轉去逶迤, 行客歸人共惜離. 把酒翩驚廣津近, 小奴已復立蘆漪.

金時保, 『茅洲集』卷三, 廣陵舟中 別趙君錫景命

모주가 귀락정과의 이별을 이토록 아쉬워한 것은 귀락정이 모주의 백씨伯氏 난곡蘭谷 김시걸金時傑(1653~1701)의 큰 사위로 모주에게는 조카사위가 될 뿐만 아니라 농암農巖, 삼연三淵 문하의 동문사우同門師友였기 때문이다. 그러니 같은 동문사우인 겸재가 이 광나루를 범연히 지나쳤을 리가 없다. 이에 겸재는 이런 그림을 그려 그 우의를 드러냈던 것이다.

아차산을 주경主景으로 삼으면서도 광나루의 명미明媚한 풍광風光을 드러내는 데 주안점을 두어 강산江山이 어우러지고 그 사이에 별서가 운치 있게 경영된 사실만을 집중적으로 표현하고 있다. 산은 마치 원산遠山인 듯 굵은 필선으로 대강 외형을 잡은 다음 연둣빛 일색으로 전체를 칠해 놓고 말았다.

그러나 층진 산 모습은 절대준법折帶皴法◆을 대담하게 구사해 누가 보아도 실경과 방불한 느낌이 들게 하고 산골짜기는 해삭준법解索皴法◆을 거침없이 사용해 흙산이 아님을 드러내 주었다.

강변의 토파土坡는 소부벽小斧劈으로 처리하고 백사장은 깁 바탕을 그대로 남겨 두었다. 강물은 푸른 물빛으로 엷게 칠했으며 강상江上에는 돛단배들을 아래위로 띄워 놓았다. 상류에 4척의 배가 선단을 이루며 유유히 거슬러 오르는 모습은 대안의 초가집과 어울려 시심詩心을 자극하기에 족하다.

겸재의 시심이 이런 구도를 이루어 냈을 터인데 그 무게를 의식하고 하류에 떠가는 배는 훨씬 크게 표현한 것 같다. 바람도 더 많이 받아 돛폭이 휘어지니 고요히 떠가는 4척의 배 무게를 한 척으로도 능히 감당할 만하다.

이곳에는 1934년 8월에 착공해 1936년 10월에 준공한 광진교廣津橋가 놓여 있었고 다시 1974년 8월에 착공해 1976년 7월에 준공한 천호대교千戶大橋가 나란히 가로질러 놓여 있고 그 위로는 차량의 행렬이 가득 메워지고 있다. 뿐만 아니라 이제 지하철 5호선까지 이곳 광나루를 가로질러 지나고 있다. 나룻배 두 척도 손님을 기다리고 있던 겸재시대와 비교하면 하늘과 땅의 차이가 있다고 하겠다.

◆**절대준법**折帶皴法
시루떡을 썰어 떡판에 고여 놓은 것처럼 바위 단면을 켜켜로 쌓아 올린 듯 표현하여 암벽을 이루어 내는 선묘법. 이런 형태의 형상을 짓고 있는 바위 절벽 표현에 주로 쓴다.

◆**해삭준법**解索皴法
새끼를 풀어서 펼쳐 놓은 것처럼 꼬이고 흐트러진 필선. 주로 흙산의 봉우리와 계곡의 형상을 표현하는 데 쓴다.

송파진松坡津^{도판55}

송파진은 지금 송파대로가 석촌호수를 가르고 지나서 생긴 동쪽 호숫가에 있던 나루터다. 이곳은 서울과 남한산성 및 광나루에서 각각 20리씩 떨어져 있던 교통의 중심지라서 광주 읍치가 남한산성으로 옮겨지는 병자호란(1636) 직후부터 서울과 광주를 잇는 가장 큰 나루로 떠오른 곳이다.

사실 이 송파나루가 있는 지역 일대는 한강 물이 마음대로 흩어질 수 있는 평야지대다. 양수리에서 남북한강 물이 합쳐져서 큰 강을 이룬 한강은 예봉산·검단산 등 큰 산 사이의 협곡을 따라 서북쪽으로 흐르다가 한양 부근에 와서 아차산과 암사동 쪽 매봉 자락에 의해 일단 물목이 좁아진다.

그런데 위례성이 있던 풍납동 부근에서부터 갑자기 넓은 분지를 만난다. 남쪽으로는 남한산 밑까지, 북쪽으로는 용마산 서쪽 기슭과 남산 자락인 매봉 동쪽 사이의 장안평까지 이르는 드넓은 분지다. 그런데 한강은 이 분지를 지나면 다시 남산 줄기인 매봉의 바위 절벽을 만나 물길이 좁아진다. 남쪽에서 우면산 자락이 밀고 올라와 봉은사가 있는 삼성산 일대의 구릉지대를 만들어 매봉과 마주보며 물목을 좁혀 놓기 때문이다.

자연히 이 분지형의 저지대로 남쪽과 북쪽에서 물길이 모여들게 마련이다. 남쪽에서는 수원, 용인의 물들이 북류하여 봉은사 동쪽에서 한강으로 흘러드니 이것이 탄천炭川이다. 북쪽 매봉 기슭에서는 청계천과 중랑천이 합수되어 한강으로 물머리를 들이밀고 있다. 중랑천은 의정부에서부터 천보산, 도봉산, 수락산, 삼각산 등의 물을 모아오고 청계천은 한양 서울의 물을 몽땅 모아 온다.

그러니 한강 본류와 탄천·중랑천이 이 낮은 분지에서 물머리를 맞대며 실어 나르는 토사土沙[*]의 양은 엄청날 수밖에 없다. 그래서 이 일대는 수많은 모래섬이 만들어졌다 사라지는 반복을 되풀이했다. 이에 뚝섬, 무동도 등은 섬이 아닌데도 섬이라 하고 부래도浮來島 잠실은 샛강이 생겨 섬이 되었다. 이것이 1970년 이전의 모습이다.

그런데 1970년 송파나루 앞으로 흐르던 한강 본줄기를 매립하고 성동구 신양동 앞의 샛강을 넓혀 한강 본류를 삼으니 이 일대의 모습은 그야말로 상전벽해桑

◆토사土沙
흙과 모래

◆상전벽해桑田碧海
뽕나무 밭이 푸른 바다가 됨

田碧海*와 같은 변화를 겪게 되었다. 그래서 송파나루는 메우다 남긴 석촌호숫가에서 겨우 그 흔적을 짐작할 수 있을 뿐이다.

홍경모洪敬謨는『중정남한지重訂南漢志』권3 관방關防조 송파진松坡津에서 다음과 같이 기록하고 있다.

> 부府의 서북쪽 20리에 있고 삼전도三田度 및 무동도舞童島를 관장하며 서북쪽으로 서울과 20리 떨어져 있고 남쪽으로 이북치利北峙와 갈마치渴馬峙가 모두 30리 떨어져 있다. 광진廣津까지는 수로水路 20리이며 진선津船은 25척, 균역청均役廳 수상선水上船은 190여 척인데 늘기도 하고 줄기도 하여 일정치 않다.
>
> 在府西北二十里, 管三田渡 及舞童島, 西北距京二十里, 南去利北峙, 渴馬峙, 皆三十里. 廣津, 水路二十里, 津船二十五隻, 均廳水上船一百九十餘隻, 加減無常.

사실 서울에서 남한산성으로 직행하려면 조금 아래인 삼전도를 건너는 것이 정로正路였다. 그러나 병자호란 때 이곳 삼전도에서 인조仁祖가 청淸 태종太宗에게 항서降書를 바치는 치욕을 당하고 청에서는 이를 기념하는 전승비인「청태종공덕비淸太宗功德碑」를 이곳에 세워 놓고 갔으므로 당일의 치욕에 절치부심한 우리 민족 모두가 이 치욕의 땅에 발붙이기를 꺼려했던 것이다. 송파진은 이렇게 되어 조선 후기에 광주부에서 서울로 드나드는 관진關津*이 되었다.

◆관진關津
관문이 되는 나루

그래서 겸재는 이 중요한 나루터인 송파진을 화제로 하여 그 주변 일대를 사생해 냈던 것이다. 멀리 남한산성이 웅장한 남한산의 능선을 따라 굽이굽이 둘러쳐지고 그 안에 철저하게 보호되어 길러진 노송림老松林이 성벽 위로 솟아나므로 마치 녹색의 휘장을 성벽 위에 둘러놓은 듯하다.

이런 모습은 지금 보아도 똑같으니 이것이 바로 남한산성이 가지는 본모습이며 그다운 아름다움이라 해야 하겠다. 녹음 짙은 한여름이나 새싹이 돋아나는 봄철, 단풍 든 가을, 눈 쌓인 겨울 등 언제 보아도 소나무가 사시장철 푸른 탓에 남한산성의 전체 모습은 늘 이와 같이 보인다.

다만 이 그림은 신록이 산야를 뒤덮어 가는 싱그러운 초여름 어느 맑은 날에 그린 듯 대지가 온통 청록靑綠으로 물들어 있다. 녹음방초승화시綠陰芳草勝花時*

◆녹음방초승화시綠陰芳草勝花時
녹음과 아름다운 풀이 꽃을 이기는 시절

송파진松坡津 도판55

1741년 신유辛酉,
견본채색絹本彩色,
31.5×20.3cm,
《경교명승첩京郊名勝帖》상,
간송미술관 소장.

라고 찬미되는 초여름의 싱그러움을 강조하기 위해 겸재는 산을 그리되 묵골墨
骨♦이 드러나지 않도록 담묵선淡墨線으로 윤곽을 잡은 다음 온 산을 연초록빛으
로 초칠하고 나서 그늘진 골짜기는 짙은 하엽색荷葉色♦으로 덧칠하고 등성이는
군청색群靑色으로 밝게 우려서 색가色價의 경중輕重으로 광색光色의 차이까지
표출하려 했다.

♦묵골墨骨
먹색 골격

♦하엽색荷葉色
연잎과 같이 짙은 초록색

정녕 채색을 쓰는 데서도 그 묘리妙理를 통달한 기법이다. 화법畵法의 기본을
채색에 두고 있는 서양화 기법으로도 이런 경지에 오르기는 쉽지 않을 것이다.

남한산성에서 줄기줄기 내려오는 산자락들이 송파의 동쪽은 감싸지만 삼전
도 쪽의 서쪽에서는 그 산자락이 멀리 끊어진다. 이런 단절된 공간을 드러내기
위해 초록빛 색칠을 먼 산 아랫자락에서 흐리며 바탕색을 그대로 남겨 놓아 마치
아지랑이 속에 잠긴 듯 중간을 비워 두었다. 그리고 근경近景 정면 중앙에 궁궐
과 같은 규모의 거대한 건물을 배설했다. 별장別將의 진사鎭舍로는 어울리지 않
는 건물이다.

아마 병자호란 때 인조가 민가에서 밤을 지새워야 했던 민망한 전철을 밟지
않기 위해 이궁離宮의 규모에 해당하는 객관客館을 지어 놓아 유사시에 대비하
고 있었던 모양이다. 높은 언덕 위에 세워진 객관의 좌우에는 초가집들이 옹기
종기 모인 마을이 보이는데 양쪽 모두 마을 주변을 목책으로 둘러놓고 있다.

아마 마을 단위로 외적을 방비하기 위한 설비인 듯하다. 객관 주변에도 버드
나무를 비롯한 잡목이 군데군데 서 있어 강변 객사의 운치를 더해 주고 있지만
오른쪽 마을은 온통 큰나무 숲으로 싸여 있고 그 멀리로는 붉은 기둥에 청기와를
올린 기와집 한 채가 우뚝 솟아나 객관과 미묘한 대조를 보여 준다.

이것이 바로 축대를 높이 쌓고 거대한 비각을 세워 보호했다는「청태종공덕
비」의 비각일 것이다. 우리는 흔히 삼전도비라고 부르지만 당시 부제학副提學이
었기에 이 비문을 지은 백헌白軒 이경석李景奭(1595~1671)은 이 허물로 명의名義
의 죄인이 되어 사림士林의 지탄을 면치 못했었다. 치욕의 당일에 지천遲川 최명
길崔鳴吉(1586~1647)은 이조판서로 있으면서 주화主和를 표방하며 항복을 주장
하고 예조판서인 청음淸陰 김상헌金尙憲(1570~1652)은 결사항전을 주장하며 항
복문서를 찢어 버린 다음 자결하려다 미수에 그쳤었다.

송파진松坡津 부분

청음은 인조의 항복을 말리지 못하자 그 배행을 거부하고 낙향하여 출사를 단념하니 청에서는 배청排淸의 주모자라 하여 심양에 구금拘禁하나 6년 동안 저들을 명의名義로 꾸짖어 조선 사대부의 기개를 천하 만방에 떨치게 된다. 청인淸人들도 그 기개를 높이 평가해 최난노인最難老人이라 하며 존숭을 아끼지 않았다한다.

이로 말미암아 청음은 귀국 후에 사림의 중망衆望을 일신에 모아 일국대로一國大老로 추앙되고 좌의정에 올라 명의名義의 표상表象이 된다. 그 증손자들이 바로 겸재의 스승인 삼연 김창흡 형제들이니 겸재가 이곳 삼전도비와 남한산성을 보는 감회는 남다른 것이었을 터이다. 삼전도 비각을 뚜렷하게 표현해 낸 것도 그날의 치욕을 잊지 않고 복수설치復讐雪恥하겠다는 적개심의 표현일 것이다.

강상을 거슬러 오르는 돛단배 위에는 대청 적개심을 가슴에 품고 있던 일군의 선비들이 타고 있는 듯하다. 겸재도 그 중의 한 선비였으리라. 여기 배 떠가는 강줄기는 1970년에 매립되어 신천동이라는 육지가 되어 있지만 그 이전에는 이곳이 한강의 본류였다.

지금 화양동 쪽에서 바라보면 남한산성만은 이와 똑같은 모습이다. 비행기를 타고 보듯이 시점을 높이 띄워 멀리 내려다본 모습이라 한강의 양쪽 기슭이 모두 그려져 있다. 송파나루에서 서울 쪽으로 건너오는 나룻배에서 내린 인물들이 많고 그들이 잠시 쉬며 목이라도 축일 수 있는 곳인 듯 모래사장에는 차일이 쳐져 있고 여인들이 그 아래 앉아 있다. 요즘 강변 모래밭 풍경과 조금도 다름이 없다.

그러나 지금은 다만 여기 보이는 한강 물줄기가 메워져서 고층건물로 뒤덮이고 그 사이로 길이 나서 물길 따라 유유히 떠가는 돛단배 대신 사통팔달의 도로를 따라 차량 행렬이 끊임없이 이어지고 있을 뿐이다.

압구정 狎鷗亭 도판56

지금 현대아파트, 한양아파트 등 고층 아파트들이 숲을 이루고 있는 강남구 압구정동 일대의 본 모습이다.

잠실 쪽에서 서북으로 흘러오던 한강 줄기가 꺾어져 서남으로 흘러가는데 그 물모롱이를 이루는 언덕 위에 높이 세워진 것이 압구정 건물이다. 지금 강남구 압구정동 산 310번지에 해당하는 곳이다. 잠실 쪽에서 배를 타고 오면서 본 시각이기 때문에 압구정동 일대와 그 대안이 되는 옥수동, 금호동 일대가 한눈에 잡혀 있다.

그 뒤로 보이는 짙은 초록빛 산이 남산이다. 그 정상에 큰 소나무가 서 있는 것으로 이를 확인할 수 있다. 한국전쟁 때까지만 해도 그 큰 소나무는 그렇게 서 있었다 한다.

서울을 상징하는 남산을 돋보이게 하려 해서인지 아니면 남산을 뒤덮고 있는 울창한 소나무숲을 강조하기 위해서인지 남산 줄기만 짙은 녹색으로 덧칠해 놓고 있다. 그 뒤로는 삼각산 연봉들이 멀리 보이는데 군청색群青色*을 엷게 물 타서 흐릿하게 칠한 원산법遠山法으로 일관돼 있다.

옥수동고개나 이곳 압구정동 산언덕들은 모두 연둣빛으로 초칠한 다음 보다 짙은 초록색을 덧칠해 그늘을 만들어 놓고 있다. 지형의 굴곡을 분명히 드러냄으로써 근경임을 시사하려는 의도다. 압구정동 뒤로 보이는 원산은 관악산과 청계산 우면산 등일 것이다. 이 역시 모두 삼각산 연봉과 같은 원산법으로 처리하고 있다.

그러니 압구정에 올라서면 서울을 둘러싸고 있는 사방 명산들을 한눈으로 조망할 수 있었을 것이다. 이런 경개를 상징적으로 표현하기 위해 겸재는 잠실 쪽에서 내려다보는 시각을 취했던 모양이다.

압구정이 서 있는 높은 언덕 아래로 층층이 이어진 강변 구릉 위로는 기와집과 초가집들이 마을을 이루듯 들어서 있다. 이 중에는 서울 대갓집들의 별서別墅*가 상당수 섞여 있을 듯하다. 풍류를 아는 당대 사대부들의 취향에 맞게 해묵은 노거수老巨樹*들이 군데군데 높다랗게 자라 있고 앞뒤 동산에는 송림이 둘려 있

*군청색群青色
짙은 푸른색

*별서別墅
별장

*노거수老巨樹
늙고 큰 나무

압구정狎鷗亭도판56
1741년 신유辛酉,
견본채색絹本彩色,
31.0×20.0cm,
《경교명승첩京郊名勝帖》상,
간송미술관 소장.

다. 강바람에 송뢰松籟◆가 일고 거목의 그림자가 마당을 이리저리 쓸어 가는 강마을의 삽상청징颯爽淸澄◆한 운치가 화면에 넘쳐흐른다.

◆**송뢰**松籟
솔바람 소리

언덕 아래 길게 벋어난 백사장 위에는 몇 척의 배들이 돛폭을 내린 채 쉬고 있고, 두어 명 사공들은 거룻배 한 척을 강 쪽으로 밀어내고 있다. 백사장 가까이는 수심이 얕은지 바지 걷은 사공 하나가 물속에 들어가 배를 민다. 지금은 이런 시정詩情 어린 풍광風光을 상상할 수도 없다. 다만 백사장 근처에 나 있는 강변도로 위로 차량행렬이 하루 종일 물밀듯이 이어질 뿐이다.

◆**삽상청징**颯爽淸澄
시원하고 해맑음

이곳 경개가 이토록 빼어났었기 때문에 역대 권문세가들이 항상 이곳을 탐내어 차지하고 별서와 누정樓亭◆을 경영하려 했으니 압구정이란 정자도 그렇게 생겨서 동네 이름으로까지 불리워지게 되었다.

◆**누정**樓亭
누각과 정자

압구정을 처음 지은 사람은 권신權臣 한명회韓明澮(1415~1487)였다. 그는 일개 무명 서생書生이었으나 수양대군首陽大君(1417~1468)의 모사가 되어 간교한 꾀로 김종서金宗瑞(1383~1453)와 안평대군安平大君 용瑢(1418~1453) 등 조정대신과 왕자들을 잡아 죽이고 수양대군으로 하여금 어린 조카 단종端宗으로부터 왕위를 빼앗게 한 장본인이었다.

그는 이후에 사육신을 주륙誅戮◆하고, 남이南怡(1441~1468)를 역모로 몰아 죽이며, 성종을 추대하는 등 도합 4회의 정변을 성공시키는데 그때마다 이를 주도해 1등공신이 된다. 이로 말미암아 그는 영의정 벼슬을 세 번이나 하고 두 딸을 예종과 성종에게 각각 출가시켜 상당부원군上黨府院君으로 봉해져서 일국의 권세를 독차지하게 된다.

◆**주륙**誅戮
죄를 물어 죽임

한명회의 욕심은 여기서 그치지 않고 사직을 굳건히 하고 즐겁게 물러났다는 청명淸名까지 얻고자 하여 이곳 압구정 일대에 별서別墅를 경영하고 늙어 물러나 앉으려 함을 표방한다. 이를 위해 한명회는 명나라에 사신 가는 기회에 일찍이 세종 32년(1405)에 명明 경종景宗의 등극을 알리는 칙사로 조선에 와서 성삼문成三問 등 집현전 학사들과 교유하며 한강에서 선유船遊까지 즐겼던 예겸倪謙을 찾아가 그의 별서에 지어 놓은 정자 이름을 지어 주도록 부탁한다. 이때 예겸은 예부상서의 지위에 올라 있었다.

이에 한명회의 인품을 알 리 없는 예겸은 집현전 학사들과 같은 청유淸儒인 줄

만 알고 옛날 한강 뱃놀이의 청흥淸興을 회상하며 압구정狎鷗亭◆이라는 격조 높은 이름을 짓고 작명의 유래를 밝히는 「압구정기狎鷗亭記」를 써 준다. 이에 명리에 눈이 어두운 한명회는 당시 명나라의 저명인사들을 찾아다니며 이를 시제로 하는 찬시讚詩를 받아 오고 국내의 문사들에게도 이를 부탁하여 마음에 드는 시는 판각해 걸었다 한다.

그래서 압구정이란 이름이 세상에 널리 전파되게 됐는데 한명회가 늙어도 물러날 뜻이 없다는 사실을 잘 아는 성종은 그가 한 번 사퇴할 뜻을 밝히자 그대로 받아들여 이별시를 지어 주었다. 이에 조신朝臣들도 모두 다투어 이별시를 짓게 되니 그 중에서 판사判事 최경지崔敬止의 시가 한명회의 간교함을 가장 잘 풍자한 시로 알려지고 있다.

세 번이나 은근히 임금님 사랑받으니, 정자 있으나 와서 노닐 새 없었네.

가슴속 기심機心◆ 바로 끊는다면, 환해宦海 앞에서도 갈매기와 가까이 사귈 수 있으리.

三接慇懃寵眷優, 有亭無計得來遊. 胸中政使機心斷, 宦海前頭可狎鷗.

성종에게 명나라 사신을 한강에서 접대한다는 명목으로 국왕이 쓰는 용봉차일龍鳳遮日을 빌려 달랬다가 거절당하자 노기등등해 자리를 박차고 나갈 정도로 안하무인眼下無人이었던 권간權奸◆ 한명회였다. 그러나 죽은 뒤에는 연산군 갑자사화에 부관참시剖棺斬屍◆를 당하는 천벌을 받았고 생전에는 예종과 성종에게 출가시킨 두 딸들이 모두 후사 없이 20세 이전에 요절하는 참척을 당하기도 했었다.

참으로 긴 세월 속에서 보면 인생사란 공평한 것이다. 권세와 명리를 추구한 탐욕스런 삶 뒤에는 저주와 지탄이 따르는 오욕이 있고 의리 명분을 위해 신명을 돌보지 않은 삶 뒤에는 존경과 추앙이 따르는 영예가 있다.

성리학적 의리명분론에 철저하던 백악사단白岳詞壇의 일원인 겸재가 이 오욕의 역사 현장을 보는 감회는 어떠했을까. 권간의 흔적은 간 곳 없고 산천은 의구하니 천도天道가 무심치 않음을 그림으로 보여 주고 싶은 마음이 일어났을 듯하다.

압구정狎鷗亭 부분

　겸재가 이 그림을 그릴 때는 누가 주인이었던지 확실치 않다. 그러나 정자만
은 팔작집의 큰 규모로 언덕 위에 덩그렇게 지어져 있다.

　이 압구정은 여러 손을 거쳐 조선 말기에는 철종부마인 금릉위錦陵尉 박영효
朴泳孝(1861~1939) 소유가 됐었는데 박영효가 갑신정변(1884)의 주모자로 역적
이 되자 몰수되어 정자는 파괴된 채 터만 남는다. 일제 이후 이곳은 경기도 광주
군 언주면彦州面 압구정리라 했으나 1963년 1월 1일에 서울시로 편입돼 압구정
동이 된다. 1970년대에 현대아파트가 들어서면서 이 일대가 모두 아파트 숲으
로 뒤덮이고 말았다. 압구정 자리는 동호대교 옆 현대아파트 11동 뒤편에 해당
한다.

목멱조돈 木覓朝暾 도판57

목멱산은 서울 남산의 딴 이름이다. 남쪽 산을 뜻하는 순 우리말 '마뫼' 또는 '말미'를 한자음으로 표기한 것이라 한다. '마뫼'는 마산馬山 또는 마시산馬尸山 등으로 표기되기도 한다. 이로써 동방 청룡靑龍, 서방 백호白虎, 남방 주작朱雀, 북방 현무玄武의 사방신四方神을 설정해 그에 해당하는 산이 사방을 에워싸야 명당明堂(좋은 터)이라는 중국식 풍수지리설이 들어오기 이전에도 우리는 남산을 남산이라는 의미의 '마뫼'로 불렀던 것을 알 수 있다.

그러던 것이 조선왕조가 한양에 도읍을 정하면서 정궁正宮인 경복궁景福宮을 백악산白岳山 아래 짓게 되자 백악산은 현무인 진산鎭山♦이 되고 '마뫼', 즉 목멱산은 주작인 안산案山♦이 된다. 당연히 백악산(북악산이라고도 한다)에서 갈라져서 동쪽을 휘감아 도는 낙산駱山 줄기는 청룡이 되고 백악산 서쪽으로 이어져 웅크리듯 솟구친 인왕산은 백호가 된다. 그래서 조선 태조는 명당인 한양을 금성철벽金城鐵壁♦으로 보호하기 위해 이 사방신산의 산등성이를 따라 석성을 쌓아 둘러놓았다. 한성부漢城府라는 공식명칭은 이로 말미암아 생긴 것이다.

그런데 한양 서울이 명당인 것은 이 사방신산의 생김에서 확인할 수 있다. 백악산은 진산답게 북쪽에 우뚝 솟고, 낙산은 청룡같이 동쪽으로 치달리며, 인왕산은 백호처럼 서쪽에 웅크리고, 목멱산은 주작마냥 두 날개를 활짝 펴 남쪽을 가로막는다. 거기다 북악산과 낙산, 인왕산은 백색화강암으로 이루어진 암산인데 목멱산은 흙이 많은 토산이다. 또 위 세 산이 홑산인데 목멱산만 겹산으로 큰 봉우리 두엇이 동서로 겹치며 이어져 있다.

그래서 한양성 북쪽에서 보면 남산은 동쪽 봉우리가 약간 낮고 서쪽 봉우리가 약간 높아 마치 한 일一 자를 써 놓은 것과 같은 모습으로 보인다. 서예에서 한 일자는 마제잠두법馬蹄蠶頭法으로 쓰라 한다. 붓을 대는 왼쪽 끝부분은 말발굽처럼 만들고 붓을 떼는 오른쪽 끝부분은 누에머리처럼 마무리 지으라는 뜻이다. 그런데 한양 북쪽에서 본 목멱산의 모습이 바로 이와 같다. 안산의 생김새로 이보다 더 완벽한 모습이 있을 수 있겠는가.

그러나 큰 산은 보는 방향이나 거리에 따라서 그 모습이 달라진다. 홑산보다

♦**진산**鎭山
고을이나 도읍의 뒤에 있는 큰 산. 그터를 진호鎭護해 주는 주산主山이란 의미이다.

♦**안산**案山
명당의 앞산. 책상과 같은 산이란 의미이다.

♦**금성철벽**金城鐵壁
쇠로 만든 견고한 성벽

113

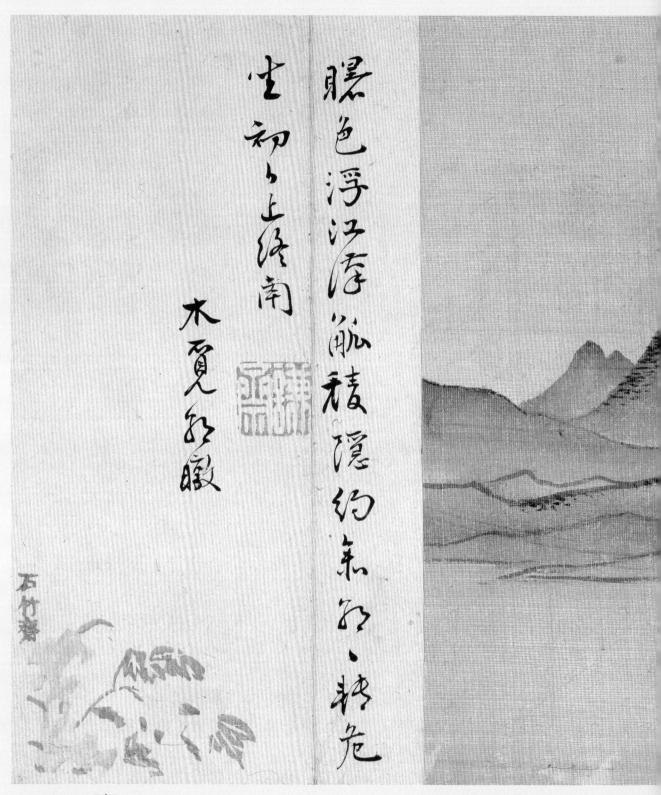

曉色浮江浮舡積隱約朱氣轉危

坐初日上淮南

木覓朝曉

石竹萍

목멱조돈木覓朝暾^{도판57}

1741년 신유辛酉, 견본채색絹本彩色, 29.2×23.0cm,《경교명승첩京郊名勝帖》상, 간송미술관 소장.

도 겹산인 경우는 그 차이가 더욱 크다. 그래서 보는 방향과 거리에 따라서는 오른쪽 봉우리가 높은데도 왼쪽 봉우리가 높게 보이는 경우도 가끔 있다. 이 그림에서 보이는 목멱산 모습이 바로 그 대표적인 예다. 한강 하류 양천 관아쪽, 즉 지금 가양동 쪽에서 보면 목멱산이 이렇게 보인다. 서북쪽으로 멀리 떨어져서 목멱산 동쪽의 낮은 봉우리가 엇갈려 나와 먼저 보이므로 서쪽의 높은 봉우리가 그 뒤로 서기 때문이다. 그래서 봄철이 되면 아침 해가 그 높은 봉우리의 등줄기에서 솟아오르게 마련이다.

겸재가 영조 16년(1740) 12월 11일에 양천현령으로 발령받았으니 그 다음 해(1741) 봄에 남산의 이런 모습을 처음 보았을 것이다. 북악산과 인왕산 쪽에서만 남산을 바라다보고 60평생을 살았던 겸재가 65세에 양천에 부임해 와서 남산의 두 봉우리가 서로 뒤바뀌는 현상을 목격하고 어찌 충격을 받지 않았었겠는가. 더구나 남산에서 해가 떠오를 줄이야!

늘 낙산 위에서 떠오르는 해만 바라보고 살았던 겸재는 이런 신기한 사실을 가장 친한 동네 친구이자 진경시眞景詩의 대가인 사천槎川 이병연李秉淵(1671~1751)에게 알렸던 모양이다. 그러자 사천은 「목멱산에서 아침 해 돌아 오르다木覓朝暾」라는 시제詩題로 이런 시를 지어 보냈던 것이다.

새벽 빛 한강에 떠오르니, 언덕들 낚싯배에 가린다.
아침마다 나와서 우뚝 앉으면, 첫 햇살 종남산에서 오르리라.
曙色浮江漢, 舳艫隱釣參. 朝朝轉危坐, 初日上終南.

아침마다 남산 일출을 홀로 바라보고 있을 겸재를 그리워하며 함께하지 못하는 아쉬움을 가득 담은 우정 어린 상사시想思詩다. 70 노경에 접어든 노대가들이 이렇듯 천진하게 서로를 조석으로 그리워하고 있다니. 참으로 부러운 일이다.

이를 화제畫題로 해서 겸재는 남산 일출日出의 장관을 통쾌하게 그려 내고 있다. 새잎 나기 전의 초봄인 듯, 강변에 우거진 버드나무숲이 휘휘 늘어진 가지를 자랑하면서도 초록빛은 두드러지지 않는다. 이렇게 서리 기운이 다 가시지 않은 이른 봄의 여명은 유난히 신선하고 길어 사람의 마음을 한없이 상쾌하게 한다.

목멱조돈木覓朝暾 부분

그런데 그때 검푸르게 산하山河를 감싸고 있는 삽상한 대기를 뚫고 붉게 솟아오르는 태양의 모습을 볼 수 있다면 누군들 넋을 잃지 않으랴!

겸재와 사천은 그 정황을 잘 알기에 시정 화의로 이를 유감없이 표출해 낼 수 있었던 것이다. 남산 높은 봉우리 중턱에서 붉은 태양이 반 너머 솟아오르자 붉은 빛은 노을이 되어 동녘 하늘에 가득하고 노을빛은 강물에 반사되어 강심을 물들인다. 아직 미련이 남아 머뭇거리는 여명의 잔영이 골짜기마다 긴 그림자로 거뭇하게 남아 있는 이른 시각이건만 어부들은 때를 놓칠세라 벌써 낚싯배를 몰고 붉게 물든 강상으로 노 저어 나오고 있다.

강 건너 남산 밑으로 낮게 깔린 구릉들은 만리재·애오개·노고산老姑山·와우산

117

臥牛山 등일 터인데, 엷은 먹선으로 쳐 낸 산의 윤곽 위에 연둣빛으로 훈염暈染*하고 그 위에 다시 푸른빛 도는 먹색으로 엷게 물칠하여 아직 어둠이 걷히지 않은 시각의 야산 모습임을 강조해 놓고 있다.

태양이 떠오르는 남산은 보다 밝게 연둣빛으로 산 전체를 우려내고는 울창한 송림을 상징하기 위해 대미점大米點*보다도 더 큰 먹점을 가로로 어지럽게 찍어 중봉 이상을 온통 검게 물들여 놓고 있다. 이런 흥건한 먹빛과 주홍朱紅빛 태양은 신묘한 음양조화를 암시하게 되는데 양천 쪽에서 바라본 남산의 모습이 신비로운 여체를 연상시켜 분위기를 더욱 고조시켜 놓고 있다. 지금도 봄철에 가양동에서 해 뜨는 정경을 바라보면 이와 같은 모습이다.

◆ 훈염暈染
해무리와 달무리 지듯 물에 먹이나 채색을 약간 섞어 우려내는 설채법. 주로 안개나 달빛 등 은은한 분위기 표현에 사용하는 기법이다.

◆ 대미점大米點
남·북 송宋 교체기에 문인화가의 대표로 꼽히는 미불米芾(1051~1107)과 미우인米友仁(1074~1151) 부자가 남방의 구름 낀 산을 그리는 독특한 화법을 창안해 내면서 구름 속에 잠긴 먼 산봉우리의 울창한 수목을 표현해 내기 위해 먹점을 반복적으로 찍어 나갔다. 이를 사람들은 미씨 일가가 쓰던 점이라 하여 미점이라 부르게 되었다. 미불의 점은 크고 둥글어 대미점이라 하고, 미우인의 점은 작고 가늘어 소미점이라 한다. 형태의 대소뿐만 아니라 부자관계이므로 당연히 미불은 대미, 미우인은 소미로 불러야 한다.

안현석봉鞍峴夕烽^{도판58}

안현은 길마재, 안산鞍山 또는 모악산母岳山이라 부르는 서울의 서쪽 산이다. 봉원사奉元寺와 연세대학교 및 이화여자대학교를 품고 있는 높이 296미터의 큰 산이다. 한양 서울의 내백호內白虎[*]인 인왕산에서 서쪽으로 다시 갈라져 인왕산 서쪽을 겹으로 막아 주고 있으니 한양 서울의 외백호外白虎에 해당한다. 이 산을 안산 또는 안현이라 부르는 것은 산 모양이 말안장과 같이 생겼기 때문이다.

길마는 안장이란 뜻의 순우리말이다. 아마 안현이나 안산은 길마재의 한자식 표기일 것이다. 모악산 또는 모악재라 부르는 것은 풍수설에 의해서 생겨난 이름이다. 서울의 조산祖山[*]인 삼각산 부아악負兒岳[*]은 마치 어린아이를 업고 서쪽으로 달아나려는 듯한 모습을 하고 있다. 그래서 이를 막기 위해 서쪽 끝의 길마재를 모악母岳[*]이라 하고 그 아래 연세대 부근 야산을 떡고개라 했다 한다. 어미가 떡으로 아이를 달래서 달아나지 못하게 하기 위해서였다는 것이다.

어떻든 이런 길마재 위에는 태조 때부터 봉수대烽燧臺[*]를 설치하여 매일 저녁마다 봉홧불을 올리게 했다. 무사하면 봉홧불 하나를 올리고 외적이 나타나면 두 개, 국경에 가까이 오면 세 개, 국경을 침범하면 네 개, 싸움이 붙으면 다섯 개를 올리도록 했다. 따라서 평화 시에는 늘 봉홧불 하나가 길마재 상봉에서 타오르기 마련이었다.

원래 길마재에는 동, 서 두 봉우리에 각기 다른 봉수대가 설치돼 있었다. 동쪽 봉우리에서는 평안도와 황해도의 육지 쪽에서 전해 오는 봉홧불 신호를 경기도 고양시 덕양구 강매동江梅洞 봉대산烽臺山에서 받아 목멱산 제3 봉수대로 전해 주고, 서쪽 봉우리에서는 평안도와 황해도의 바다 쪽에서 전해 오는 봉홧신호를 고양시 일산구 일산동 고봉산高烽山 봉수대에서 받아 목멱산 제4 봉수대로 전해 주게 돼 있었다. 그러니 중국 쪽에서 외적이 침입하는지 여부는 전적으로 이 안현 봉수대의 불꽃 숫자에 의지할 수밖에 없었다.

그만큼 중요한 안현의 저녁 봉홧불이기에 겸재는 영조 16년(1740) 12월에 강 건너 양천(현재 강서구)의 현령으로 부임해 가서는 성산 아래인 현재 가양동 239번지 일대의 현아縣衙[*]에 앉아 틈만 나면 이 길마재의 저녁 봉홧불을 건너다보

◆내백호內白虎
명당의 서쪽을 막아 주는 안쪽 산줄기

◆조산祖山
풍수설에서 명당의 근원이 되는 시조 산

◆부아악負兒岳
애 업은 산

◆모악母岳
어미산

◆봉수대烽燧臺
봉홧불을 올리는 높은 대

◆현아縣衙
현의 관아

백화노청시권노산색만소 (畵)

石竹寮

鞍峴夕烽

안현석봉鞍峴夕烽^{도판58}

1741년 신유辛酉, 견본채색絹本彩色, 29.2×23.0cm,《경교명승첩京郊名勝帖》상, 간송미술관 소장.

고 나라의 안위를 확인했던 것 같다.

　도성의 근밀近密[♦] 요해처로 수령직을 맡고 나왔으니 그 직책상 봉화의 간심看審[♦]을 소홀히 할 수 없는 것은 물론이려니와 그런 직임을 떠나서도 봉화가 오르는 그 정경을 바라보는 즐거움이 더욱 컸을 것이기 때문이다. 더구나 그쪽 방향은 바로 자신의 고향집이 있는 한양 서울이기도 했다. 계양산桂陽山 너머로 해가 떨어지고 어둠이 저녁노을과 함께 서서히 산하대지를 감싸 가기 시작할 때 보름달보다도 더 크게 촛불처럼 피어오르는 그 큰 불꽃을 보노라면 일모日暮[♦]의 안도安堵 속에서 얼마나 느긋한 포만감을 만끽할 수 있었을까.

　그래서 사천은 하늘이 멀어지고 먼 산이 가까워지며 저녁 바람이 소슬한 초가을 어느 맑은 날 저녁 안현의 봉화를 바라보고 있을 겸재를 생각하고 이런 시를 지어 보냈다.

계절 맛 참으로 좋은 때, 발 걷으니 산빛이 저물었구나.

웃으며 한 점 별 같은 불꽃을 보고, 양천陽川 밥 배불리 먹는다.

有味老淸時, 捲簾山色晚. 笑看一點星, 飽喫陽川飯.

　겸재가 이 시제詩題를 화제畫題로 하여 그 시상詩想을 화의畫意로 바꿔 놓은 것이 이 그림이다. 해거름이라 사위에 어둠이 거뭇하게 내리 덮이면 모든 물체는 윤곽만 더욱 뚜렷해 보인다. 이런 정황을 표출하기 위해서는 대상을 표현하는데 다른 그림에서보다 더욱 그 형상의 특징을 진한 농묵濃墨으로 강조해 놓을 수밖에 없다. 산의 능선이나 바위의 윤곽, 집의 기둥이나 배의 돛폭 등이 유난히 굵고 짙은 묵선으로 강조되고 소나무숲이나 먼 산 수풀 등이 흥건한 먹칠로 거듭 칠해지고 있는 것이 그 때문이다.

　시계視界가 무한히 열린 초가을 맑은 날의 정취를 표출하기 위해 안현을 강 이쪽에서 바라본 시각으로 원경遠景 처리하게 되니 근경近景은 파산 아래 소악루와 탑산 및 광주바위가 되고 중경은 소동정호로 불리던 한강의 넓은 수면水面이 되어 마치 호반湖畔의 경치인 듯 통활洞闊[♦]한 화면구성이 이루어지게 되었다.

　원경이 안현을 중심으로 북쪽의 정토산淨土山, 남쪽의 와우산臥牛山으로 연결

◆근밀近密
몹시 가까움

◆간심看審
보고 살핌

◆일모日暮
해저묾

◆통활洞闊
앞이 툭 터져 드넓음

안현석봉鞍峴夕烽 부분

된 능선과 그 뒤를 가로막은 인왕산仁王山, 북악산北岳山의 연봉에 의해 일자형
一字形으로 막히게 되자, 근경에서 이를 터놓기 위해 좌우 양각兩角에 소악루가
있는 파산 자락과 광주바위가 있는 탑산 자락을 배치하여 중앙을 비워 놓음으로
써 중경의 수면이 끝없이 이어지는 듯한 느낌이 들게 했다. 광활한 호반 풍경을
실감시켜 주는 화면구성법이다.

시각의 출발점이 파산巴山이기 때문에 파산자락 소악루 일대를 가장 크고 분
명하게 묘사해 놓았다. 소나무와 버드나무숲 및 잡목숲의 표현이 뚜렷하고 그
숲 속에 서 있는 초가지붕의 이층 누각형태의 표현도 자세하다. 그 앞 강상에 떠

123

있는 두 척의 돛단배 역시 훨씬 크게 보여 돛폭에 연결된 무수한 용총줄까지 확인할 수 있다. 그에 비해 강 이쪽의 탑산과 광주바위는 비록 근경으로 잡기는 했지만 시점이 멀어지므로 자세한 표현을 삼가면서 그 크기도 상당히 축소해 놓고 있다.

그야말로 보이는 대로 그린 것인데 이는 평원법平遠法에 의거한 원근법을 사용한 때문이다. 탑산 앞 강 위로 멀리 떠가는 작은 배 네 척이 앞의 두 척보다 반도 안 되는 크기로 작게 표현된 이치도 마찬가지다. 사실 파산에 올라서 보면 탑산과 광주바위는 이렇게 보이지 않는다. 탑산에 가려 광주바위는 시계에 들어오지도 않는다.

그런데 겸재는 그림이 되게 하기 위해 탑산과 광주바위를 앞으로 끌어낸 것이다. 이것이 바로 겸재가 진경산수화眞景山水畵를 대성해 내어 화성畵聖으로 추앙받을 수 있었던 묘방妙方이었다. 이 근처를 아는 사람이라면 누구나 이 그림을 보고 파산에서 탑산과 안현을 바라본 경치라는 것을 즉각 감지하고 공감하게 되기 때문이다. 진경의 묘리妙理도 바로 여기에 있으니 전신傳神이니 사진寫眞이니 하는 이름으로 부르는 이유를 알 만하다.

사진기가 찍은 사진과 진경산수화眞景山水畵가 다를 수밖에 없고 진경산수화가 그림이 되는 이유가 여기에 있다. 대상을 보이는 대로 형사하는 피상적인 사생행위만으로는 진경산수화가 이루어질 수 없다. 그 대상의 본질과 특성을 파악해 회화미로 승화시킬 수 있어야 한다. 그런 능력을 가진 사람만이 진정한 진경산수화가라 할 수 있겠는데 어찌 이런 기준이 진경산수화가에게만 국한되는 것이겠는가. 모든 화가들의 능력을 품평하는 준칙準則이라 해도 과언은 아니다.

19
경교명승첩 京郊名勝帖 _ 상권上卷 3

공암층탑 孔巖層塔 도판59

공암孔巖은 양천陽川의 옛이름이다. 『동국여지승람』 권10 양천현陽川縣조에서
건치연혁建置沿革을 보면 고구려시대는 이름을 제차파의현齊次巴衣縣이라 했고
신라 경덕왕이 공암孔巖이라 고쳤으며 고려 충선왕 2년에 지금 이름으로 고쳤다
고 했다. 경덕왕이 공암이라 고쳤다 한 것은 경덕왕 16년(757)에 주군현州郡縣의
명칭을 한자식으로 바꿀 때 일이었던 모양이다. 제차바위란 차례대로 가지런히
서 있는 바위란 뜻일 것이고 공암孔巖이란 구멍 뚫린 바위란 의미일 것이다.

　이런 내용이 또한 『동국여지승람』 권10 양천현 공암진孔巖津 세주細註에 자세
히 기록되고 있으니 옮겨 보면 다음과 같다.

> 일명一名 북포北浦라고도 하니, 현 북쪽 일리一里에 있다. 바위가 있는데 물 가운
> 데 서 있고 구멍이 있어 그로 인연해서 이름을 삼았다.
> 一名北浦, 在縣北一里. 有巖, 立水中, 有竇, 因以爲名.

　이 내용은 읍치가 공암진 바로 남쪽에 있던 공암현孔巖縣 시절의 기록을 그대
로 이기移記*한 탓에 이렇게 기록된 것이다. 뒷날 양천현이 되면서는 읍치를 훨
씬 북쪽인 파산巴山 아래로 옮기기 때문에 이 기록에는 부합되지 않는다.

◆ **이기**移記
옮겨 적음

　어떻든 이런 지명을 가질 만한 바위가 바로 옛 공암나루터에 있다. 지금은 올
림픽대로를 내기 위해 강변 둑을 새로 만들어서 둑 밖으로 밀려나 있지만 그 길
이 나기 전인 1980년대 초반까지만 해도 강물 속에 이 바위들이 가지런히 잠겨

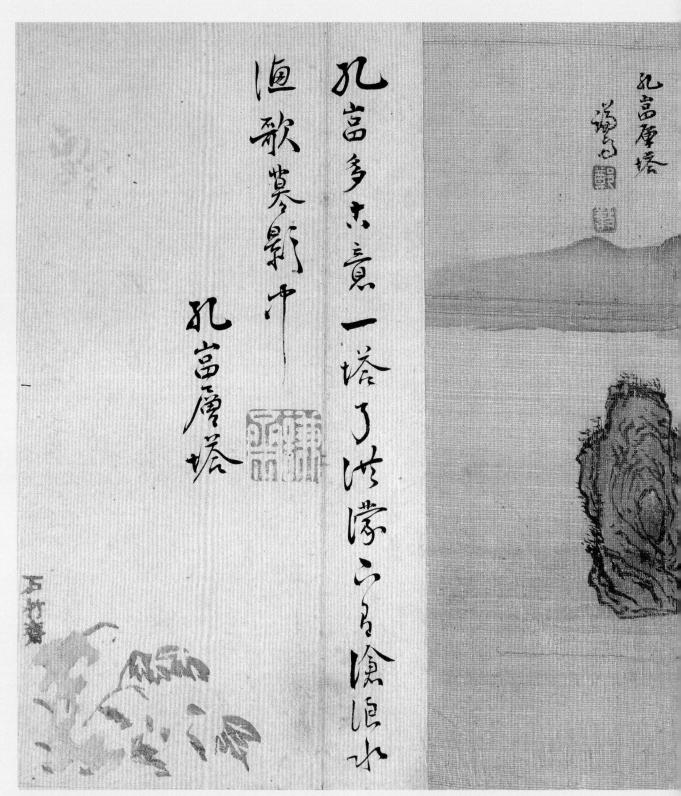

孔巖層塔

공암층탑孔巖層塔 도판59

1741년 신유辛酉, 견본채색絹本彩色, 29.2×23.0cm,《경교명승첩京郊名勝帖》상, 간송미술관 소장.

있었다.

지금은 이를 광주廣州바위 또는 광제廣濟바위라 부르는데 고구려 때는 제차바위라 했던 모양이다. 이 바위 이름을 그대로 고을 이름으로 쓴 것을 보면 그때는 이 공암나루인 현재의 탑산塔山 아래에 고을읍치가 있었던 것 같다. 통일신라 때도 마찬가지였기에 공암으로 개칭했으리라 생각된다. 제차바위 혹은 광주바위라 불린 세 개의 바위 중 가장 큰 바위에 구멍이 나 있기 때문에 얻은 이름일 것이다.

그러던 것이 충선왕 2년(1310)에 읍치를 현재 양천 향교가 있는 가양동 231번지 일대의 궁산 아래로 옮기면서 그 지명인 양천陽川을 취하여 고을 이름을 바꿨던 듯하다. 여기서 바위의 한자 표기인 파의巴衣로부터 파릉巴陵이란 별호가 생겼으니 양천으로 읍치를 옮기고 나서도 그 뒷산을 파산巴山이라 한 연유도 이에 있었다고 생각된다. 그러나 공암나루만은 그대로 존속하여 남도에서 개성으로 가는 요진要津*이 되었던 듯하다. 『동국여지승람』 양천현 공암진孔岩津에 다음과 같은 이야기가 수록되어 있기 때문이다.

◆ **요진**要津
중요 나루

고려 공민왕 때 백성 형제가 함께 길을 가다가 동생이 황금 두 덩어리를 주웠다. 하나를 형에게 주고 공암진에 이르러 함께 배를 타고 건너는데 갑자기 동생이 금을 물속에 던져 버린다. 형이 괴이하여 까닭을 묻자 대답하기를 '제가 평시에 형을 매우 사랑했었는데 이제 금을 나누고 보니 홀연 형을 미워하는 마음이 생겨납니다. 이것이 상서롭지 못한 물건이니 강에 던져 잊어버리는 것만 같지 못합니다.'라고 한다. 형이 듣고는 네 말이 정녕 옳다 하고 역시 금을 물에 던졌다. 배에 함께 타고 있던 사람들이 모두 어리석은 백성이었기 때문에 이름도 사는 읍리邑里도 묻지 않았다고 한다.

高麗恭愍王時, 有民兄弟偕行, 弟得黃金二錠. 以其一與兄, 至津同舟而濟, 弟忽投金於水. 兄怪而問之, 答曰 吾平日愛兄篤, 今而分金, 忽萌忌兄之心. 此乃不祥之物, 不若投諸江而忘之. 兄曰 汝之言誠是矣, 亦投金於水. 時同舟者皆愚民, 故無有問其姓名邑里云.

『東國輿地勝覽』卷十, 陽川縣, 山川, 孔巖津

이런 고사가 있기 때문에 금 던진 곳을 이후부터는 투금뢰投金瀨라 한다 하는데 성주이씨星州李氏 가승家乘에서는 이를 고려 말의 명사였던 이조년李兆年(1269~1343), 이억년李億年 형제라 기록해 놓고 있다 한다. 이 사실은 조선 후기에 만들어진『양천읍지陽川邑誌』에 수록돼 있다.(성주이씨가승운星州李氏家乘云, 이조년李兆年 이억년지사李億年之事, 차언출우중국천중기此言出于中國天中記.『양천읍지陽川邑誌』, 고적古蹟, 공암집孔巖津)

이렇게 붐비던 공암나루는 조선이 도읍을 현재의 한양 서울로 옮기자 그 기능을 상실한다. 서울로 가는 남도 행객들이 동작銅雀나루를 건너 바로 서울로 들어갔기 때문이다. 그래서 조선시대에 와서는 읍치의 기능도 나루의 기능도 모두 상실한 한낱 강변 마을로 전락하게 되는데 과거 읍치가 있을 때 그 진산鎭山에 세워졌던 절터에 남은 탑인지 공암산 중턱에 탑 하나가 남아 탑산塔山이란 이름을 가지게 된다.

이 탑산은 위에서 보면 그리 높지 않은 작은 동산(해발 31.5m)이지만 거의 수직 절벽으로 강에 내리 떨어져서 강상에서 보면 꽤 높은 바위산이다. 석질도 광주 바위와 같이 자색紫色을 띤 자암紫巖인데 강변 쪽에는 큰 굴이 뚫려 수십 명이 비를 피할 만한 공간을 만들고 있다. 고로故老*들의 말에 의하면 이곳이 양천허씨陽川許氏의 발상지로 이곳에서는 허가바위라 부른단다.

◆고로故老
오래 살아 옛일에 밝은 노인

양천허씨 시조 허선문許宣文이 이곳에서 나왔기 때문이다. 허선문은 고려 태조(918~943)가 후백제의 시조 견훤(892~935)을 징벌하러 가면서(934) 이 나루를 통과할 때 90여 세의 나이면서도 도강 편의와 군량미 제공 등으로 공을 세워 공암촌주孔巖村主의 벼슬을 받았다 한다.

공암이나 허가바위는 모두 자줏빛을 띠고 있다. 세 덩어리로 이루어진 공암을 광제廣濟바위 또는 광주廣州바위라고 부르는 것은 백제 때부터 부르던 이름이 아니었나 한다. 광제바위는 너른 나루에 있는 바위라는 뜻일 터이니 백제가 하남 위례성에 도읍을 두고 한강의 물길을 장악하고 있을 때 이 공암나루는 너른 나루 중 하나였을 것이기 때문이다. 광주바위라 하는 것은 광제바위가 잘못 전해져서 얻은 이름이리라.

그런데 광주에서 떠 내려와서 광주바위라 한다는 전설을 붙이고 광주관아에서는 매 해 양천현으로부터 싸리비 두 자루를 세금으로 받아 갔다고 한다. 어느 때 이를 귀찮게 여긴 양천현령이 이 바위들이 배가 드나드는데 걸리적 대니 광주로 다시 옮겨 가라고 하자 광주 아전들은 다시 이 바위를 광주바위라고 주장하지 않았다고 한다.

이 광주바위, 즉 공암은 1970년대까지 한강 물속에 그대로 잠겨 있었고 허가바위 굴 밑으로는 강물이 넘실대며 스쳐 지나고 있었다. 그런데 1980년대 올림픽대로를 건설하면서 둑길이 강 속을 일직선으로 긋고 지나자 이 두 바위는 육지 위로 깊숙이 올라서고 말았다. 그래서 지금은 구암龜岩 허준許浚(1539~1615)을 기리기 위해 만들었다는 구암공원 한 귀퉁이에 볼품없이 처박혀 있다.

수천 년 동안 한강물과 어우러지던 운치 있는 풍광은 이제 이 그림에서나 찾아볼 수 있을 뿐이다. 산기슭에 남아 있던 탑은 일제 강점기에 양천우편소장이던 일인이 양천우편소에 옮겨 놓았었는데 현재는 누구도 간 곳을 알지 못한다.

어떻든 이렇게 유서 깊은 공암이니 겸재와 사천이 이를 화제畵題와 시제詩題로 삼지 않을 리 없다. 사천은 이렇게 읊었다.

공암에 옛 뜻 많으나, 탑 하나만 아득하구나.
아래에 창랑수滄浪水 있으니, 고기잡이 노래 저녁 그림자 속에 잠긴다.
孔岩多古意, 一塔了洪濛. 下有滄浪水, 漁歌暮影中.

이 시를 화의畵意로 하여 겸재는 탑산과 광주바위 일대의 경치를 시처럼 화폭에 올려놓았다. 탑산과 광주바위를 강 한가운데로 거의 일一 자가 되게 가득 채워 주제를 분명히 하고 원경은 담묵 수윤水潤으로 처리하는 극원산법極遠山法 ◆을 구사해 아련한 느낌이 들게 했다. 허가바위 아래로는 어부 하나가 낚시 드리운 매생이 한 척을 저어 나가고 있는데 광주바위 쪽으로 가는 모양이다.

탑산 중턱 위에 고풍스런 탑 하나가 크게 표현되어 사천의 시의詩意를 강조했고 그 등 너머로는 솔밭이 울창하다. 탑산의 곱게 솟구친 봉우리는 난시준亂柴皴 ◆과 부벽준斧劈皴을 뒤섞어 어지럽게 쳐 낸 허가바위의 험상한 골력骨力이 받쳐주기 때문에 더욱 힘차게 느껴진다.

◆ **극원산법**極遠山法
지극히 먼 산을 그리는 법

◆ **난시준**亂柴皴
땔나무를 어지럽게 흩어 놓은 것과 같은 필선. 울퉁불퉁한 바위 산봉우리나 바위 절벽의 형상을 표현하는 데 주로 쓴다.

공암층탑孔岩層塔 부분

◆**와권준**渦卷皴
소용돌이 모양의 필선. 물에 씻긴
바위 등을 표현해 내는 데 주로 쓴다.

◆**운두준**雲頭皴
뭉게뭉게 일어나는 구름머리 모양의
둥근 필선. 산봉우리나 바위 형상을
표현해 내는 데 주로 쓴다.

험상궂게 강물 위로 솟아난 광주바위는 와권준渦卷皴◆과 운두준雲頭皴◆을 뒤섞어 쓰고 있다. 둥글둥글한 필선들이 겹겹이 쌓이며 부드럽게 바위 구멍을 상징하니 그 대조적인 표현법은 가히 신품神品에 이른 것이라 해야 하겠다.

금성평사錦城平沙 도판60

상암 월드컵 경기장과 월드컵 공원 등이 들어선 난지도蘭芝島 일대의 269년 전 모습이다. 원래 이곳은 모래내와 홍제천弘濟川, 불광천佛光川이 물머리를 맞대고 들어오는 드넓은 저지대라서 한강폭이 호수처럼 넓어지므로 서호西湖라는 별명으로 불려지던 곳이다. 따라서 이 세 개 하천과 대안의 안양천安養川이 실어 오는 흙모래는 늘 이곳에 모래섬을 만들어 놓을 수밖에 없었다.

난지도가 그렇게 생긴 모래섬인데 그 모양은 홍수를 겪을 때마다 달라져서 갈라지기도 하고 합쳐지기도 하여 일정치 않았던 모양이다. 오리섬鴨島이니 중초도中草島니 하는 이름들이 난지도의 다른 이름으로 기록되고 있는 것도 이 모래섬이 떨어졌다 붙었다 하는 과정에서 생겨난 현상일 것이다. 겸재가 이 그림을 그릴 당시인 영조 16년(1740)에는 난지도가 이렇게 강 가운데로 깊숙이 밀고 들어온 모래섬들의 집합체였던 모양이다.

그런데 1919년에 펴낸 경성지도에서 보면 난지도는 서호의 3분의 2 이상을 차지하는 하나의 큰 섬으로 합쳐져 있다. 이 모습은 1970년대 중반까지 크게 바뀌지 않아 신촌 쪽으로 모래섬에 밀린 샛강이 반달처럼 에둘러 흐르고 있었다. 이렇게 드넓은 물가 모래밭이었기에 겸재는 〈금성평사錦城平沙〉*라는 제목으로 이 일대의 한강을 싸잡아 그려 놓았다.

*금성평사錦城平沙
금성의 모래벌

그런데 어째서 하필 '금성의 모래벌'이라 했을까. 이는 난지도로 모래를 실어 오는 모래내와 홍제천 사이에 금성산錦城山이 있었기 때문이다. 이 그림에서 모래섬 뒤로 보이는 마을 뒷산이 금성산일 것이다. 이 산을 금성산이라 부르기 시작한 것은 조선 중종(1506~1544) 때부터다. 충청병사를 지낸 김말손金末孫(1469~1540)이 본래 강 이쪽 양천 두미에 있었던 금성당錦城堂 불상을 활로 쏘아 강 건너로 쫓아 보냈기 때문에 한양 모래내 쪽 강가 야산에 금성당이 세워지고 금성산의 이름을 얻게 됐다고 한다. 그 내용을 자세히 살펴보면 다음과 같다.

김말손은 중종 때 무과武科에 급제한 무반으로 특히 말 타기와 활 솜씨가 뛰어났었는데 불의를 보면 참지 못하는 성정을 타고났다. 이에 당대 성리학의 대가였던 송당松堂 박영朴英(1471~1540)이나 사재思齋 김정국金正國(1485~1541) 등

132

이 이를 인정해 도의道義로 사귈 정도였다.

그런데 이 두미암에는 고려시대 이래로 나주羅州 석불石佛의 신령이 옮겨 붙어 영험이 있다는 불상이 있었다. 불공을 드리지 않으면 재앙을 받는다는 속설 때문에 이곳을 지나는 행인들이 다투어 불공을 드리게 되니 수목이 우거져서 호랑이가 서식할 지경이었다. 이때 김말손은 그 폐해를 근절하기 위해 활로 석불을 쏘았다. 그러자 석불은 피를 흘리면서 그날 밤으로 강을 건너 한양 쪽 금성당錦城堂으로 이접移接해 갔다.

이에 김말손은 그 나주 석불이 있던 자리에 정자를 짓고 영벽정影碧亭이라 했다는 것이다. 이 얘기는 광무 3년(1899) 5월에 당시 양천군수로 있던 박준우朴準禹가 편찬한『양천군읍지陽川郡邑誌』고적古蹟 중에 실려 있는 내용이다. 그 사실 여부야 어떻든지 김말손이 중종 때에 이곳 두미암을 차지하고 영벽정을 지어 자기 집 별서로 삼았던 것은 분명하다.

어떻든 나주 석불이 강 건너로 건너가서 이접했기 때문에 나주의 별호인 금성錦城을 취하여 그 석불이 모셔진 곳을 금성당錦城堂이라 했던 모양이다. 이로 말미암아 금성당이 있는 산이라 하여 금성산錦城山의 이름을 얻고 장차는 성산城山으로 줄여 부르게 되니 현재 난지도와 연결되어 있는 성산동이 바로 그곳이다.

난지도는 최근까지 서울시의 쓰레기 처리장이 되어 요즘 사람들에게는 악취 나는 쓰레기를 연상시키게 하지만 원래는 모래내와 불광천佛光川에서 실어 나르는 모래더미가 쌓여 이루어진 사구砂丘로 십리 백사장이 파양호巴陽湖에 비겨질 만큼 너른 한강물에 잠겨 드는 낭만적인 곳이었다. 뒤로는 삼각산 연봉이 백옥白玉 같은 자태를 하늘로 뽐내고 있고 앞으로는 도도히 흐르는 한강의 푸른 물결이 뿌듯이 채워 가니 백구白鷗는 사주沙洲에 깃들고 백운白雲은 봉두峰頭에서 내려 강심江心에 뜨게 된다.

강 이쪽 저쪽이 이렇게 좋은 경치니 김말손이 한번 차지한 두미암 일대는 그대로 원주김씨原州金氏의 세전지물世傳之物이 되고 만다. 김말손의 증손으로 좌의정을 지낸 김응남金應南(1546~1598)은 두암斗岩으로 자호自號하며 이곳에 물러나 살면서 이런 시도 짓는다.

금성평사錦城平沙도판60

1741년 신유辛酉, 견본채색絹本彩色, 29.2×23.0cm,《경교명승첩京郊名勝帖》상, 간송미술관 소장.

두미암집 버들숲에 잠깐 와 살며, 관청일 끝내고 돌아오면 문 닫아 건다.

한 가지 일도 하지 않고 오직 취해 누우니, 백년 인생에 이 몸처럼 한가로움 얻기

어렵지.

청명날 적은 비에 꽃은 처음 폈으나, 한식날 동풍에는 제비 아직 안 온다.

집사람 구슬려 좋은 술 사왔으니, 내일 아침 병든 몸 이끌고 앞산에 올라야겠다.

僑居斗尾柳陰間, 衙罷歸來却閉關. 一事不營唯醉臥, 百年難得是身閑.

清明少雨花初發, 寒食東風燕未還. 說與家人沽美酒, 明朝扶病上前山.

두암斗岩은 영의정을 지낸 아계鵝溪 이산해李山海(1539~1609)의 매제이기도
했다. 겸재가 양천현감이 되어 갔을 때도 여전히 이 영벽정 일대는 김말손의 후
손들이 차지하고 있었다. 숙종 기사사화己巳士禍 이후 남인南人 집권시대에 우
의정을 지낸 휴곡休谷 김덕원金德遠(1634~1704)도 그 중의 한 사람이었고, 대사
간을 지낸 김몽양金夢陽은 휴곡의 자제였다.

그러나 이 집안이 대북大北 계통으로 기호畿湖 남인南人이 된 보수 계열이었
으므로 혁신적인 진경문화를 선도해 간 겸재 일파와는 견해가 달라 일체 교분은
없었던 듯, 겸재도 사천도 영벽정을 화제畵題나 시제詩題로 삼지는 않았다. 다만
그 대안인 금성촌錦城村과 난지도 모래벌을 양천현아 동쪽 망호정 부근에서 바
라보고 〈소상팔경도瀟湘八景圖〉의 하나인 〈평사낙안도平沙落雁圖〉를 연상해 낼
뿐이다.

그래서 사천은 시제詩題를 「금성평사錦城平沙」라 하고 이렇게 읊었다.

난간머리 젖어 드는 저녁 빛, 십리十里 석양호夕陽湖요.

붓 들고 오래 읊조리니, 평사낙안도로다.

欄頭來晚色, 十里夕陽湖. 拈筆沈吟久, 平沙落雁圖.

이 시의詩意에 따라 겸재는 강 이쪽 양천현아 부근의 망호정望湖亭 일대를 근
경으로 삼아 일각一角에 몰고, 중경으로 한강을 아득히 터 놓았다. 그리고 나서
대안의 금성산錦城山 일대와 그에 연결된 와우산, 남산 및 이쪽의 선유봉 증미 탑

136

금성평사錦城平沙 부분

산 등을 원경으로 처리해 난지도의 모랫벌을 화면 중앙에 펼쳐 놓았다. 평사낙안平沙落雁의 의미를 암시적으로 강조하기 위해서였다.

망호정 주변을 둘러싼 울창한 버들숲에서 저녁 어스름을 더욱 실감하겠는데 낚싯대를 메고 꿰미 든 낚시꾼이 사립문 안으로 뚫린 길을 따라 들어가다가 금성촌 쪽으로 문득 시선을 보낸 채 멈춰 서 있다. 아마 기러기 소리를 들은 모양이다.

이런 아름다운 풍광이 1970년대부터 크게 변한다. 1977년 3월에 성산동에서 강 건너 양화동까지 1.75킬로미터의 성산대교가 놓이기 시작하고 1978년에는 난지도에 쓰레기장이 들어섰기 때문이다. 성산대교는 1980년 6월 30일에 완공됐고 난지도 쓰레기장은 15년 동안 쓰레기가 쌓여 높이 98미터의 거대한 산을 이루었다. 그 결과 샛강이 메워져서 난지도는 육지가 됐고 마침내 2002년 5월에는 쓰레기산에 월드컵 공원이 들어서게 됐다.

밤낮없이 차량의 물결이 물밀듯이 이어지고 있는 지금 성산대교 이쪽저쪽의 소란스런 모습과 돛단배들이 한가롭게 지나고 있는 겸재 당시의 이곳 모습을 비교해 보면 상전이 벽해된다는 말을 실감할 수 있다.

양화환도楊花喚渡^{도판61}

양화진楊花津은 마포구 합정동合井洞 378의 30번지에 있던 나루다. 한양 서울에
서 양천이나 김포, 부평, 인천, 강화 등 경기도 서부지역으로 나가려면 반드시 이
나루를 건너야 한다. 그래서 일찍이 한양 서울의 외백호에 해당하는 길마재鞍山
줄기가 한강으로 밀고 내려오다 강물에 막혀 불끈 솟구친 바위 절벽인 잠두봉蠶
頭峯[◆] 북쪽 절벽 아래에 나루터를 마련하고 이를 양화나루라 했다.

◆잠두봉蠶頭峯
용두봉龍頭峯이라고도 했고
지금은 절두산切頭山이라 한다.

이곳에서 출발한 나룻배는 맞은편 강기슭인 경기도 양천陽川현 남산면南山面
양화리 선유봉仙遊峯 아래의 백사장에 배를 대었다. 이곳 역시 양화나루였다. 원
래 이 양천 양화리에 있던 나루가 양화나루였기 때문에 이 양화나루에서 건너가
는 한양 잠두봉 아래의 나루도 양화나루로 부르게 됐다고 한다.

양천 양화리는 그 동네 한강가에 버드나무숲이 우거져 있어서 버들꽃이 필 때
면 장관을 이루었으므로 '버들꽃 피는 마을'이라는 뜻으로 이런 이름을 얻었었
다. 잠두봉 아래 양화진에서 떠난 배는 빗금을 그으며 하류 쪽으로 흘러가서 선
유봉 아래 양화진에 당도하고 거기서는 다시 빗금을 그으며 잠두봉으로 올라갔
었다. 이것이 한강 양쪽의 양화진 도강 현황이었다. 한편 한강은 조선 후기로 내
려오면서 강바닥이 높아져 점차 큰 배가 상류로 올라가기 힘들어진다.

따라서 나루도 하류 쪽 나루의 효용가치가 커질 수밖에 없었다. 이에 영조 30
년(1754)에는 이 잠두봉 아래의 양화나루에 어영청 소속의 진영鎭營을 베풀어 한
강을 지키는 첫 관문으로 삼는다. 당연히 양화나루는 물론이고 주변의 공암나
루, 조강나루까지 이 양화진楊花津 진장鎭將의 관할 아래 놓이게 됐다. 양화진에
는 진병鎭兵 100명과 소속선 10척이 있었다. 이런 제도가 생기는 것은 이 그림이
그려지고 나서 14년 뒤의 일이다.

고려 이전에는 남도에서 송도松都나 평양平壤으로 가는 지름길이 공암孔岩나
루를 건너 덕양德陽, 파주坡州를 거치는 것이어서 공암나루가 번성했지만 조선
시대로 들어와서 한성, 즉 지금의 서울로 천도遷都하게 되자 남도에서 서울로 직
행하려면 동쪽의 광진廣津과 남쪽의 송파진松坡津, 동작진銅雀津으로 가는 것이
첩경이었다.

양화환도楊花喚渡 ^{도판61}

1741년 신유辛酉, 건본채색絹本彩色, 29.2×23.0cm,《경교명승첩京郊名勝帖》상, 간송미술관 소장.

뿐만 아니라 양천陽川이나 김포金浦, 강화江華 등 서북지역에서 서울로 들어오려 해도 공암나루를 건너는 것보다 양화나루를 건너는 편이 더 가깝게 되었다. 그래서 조선시대로 들어와서부터는 양천, 김포, 강화로 연결되는 지름길로 양화나루가 부상하게 된다.

『양천읍지陽川邑誌』 방리坊里조에 보면 양화리는 양천陽川 읍치邑治에서 동남쪽으로 16리 떨어져 있다 했고 『한경지략漢京識略』 산천山川조條 양화도楊花渡에서 보면 도성都城 서쪽 15리에 있다 했으니 양천과 서울의 중간에 있던 나루인 것을 알 수 있다.

이 양화나루는 잠두봉이나 선유봉 쪽이 모두 삼각산으로부터 관악산에 이르는 서울 주변의 명산을 한눈으로 조망할 수 있는 곳이다. 뿐만 아니라 광활한 백사장과 호수같이 너른 강물이 아득히 아래위로 이어져서 장쾌무비한 장강長江 풍정風情을 만끽滿喫할 수 있기도 하다. 그래서 예로부터 강산江山의 아름다움을 모두 갖춘 빼어난 명승지로 꼽혀 오던 곳이다.

이에 풍류를 즐기는 문인 묵객들이 이곳에 선유船遊를 즐기며 많은 시를 남기었으니 명明나라 한림학사翰林學士로 세종 32년(1450)에 사신으로 왔던 예겸倪謙은 이렇게 읊고 있다.

한강의 묵은 나루 양화楊花라 하네, 승지勝地 찾아 정자 지으니 곁에는 물가.

떠가 닿는 돛단배 아득히 멀고, 기러기 울음소리 평사平沙에 인다.

숲 건너 부엌에서 솔잎 때는가, 들어와 앉으니 상 위엔 봄나물일세.

한 번 신경神京 떠나 사천 리인데, 이곳에 신선배 대일 줄 어찌 알았으랴.

漢江古渡說楊花, 擇勝亭開傍水涯. 遙見征帆投極浦, 忽聞鳴雁起平沙.

隔林行竈燒松葉, 入坐春盤簇蓼芽. 一別神京四千里, 寧知來此泊星槎.

세조 3년(1458) 6월 3일에 사신으로 왔던 한림학사 진감陳鑑도 뒤이어 읊는다.

양화 묵은 나루 가장 맑고 그윽한데, 특출特出한 기봉奇峰이 푸른 물결 베었구나.

술 취해 세상 일 모두 잊었건만, 빗소리로 나그네 향수鄕愁 씻기 어렵네.

양화환도楊花喚渡 부분

비안개 녹수綠樹에 어리어 황야荒野는 희미하고, 바람은 구름배 밀어 멀리 보낸다.

이별한 후라고 아름다운 이 모임 어찌 잊으랴! 꿈에서라도 마음은 항상 해동海東

에 맴돌 것이다.

楊花古渡最淸幽, 特出奇峰枕碧流. 酒醉都拋身外事, 雨聲難洗客邊愁.

烟和綠樹迷荒野, 風送雲帆落遠洲. 別後豈能忘勝集, 夢魂常繞海東頭.

이렇게 돼서 양화도의 빼어난 경치는 중국에까지 널리 소문 나 청淸 강희년간

康熙年間(1662~1722)에 회암悔菴 우동尤侗(자字는 진성展成)이 외국죽지사外國竹

枝詞를 편찬하면서 '양화나루 입구에 살구꽃 붉다 하니, 팔도가요는 동쪽나라

143

풍이다. 楊花渡口杏花紅, 八道歌謠東國風.'라고 실을 지경이었다. 사천과 겸재가 어찌 이를 시화의 소재로 삼지 않았겠는가.

사천은 「양화환도」, 즉 양화나루에서 배를 부른다는 시제詩題로 이렇게 읊었다.

앞사람이 배를 불러 가면, 뒷손님이 돌이키라 한다.
우습구나 양화나루, 뜬구름 인생 헛되이 오가는 것 같다.
前人喚船去, 後客喚舟旋. 可笑楊花渡, 浮生來往還.

양화나루의 아름다운 풍경보다는 부지런히 오가는 나루터 풍정을 사실적으로 묘사해 낸 진경시다. 겸재도 이런 시의詩意를 그림에 충실히 반영하기 위해 경치보다는 나루터의 활기찬 도선渡船 현황現況을 진솔하게 표현해 놓고 있다.

양천 쪽 나루터인 선유봉 아래에서 말 탄 양반의 한 행차가 건너편 나루터로 손짓해 배를 부르니 사공 하나가 돛 없는 거룻배 한 척을 쏜살같이 저어 건너온다. 한손에 노 잡고 한손에 삿대를 잡았는지 노는 보이지 않고 긴 삿대만 기운차게 강바닥에 내리꽂힌다.

배들은 모두 양화진영楊花鎭營이 있는 잠두봉 아래 나루터에 정박해 두었던 듯 그쪽 강안 곳곳에 여러 척의 배가 매어져 있다. 광막한 한강수를 가운데로 두고 이쪽 선유봉은 삼각진 오뚝한 자태로 날카롭게 솟아 있고 저쪽 잠두봉은 비록 강안에 솟구친 절벽이로되 그윽한 분위기를 자아낸다. 이 역시 겸재가 의도한 음양대비의 현상일 것이다.

지금 이곳은 성산대교와 양화대교가 놓여져 차량의 홍수가 물밀듯이 이어지고 있으니 저 건너에서 손짓하는 한 행차를 태우기 위해 바삐 노 저어 오던 겸재 당시의 정황과 비교하면 가히 천양지차天壤之差라 해야 하겠다.

양화대교는 1965년 1월 25일에 제2한강교로 처음 개통했고 1981년 11월에 확장한 뒤 1984년 11월 7일부터는 양화대교로 부른다. 잠두봉 아래 양화진과 강 건너 선유봉 아래 양화진 모두가 1936년 4월에 경성부의 확장에 따라 서울로 편입되었다.

행호관어 杏湖觀漁^{도판62}

행호관어는 '행호杏湖에서 고기 잡는 것을 구경한다' 는 뜻이다. 한강물이 용산에서부터 서북쪽으로 꺾여져 양천 앞에 이르면 맞은편의 수색과 화전 등 저지대를 만나 강폭이 갑자기 넓어진다. 그래서 안양천과 불광천이 강 양쪽에서 물머리를 들이미는 곳부터 서호 또는 동정호 등으로 부르게 되는데 창릉천昌陵川이 덕양산德陽山 산자락 밑을 휘감아 돌며 한강으로 합류하는 행주杏州 앞에 이르러서는 그 폭이 더욱 넓어진다. 이곳을 행호杏湖라고 부르는 이유가 여기에 있다.

행주杏州는 본디 개백현皆伯縣이라 불렀었다. 한씨漢氏 미녀가 현재 고양시 일산구 일산동 고봉산高烽山에서 봉화로 신호를 보내 고구려 안장왕安藏王(519~531)을 바로 이 개백현에서 만났기 때문에 '다 나와 맞았다' 는 뜻으로 그렇게 불렀던 모양이다.

그러던 것이 신라가 이곳을 점유하고 나서 경덕왕 16년(757)에 전국의 지명을 한자식으로 고칠 때 왕을 만났다는 뜻으로 우왕현遇王縣 또는 왕봉현王逢縣으로 고쳤고 고려 초에는 왕이 행행行幸[*]한 곳이라는 뜻으로 행주幸州로 고쳤다.

[*] **행행**行幸 왕이 지나감

그런데 조선시대에 와서는 행주幸州와 행주杏州를 함께 쓰는 경우가 많아져서 행주 아래 넓은 한강물을 행호杏湖라 쓰기도 하고 행호幸湖라 쓰기도 했다. 아마 이 행주에 실제 살구나무가 많아서 그렇게 불렀을지도 모르겠다. 공자가 행단杏壇에서 제자들과 함께 음악을 연주하며 즐겼다는 고사를 연상하며 살구 행杏으로 대신했을 수도 있다.

어떻든 이런 행호에서 지금 고기잡이가 한창이라 배들이 떼를 지어 그 너른 행호 물길을 가로막고 그물을 좁혀 나가는 듯하다. 이곳에서 이처럼 큰 규모의 고기잡이 행사가 벌어지는 것은 행주 웅어葦魚와 행호 하돈河豚[*]으로 널리 알려진 별미 중의 별미가 잡힐 철이기 때문이다.

[*] **하돈**河豚 황복어

이것들이 모두 임금님 수라상에 오르는 계절의 진미이므로 사옹원司饔院에서는 제철인 음력 3, 4월이 되면 고양군과 양천현에 그 진상을 재촉했다. 그러면 두 군에서는 고기잡이배들을 모아 본격적으로 웅어와 복어 잡이에 나섰다.

이 그림은 그 아름다운 행호에서 전개되는 고기잡이 모습을 그려 낸 것이다.

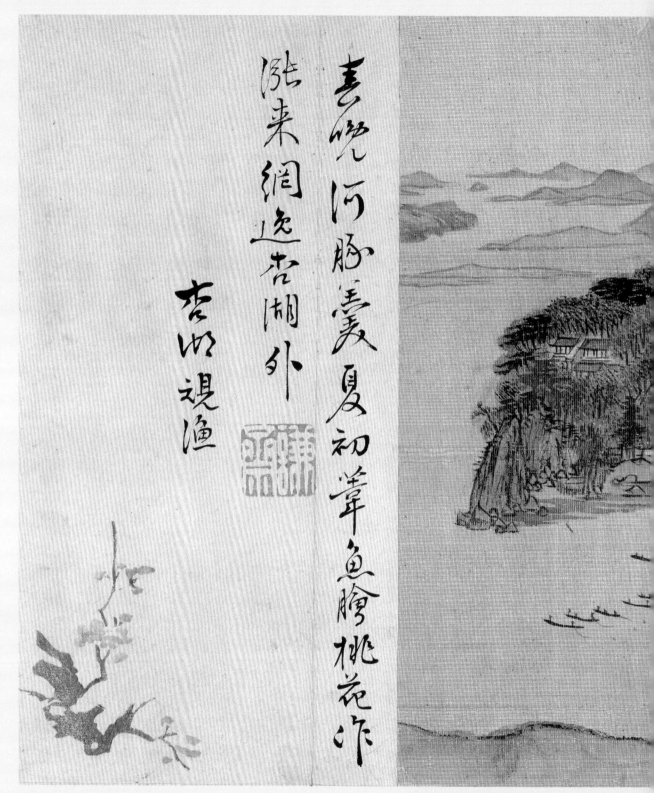

春晚河豚羹夏初

蕈魚膾桃花作

漲来網逸杏湖外

杏州覞漁

행호관어杏湖觀漁 도판62

1741년 신유辛酉, 견본채색絹本彩色, 29.2×23.0cm,《경교명승첩京郊名勝帖》상, 간송미술관 소장.

양천현아 뒷산인 성산에 올라서서 서북쪽으로 행호를 내려다본 시각으로 그려 냈다. 당연히 현재 행주외동 일대의 행호 강변의 경치가 한눈에 잡혀들었다.

오른쪽의 덕양산德陽山 기슭에는 죽소竹所 김광욱金光煜(1580~1656)의 별서인 귀래정歸來亭 건물이 들어서 있고 가운데에는 행주대신으로 불리던 장밀헌藏密 軒 송인명宋寅明(1689~1746)의 별서인 장밀헌 건물이 큰 규모로 들어서 있다. 송 인명은 이 당시 좌의정으로 세도를 좌우하고 있었다.

그리고 지금 행주대교가 지나고 있는 덕양산 끝자락 바위 절벽 위에는 낙건정 樂健亭 김동필金東弼(1678~1737)의 별서인 낙건정 건물이 숲 속에 자리 잡고 있다.

그런데 이런 행주 일대의 별서들은 겸재와 특별한 관계가 있었다. 낙건정 주 인 김동필은 사천槎川 이병연李秉淵(1671~1751)의 이종사촌 아우였다. 사천이 겸재의 평생지기로 삼연문하에서 시화쌍벽詩畵雙璧을 이룬다는 사실은 누구나 다 안다. 뿐만 아니라 낙건정 김동필의 둘째 자제인 상고당尙古堂 김광수金光遂 (1699~1770)는 당대 서화골동 수집의 제일인자로 겸재 그림을 몹시 좋아하던 인 물이었다.

귀래정 주인 동포東圃 김시민金時敏(1681~1747)은 겸재와 사천의 스승인 농암 農巖과 삼연三淵의 삼종질三從姪로 그 문인이라서 겸재와 사천과는 동문사우同 門師友였으며, 스승들이 인가한 진경시의 대가였다. 장밀헌藏密軒 주인 송인명 은 농암의 이질姨姪로 백악사단白岳詞壇의 종사宗師 격인 정관재靜觀齋 이단상 李端相의 외손자外孫子였다. 모두 백악사단과는 깊은 인연이 있는 인물들이었던 것이다.

겸재가 양천현령으로 가 있지 않았다 하더라도 이런 인연이라면 행호를 찾는 발길이 잦았을 터인데 하물며 대안의 수령으로 내려와 있어 일강一江을 공유함 에서랴!

웅어철이 되면 훈풍薰風이 맥파麥波*를 일렁이며 버들숲이 한껏 푸르고 소나 무는 새 잎이 돋아나 윤기가 흐르며 모든 잡목숲들도 잎이 피어나 무성하게 된 다. 이른바 녹음방초가 꽃보다 아름답다는 녹음방초승화시綠陰芳草勝花時인 것 이다. 고기잡이 노래가 강상江上에 유량하게 흐르고 황금빛의 황복과 은빛 찬란 한 웅어가 그물 위에 펄떡펄떡 뛰는 장면이라면 누구인들 감흥이 일어나지 않겠

◆ 맥파麥波
보리가 만들어 내는 파도

는가. 하물며 시정詩情 화의畵意가 남달리 풍부했던 겸재임에랴!

아마 겸재가 고기잡이에 정신을 팔고 있을 때 버들숲에서는 꾀꼬리들이 황금빛을 자랑하며 제각기 제 소리로 화답하고 있을 것이고 뻐꾹새는 원근 산에서 처량한 소리로 적막을 깨뜨리고 있을 것이다.

저 덕양산 기슭처럼 숲이 우거진 곳이라면 밀화부리, 휘파람새, 방울새, 직박구리 등도 제철을 만나 갖가지 신묘한 음색으로 상대를 희롱할 것이고 솔솔 불어오는 솔바람 속으로는 참새, 멧새, 할미새, 박새, 솔새들의 끝없는 지저귐도 묻어올 것이다. 산에는 철쭉, 때죽, 쪽동백, 아가위 등 산꽃들이 만발하고 들에는 원추리, 붓꽃, 제비꽃, 민들레 등이 가득 피었으며 집 뜰에는 목단牧丹, 작약芍藥, 불두佛頭, 정향丁香 등등 백화가 난만할 것이다.

이런 화창한 초여름날 겸재가 관아 뒷산인 파산巴山에 올라 행호杏湖를 내려다보며 그 복어와 웅어잡이의 장관을 구경하게 되었으니 그 화홍畵興이 어떠했겠는가. 혹시 사천을 초청해 함께 즐겼을지도 모르겠다. 그렇다면 어찌 웅어회에 한잔 술이 없었겠는가.

사천은 그 정경을 이렇게 읊고 있다.

늦봄이니 복어국이요, 초여름이니 웅어회라.
복사꽃 가득 떠내려 오면, 어망漁網을 행호杏湖 밖에서 잃겠구나.
春晚河豚羹, 夏初葦魚膾. 桃花作漲來, 網逸杏湖外.

계절의 진미眞味와 모춘초하暮春初夏의 시정詩情을 함께 읊고 있다. 멀리 동북쪽으로는 삼각산 연봉이 보이고 서북쪽으로는 한강 하구인 조강祖江과 강화도 일대가 아련히 눈에 잡힌다. 행주대교가 곁으로 지나면서 차량의 홍수를 이루는 지금의 형편과 비교하면 격세지감隔世之感이 있다 하겠다. 지금은 강물이 오염되어 복어도 웅어도 없어진 지 오래다. 다만 행호를 내려다보며 그 옛날 운치 있던 관어觀漁 장면을 회상해 볼 수 있을 뿐이다.

20
경교명승첩京郊名勝帖 _ 상권上卷 4

종해청조宗海聽潮 도판63

종해헌宗海軒은 양천현陽川縣(지금의 강서구와 양천구) 관아의 동헌東軒*이름이
다. 그러니 '종해헌에서 조수 소리를 듣는다'는 의미의〈종해청조宗海聽潮〉라는
그림 제목은 양천현의 현령이 동헌인 종해헌에 앉아서 조수 밀리는 소리를 즐기
고 있다는 내용이다. 양천현 관아가 현재 양천향교의 서남쪽 가양동 239번지 일
대인 성산 남쪽 기슭 한강가에 자리 잡고 있었기 때문에 가능한 일이었다.

　본래 서해바다는 조석간만潮汐干滿*의 차가 뚜렷한 지역인데 그 중에서도 한
강물이 바다로 물머리를 들이미는 강화만 일대는 그 격차가 가장 큰 곳이다. 그
래서 밀물 때가 되면 조수가 한강으로 역류해 들어와서 강물의 흐름을 막는다.
자연이 강물과 바닷물이 서로 밀리지 않으려 힘겨루기를 하게 되고 이때 나는 물
싸움 소리가 마치 거대한 소나무숲 속에서 이는 솔바람 소리와 흡사하다 한다.
쏴아! 쏴아! 울려 퍼지는 이런 물들의 함성을 종해헌에 앉아 듣고 있다는 것이 이
그림의 제목이다.

　그래서 사천은〈종해청조宗海聽潮〉, 즉 '종해헌에서 조수 밀리는 소리를 듣는
다'라는 시제詩題를 가지고 이렇게 읊고 있다.

> 크구나 너른 바다란 말 믿겠다. 감개 어린 채 앉아서 조수 노래 듣는다.
>
> 조종朝宗 길 막힌 후에, 하늘과 땅 노기怒氣만 가득하다.
>
> 大哉滄海信, 感慨坐潮歌. 路阻朝宗後, 乾坤怒氣多.

*동헌東軒
지방 수령의 집무소

*조석간만潮汐干滿
아침저녁으로 나갔다 들어오는
밀물과 썰물

이런 시정詩情을 화의畵意로 바꿔 겸재는 종해헌에서 조수 밀리는 소리를 들으며 감개에 잠겨 있는 자신의 모습을 화폭에 올려놓았다.

실제로 이 그림에서 겸재라고 생각되는 벼슬아치 하나가 사모紗帽 관대官帶 차림으로 종해헌 2층 누마루 난간에 기대앉아 있다. 이때 한강에서는 밀물이 강물을 제압하며 사나운 기세로 역류해 가고 있는 듯하다. 돛단배들이 모두 조수를 타고 강을 거슬러 오르는 듯 돛폭이 바닷바람을 받고 있기 때문이다. 그러니 바닷물에 되밀려 오르는 강물의 함성이 얼마나 우렁차게 울려 퍼지고 있었겠는가.

이 그림은 관아 뒷산인 성산에서 내려다본 시각으로 그려 낸 것이다. 동헌인 종해헌을 중심에 넣고 부속 관사와 부근 일대의 민가까지 그려서 당시 양천읍의 전모를 화폭 한 쪽에 담고 있다. 조수가 밀려드는 드넓은 한강을 실감나게 표현하기 위해 난지도를 비롯한 모래섬들을 강 건너에 수 없이 그려 놓고 돛단배도 아래위로 여러 척 띄워 놓았다. 그리고 강 상류에는 동쪽에 남산을, 서쪽에 관악산을 먼 산으로 그려 놓고 있다.

남산 아래로 겹겹이 이어지는 낮은 산언덕들은 노고산, 와우산, 만리재 등일 것이고 관악산 아래의 낮은 산은 동작동 국립묘지가 들어서 있는 동작봉이리라. 허가바위가 있는 탑산을 가까이 끌어내 앞산을 삼았는데 돛단배 몇 척이 허가바위 절벽 아래를 스쳐 지나도록 아련하게 표현했다. 종해헌 앞의 강물 위를 지나는 두 척의 배와는 크기가 한눈에 비교될 만큼 차이난다.

강바람을 막기 위해 한강변으로 키 큰 나무들이 줄지어 심어져 있고, 종해헌 뒤편 산언덕에는 늙고 큰 고목나무가 우람하게 솟아 있어 관아의 역사를 말해 준다. 종해헌이란 이름은 '모든 강물이 바다를 종주宗主◆로 삼아 흘러든다' 는『서전書傳』우공禹貢편의 글귀에서 따온 것이다. 한강이 모든 강물을 대표하고 한강물은 양천 앞에서 바닷물과 부딪히므로 이곳이 바로 종해宗海◆라고 생각했던 모양이다.

◆**종주**宗主
우두머리

◆**종해**宗海
우두머리 바다

151

大魚滄海后成伏生泘歡诗诗詩宗宗
滾孔坤然氣氤多

宗海聽海潮

종해청조宗海聽潮^{도판63}

1741년 신유辛酉, 견본채색絹本彩色, 29.2×23.0cm,《경교명승첩京郊名勝帖》상, 간송미술관 소장.

소악후월 小岳候月 ^{도판64}

소악후월小岳候月이라는 그림제목은 소악루에서 달 뜨기를 기다린다는 내용이다. 겸재가 이런 제목으로 그림을 그리게 된 데는 그럴 만한 까닭이 있었다. 『양천읍지陽川邑誌』 누정樓亭조에 다음과 같은 기록이 있다.

악양루岳陽樓 옛터에 소악루가 있으니 현감 이유李渘(1675~1757)가 지은 것이다. 그는 자字를 중구仲久, 호를 소와笑窩 또는 소악루小岳樓라 하는데 영조조에 동복同福현감으로 있다가 벼슬을 버리고 돌아와서 중국 악양루 제도를 모방해 누각을 창건하고 소악루라 이름했다.

　회헌悔軒 조관빈趙觀彬(1691~1757), 포암圃巖 윤봉조尹鳳朝(1680~1761), 사천槎川 이병연李秉淵(1671~1751) 등 여러 명사들과 더불어 이곳에서 시를 주고받으니 풍류와 빼어난 경치로 한시대에 이름을 떨치게 됐다. 황정랑黃正郎 진이 시로 이르기를, '이 누각 위 아래로 한 몸인 듯 서로 맞으니, 늘어선 산봉우리 병풍이 되고 강물은 연못 되었다' 라고 했다.

岳陽樓舊址, 有小岳樓, 李縣監渘 (字仲久 號笑窩 又號小岳樓) 所構. 英宗朝, 以同福縣監, 棄官而歸, 模得中國岳陽樓制度, 創建之, 名曰小岳樓. 與趙悔軒觀彬, 尹圃庵鳳朝, 李槎川秉淵, 諸名士酬倡, 風流勝槩, 一時擅名. 黃正郎 詩曰, 斯樓高下混相合, 列岫如屛江作池.

다시 향현고적鄕賢古蹟[◆]조에는 이유에 대해 이런 기록을 남기고 있다.

현감 이유는 숙종 갑오년(1714)에 사마시司馬試[◆]에 합격해 세마洗馬, 위수衛率 등의 벼슬을 연이어 내렸으나 모두 나가지 않았다. 영조 임자년(1732)에 그 맏형 이강李漮(1670~1734)의 명령으로 할 수 없이 장릉莊陵 참봉으로 나가 금부도사, 사헌부감찰을 지냈다.

　갑인년(1734)에 동복현감이 됐으나 정사년(1737)에 벼슬을 버리고 돌아오니, 백성들이 비석을 세워 덕을 칭송했으며 귀거래사歸去來辭를 지었다. 공은 일찍

◆**향현고적**鄕賢古蹟
지방 어진 이의 옛 자취

◆**사마시**司馬試
소과

이 문장으로 세상에 드러났었고, 기개와 절개가 **빼어나서** 병계屛溪 윤봉구尹鳳
九(1691~1757), 남당南塘 한원진韓元震(1682~1751)과 더불어 사람의 성품과 동
물의 성품이 같은가 틀린가를 따지는 일을 토론했으며, 시와 술과 풍류로 일세에
이름을 떨치니 세상에서 일컫기를 강산주인江山主人이라 했다.

李縣監 溭 (字 仲久, 全州人, 號 笑窩.), 肅廟甲午, 擧司馬, 連除洗馬 衛率, 皆不就, 英
廟壬子, 以其伯氏 潕 (字 仲遊, 號養守齋.) 之命, 出莊陵參奉, 歷禁都 監察. 甲寅拜同
福縣監, 丁巳棄官而歸, 土民立石頌之, 作歸去來詞. 公 早以文章著世, 氣節卓犖, 與屛
溪 南塘, 討論人物心性同異之辨, 以詩酒風流, 名于一世, 世稱江山主人.

이로 보면 소악루는 동복현감을 지낸 이유가 영조 13년(1737)에 동복현감 자
리를 자진사퇴하고 고향집으로 돌아와 그해부터 짓기 시작했던 것 같다. 그는
벼슬에 뜻이 없고 오직 성리학 연구와 시와 술과 풍류를 즐기는 참된 선비였다.
따라서 그와 사귀던 인사들이 당대 최고의 성리학자거나 최고의 풍류문사였다.

한원진, 윤봉구는 강문 8학사江門八學士로 불리던 당대 율곡학파의 최고 거장
들이며 사천 이병연은 진경시의 최고봉이었다. 그런데 이병연은 겸재와 평생 뜻
을 같이한 둘도 없는 벗이었다. 그러니 강산주인으로 불리던 이유가 진경산수화
의 대가인 겸재와 친분을 맺지 않았을 리 없다. 소악루가 양천현아 지척에 지어
진 지 불과 2, 3년 후에 겸재가 양천현령으로 부임해 가는 것은 이런 친분관계와
결코 무관하지 않으리라 생각된다.

소악루를 짓고 나서 어느 때 이유가 사천과 겸재를 초대했고 이때 겸재와 사
천은 이곳 경치에 매료되어 그 일대를 시와 그림으로 사생하기로 작정했던 듯하
다. 이 사실이 문화군주인 영조의 귀에 들어가자 영조는 그림 스승인 겸재를 65
세 나이임에도 불구하고 양천현령으로 임명발령해 그들의 소원을 이루게 했다.
그래서 남겨진 것이《경교명승첩京郊名勝帖》을 비롯한 한강 일대의 진경산수화
들이다. 문화 절정기를 이끌어 가는 최고 통치자의 문화의식이 어떻게 위대한
문화유산을 남겨 놓게 하느냐 하는 좋은 본보기다.

겸재는 65세 나던 영조 16년(1740) 경신庚申 초가을에 양천陽川현령이 되어 나
가면서 당대 진경시의 태두이던 사천 이병연과 시화를 서로 바꿔 보자는 시화환

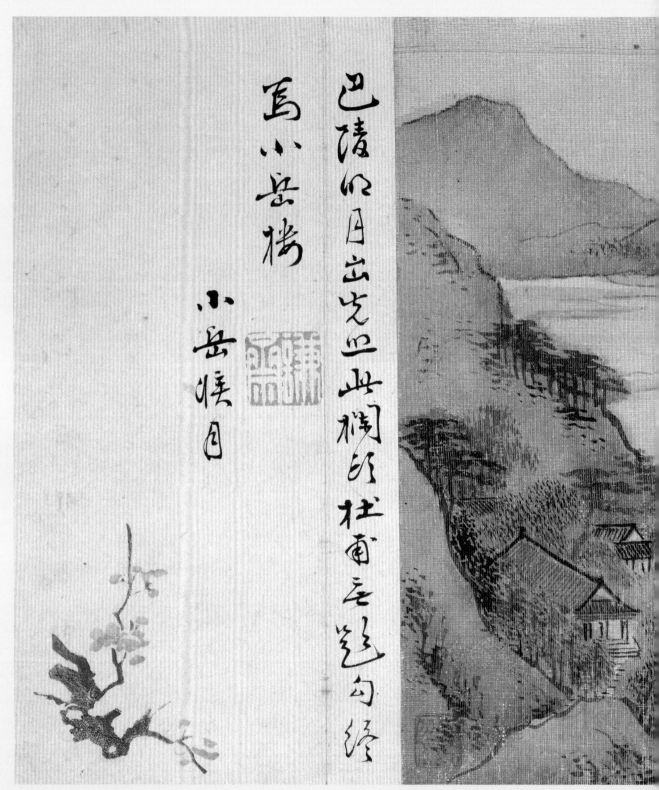

巴陵
月出光匹此棚
杜甫老去詩句律
寫小岳樓
小岳候月

소악후월小岳候月^{도판64}

1741년 신유辛酉, 견본채색絹本彩色, 29.2×23.0cm,《경교명승첩京郊名勝帖》상, 간송미술관 소장.

상간詩畵換相看의 약조를 맺는다. 그 약조를 지켜 그려 낸 결과물이 현재 간송미술관에 수장된《경교명승첩京郊名勝帖》상하 2권이다.

이 화첩은 겸재가 자자손손 가보로 비장해 주기를 바라서 '천금을 준다 해도 남에게 전하지 말라千金勿傳'는 의미의 인장을 새겨 거의 매장마다 찍어 놓고 있다. 그러나 이 화첩은 그 바로 다음 대에 남의 손에 넘어가게 된다. 벽파僻派의 영수로 장차 영의정을 지내는 만포晩圃 심환지沈煥之(1730~1802)가 그 다음 주인이 된다. 이는 겸재의 손자로 겸재화풍을 계승하고 있던 손암巽菴 정황鄭榥(1735~1800)이 심환지와 친한 탓으로 그의 간청에 못 이겨 자신의 숙부인 겸재의 둘째 자제 지산재地山齋 정만수鄭萬遂(1710~1795)를 설득해 넘겨주게 하기 때문인 듯하다.

이때가 정만수의 나이 80세였다 하니 1790년의 일이었을 것이다. 지산재는 조카에게 설득되어 부득이《경교명승첩》을 만포에게 넘겨주기는 하지만 자기 대에 이 화첩이 남의 손으로 넘어가게 되는 것이 무척 아쉬웠던 듯, 만포에게 일찰一札◆을 전해 넘겨주게 되는 이유와 화첩의 내력을 간단하게 피력한다. 만포는 이 서찰조차 합장合裝해 놓았다.

◆일찰一札
한 장의 편지

이를 통해 보면 그림 옆에 써 놓은 시구詩句는 사천 시를 겸재가 쓴 것이라 했다. "이 화첩 가의 당화전唐花箋에 쓴 것은 곧 사천 시에 선인先人 글씨입니다此帖邊 唐花箋所書 卽 槎川詩 先人筆"라 한 것이 그 내용이다. 따라서《경교명승첩》에 나오는 시구詩句는 모두 사천이 겸재에게 보낸 시를 겸재가 쓴 것임을 알겠는데 겸재는 그 시상詩想에 맞춰 화의畵意를 펼쳐 냈던 모양이다. 정녕 동심지우同心之友◆간의 금란지교金蘭之交라 할 만하겠다. 진경문화를 주도해 간 시화쌍벽詩畵雙璧다운 아름다운 모습이다.

◆동심지우同心之友
마음을 같이하는 벗

겸재가 부임해 간 양천현의 읍치는 지금 강서구 가양동 파산巴山 아래에 있었다. 즉 파산이 양천읍의 진산이었다. 지금도 그 산 남쪽 중턱인 가양동 234번지에 향교가 그대로 옛터를 지키고 있다. 그 산 밑으로 한강이 휘돌아 흘러가서 양천읍은 강과 산을 모두 등에 지고 있는 형국이다. 한강은 이 부근에 이르면 호수와 같이 넓어져 행주幸州로 이어지니 이곳을 흔히 소동정호小洞庭湖 또는 행호촁湖(幸湖)로 부르기도 했다.

강 건너로는 삼각산 연봉이 백색의 신비로움을 자랑하며 줄기줄기 내려와 북악과 인왕으로 이어지는 장관이 한눈에 잡히고 동남으로 시선을 돌리면 한강 상류 저 건너에 남산이 우뚝 솟아 있다. 그래서 양천현의 동헌東軒인 종해헌宗海軒이나 파산 기슭에 세워졌던 누각인 소악루小岳樓에 앉아서 해 돋는 정경이나 달 뜨는 모습을 바라보면 항상 남산南山 쪽에서 솟아오르기 마련이었다.

겸재는 소악루에서 달맞이하는 정경을 모두 한 화폭에 담기 위해, 소악루를 근경으로 잡고, 달 떠오르는 한강 상류를 원경으로 잡았다. 그러자니 소악루 뒤편 성산 위에서 소악루와 한강 상류를 바라보는 시각이 될 수밖에 없다. 솔숲이 우거진 성산 등성이 아래에 소악루 건물이 큼직하게 지어져 있고 그 주변으로 잡목숲이 가득 우거져 있다.

아래 강변에는 거목이 된 버드나무 몇 그루가 늘어진 가지들을 탐스럽게 풀어헤쳐 푸르름을 자랑하는데 둥근 달은 남산 너머 저쪽 광나루 근처에 둥실 떠 있다. 달빛에 숨죽인 어둠이 강 건너 절두산 절벽을 험상궂고 후미지게 만든 다음 선유봉, 두미암, 탑산 등 강 이쪽 산봉우리들을 강 속으로 우뚝우뚝 밀어 넣고 있다. 강물을 갈라놓은 긴 모래섬이나 강변의 모래톱도 달빛에 얼비춰 날카롭게 강물 속으로 파고든다.

소악루와 본채 등 큰 기와집들은 숲 속에서도 그 위세가 당당하지만, 그 아래 초가집은 그대로 달빛 어린 숲 그늘에 파묻힌 느낌이다. 이런 대조적인 표현이 보름달 뜨는 밤 소악루 주변의 경치를 더욱 환상적인 분위기로 이끌어 가게 했다.

설평기려雪坪騎驢도판65

겸재가 양천현령으로 부임해 간 다음 해인 영조 17년 신유辛酉(1741) 겨울에는 유난히 눈이 많이 내렸던 모양이다. 그해 겨울 사천이 겸재에게 보낸 서간문書簡文에는 눈에 대한 인사말이 곳곳에 보인다.

그렇게 눈이 많이 내린 어느 날 새벽 자고 일어나 방문을 열고 보니 온 천지가 흰 눈으로 가득 차 있다. 보통 사람도 그런 아침이면 인적 없는 눈길을 따라 하염없이 걸어가 보고 싶은 것이 상정常情인데 겸재같이 화정畵情이 풍부한 화성畵聖임에랴! 문득 설구雪具를 갖춰 입고 나귀 안장 지워 정처 없이 길을 나섰던 듯하다.

동헌을 나와 맞바라다보이는 양천들 넓은 평야를 가로지르면 저 멀리에 우장산雨裝山 두 봉우리가 우뚝 솟아 있다. 나무마다 설화雪花가 만발하고 산야山野는 온통 눈뿐인데 동터 오르는 새벽하늘은 아직 어둠기가 남아 있다. 그러나 우장산 아래 양지바른 마을에는 새벽 햇살이 얼비친 듯 소나무숲 사이로 번듯번듯 솟아 있는 기와집 울안에는 새벽빛이 붉게 물들어 있다. 눈 덮인 우장산 산마루와 골짜기에도 양천들의 둑길과 까치내 주변 논두렁에도 겨울 아침 해의 붉은빛은 점점이 물들여진다.

아무도 다니지 않은 새벽 눈길을 또박또박 나귀 발자국 찍으며 갈 길은 나귀에게 맡긴 채 설경만을 완상하고 가는 나들이길이라니 그 얼마나 운치 있는 행로인가. 반겨 줄 지기라도 기다려 준다면 더없이 즐겁겠지만 그 반가움이 이 아침의 감흥感興을 조금이라도 손상시켜서는 안 될 것이다.

그래서 일찍이 동진東晉시대 왕자유王子猷 휘지徽之는 설야雪夜에 대안도戴安道 규達(?~395)를 찾아 섬강剡江을 밤새워 거슬러 노 저어 갔다가 그 문전門前에서 배를 돌리며

흥興이 올라왔다가 흥이 다해 돌아가는데 어찌 꼭 대안도를 보아야 하겠는가.
乘興而來, 興盡而返, 豈必見安道耶.

라고 하지 않았던가. 지금 같은 기분에서는 저 우장산 아랫마을에 사천이라도 기다리고 있다면 모를까 겸재의 화흥畵興을 북돋워 줄 만한 그 어떤 사람도 있을 것 같지 않다.

이런 감흥을 공명共鳴할 수 있는 사람은 사실 몇백 년에 한 번씩 나는지도 모른다. 뒷날 추사秋史 김정희金正喜(1786~1756)는 이런 경지를 이렇게 표현했다.

꽃 찾아 목숨 아끼지 않고, 눈 좋아 항상 얼어 지낸다.
尋花不惜命, 愛雪常忍凍.

참으로 천부적인 예술가다운 감성을 타고 났던 분들이다. 그래서 화성畵聖이나 서성書聖으로 떠받들 만한 찬연한 업적을 남기고 갈 수 있었던 것이다.

당세에 겸재의 그 화정畵情을 공감할 수 있는 이는 오직 사천뿐이었으니 사천은 이 그림을 보고 이런 제시題詩를 붙여 놓았다.

길구나 높은 두 봉우리, 아득한 십 리 벌판이로다.
다만 거기 새벽 눈 깊을 뿐, 매화 핀 곳 알지 못해라.
長了峻雙峰, 漫漫十里渚. 祇應曉雪深, 不識梅花處.

이런 그림과 시가 오갈 때 사천이 겸재에게 보낸 서간문삽도63이《경교명승첩京郊名勝帖》에 합장合裝되어 있으니 이제 이를 소개하겠다.

받들어 보건대 또 아직 차역差役을 다 끝내지 못했음에도 추위에 당해서 바쁜 일을 맡게 되었다 하니 난감하리라 생각됩니다. 그러나 아직 벼슬길을 벗어나기 전이니 또한 어떻게 하겠습니까. 집안에 있다는 십경도十景圖를 생각해 제목을 붙이시고 속히 보여 주십시오. 저의 집안에서 후손에게 전할 것은 실제로 이것이 있을 뿐입니다.

경중敬中과 경진景晋에게서 전해 오는 뜻과 양천에서 보내오는 작은 청탁이 모두 이 아우에게 모이니 어찌 하겠습니까. 어제 저녁에 영양군수가 말을 보내

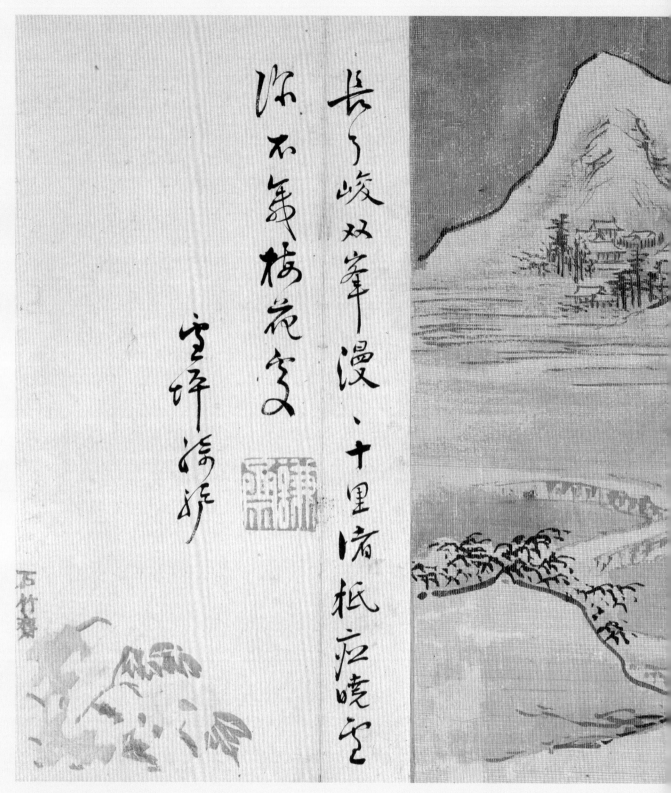

長兮峻以峯漫漫十里惝柢�

依曉空

依不寫梅花雪

空坪橋驢

石竹養

설평기려雪坪騎驢^{도판65}

1741년 신유辛酉, 견본채색絹本彩色, 29.2×23.0cm,《경교명승첩京郊名勝帖》상, 간송미술관 소장.

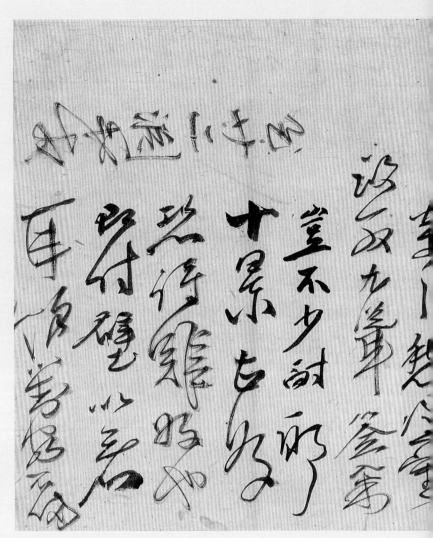

동지 전 2일冬至前二日^{삽도63}
이병연李秉淵,
1741년 신유辛酉 11월 동지 전冬至前 2일,
지본묵서紙本墨書, 52.1×23.2cm,
《경교명승첩京郊名勝帖》상권 20면,
간송미술관 소장.

형의 서랑을 찾았다 하니 소식을 들으시리라 생각됩니다. 뱅어는 잊지 않겠습니
다. 나머지는 법대로 다 갖춰 쓰지 못합니다. 동지 전 2일二日 원제源弟 배拜.

承審, 又未旣差役, 當寒奔克, 想難堪. 然未掉脫之前, 亦何. 家中十景圖, 商量作題, 速
示之. 當家傳後, 實在此矣. 敬中 景晉處, 當及來意, 陽川小請, 皆集於弟, 奈何. 昨夕英
陽倅送馬, 覓兄東床矣, 想聞之. 白魚毋忘. 餘不備式. 至前二日 源弟拜.

겸재가 이미 그려 놓고 있다는 십경도十景圖를 사천이 빨리 화제畵題를 붙여

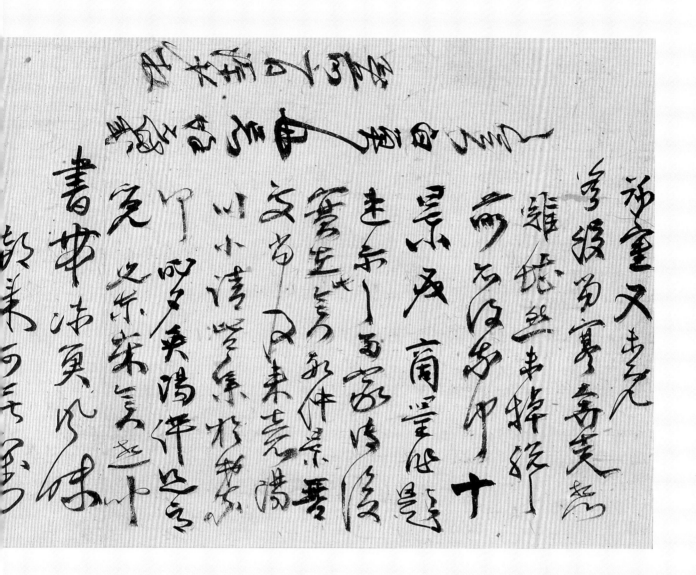

보내 달라는 내용의 독촉 편지다. 동지 이틀 전에 보낸 글월이다. 이 글을 통해
화제畵題가 되고 시제詩題가 되었던 그림의 제목도 겸재가 지었던 것을 알 수 있
다. 사천은 서울에서 겸재에게 들어오는 청탁과 겸재의 부탁을 중재해 주는 역
할을 담당했던 것 같으니 겸재 그림의 청탁 경로를 대강 짐작할 만하다.

경중敬中은 김간행金簡行(1710~1762)의 자字니 삼연三淵 김창흡金昌翕의 손자
로 순암順庵 이병성李秉成의 둘째 서랑이 된 사람이고 경진景晉은 이병성李秉成
의 독자獨子인 이도중李度重(1711~1750)의 자다. 이 두 사람이 사천의 조카와 조

165

설평기려雪坪騎驢 부분

카사위로 사천의 심부름을 전담했던 듯하다.

이때 영양군수로 있던 이가 겸재의 서랑을 통해서 그림을 청탁했던 모양인데 〈영양읍지〉 선생안先生案에서 그 시기 재임한 현감을 찾아보니 심상沈鏛(1694~1746)이라는 인물이 기미己未(1739) 7월에 도임해서 갑자甲子(1744) 3월에 임기 만료로 물러나고 있다. 겸재의 서랑은 이덕유李德裕, 이중인李重寅 두 사람인데 둘 중 누구였던지는 장차 더 고증해 봐야 하겠다.

겸재는 동짓달 그 추위 속에서 뱅어를 어떻게 구하여 사천에게 보냈던지 모르겠다. 눈 쌓인 겨울 밤 뱅어회를 안주로 따끈하게 데워 마시는 청주 맛을 겸재와 사천은 서로 잘 알고 있었기에 이런 선물을 보냈을 것이다.

겸재가 나귀 타고 떠나는 곳은 지금 강서구 가양동 239번지 부근의 양천현 현아 입구이고 맞바라다보이는 우장산은 내발산동 우장공원에 해당한다. 1970년대까지만 해도 현재 양천향교가 있는 성산 남쪽 기슭에서 우장산을 바라보면 이 그림에서 보이는 산과 들의 모습을 그대로 실감할 수 있었다. 그러나 지금은 이 드넓은 양천들 안에 각종 고층 건물들만 빽빽이 들어차 있을 뿐이다.

빙천부신氷遷負薪 도판66

빙천부신氷遷負薪은 '얼음베리에서 나무를 지다' 라는 뜻이다. 베리란 말은 낭떠러지 아래가 강이나 바다인 위태로운 벼랑을 일컫는 순우리말로 지방에 따라서는 벼리 또는 벼루라고도 한다. 우리는 이 베리라는 말이 한자에 없자 오를 천遷 자를 빌려다가 베리천이라는 우리만의 독특한 훈訓♦을 더 보태 써 왔다. 따라서 빙천을 얼음베리라고 이해하는 것은 한자문화권 안에서 우리나라밖에 없다. 한자가 우리 문자화한 대표적인 예 중의 하나다.

♦훈訓
뜻새김

　이 그림은 겸재가 양천현령으로 부임해 간 다음 해인 영조 17년 신유辛酉 (1741) 겨울에 그려진 것이 분명하다. 시와 그림을 서로 바꿔 보자고 약속하고 헤어졌던 평생지기 사천 이병연이 이해 동짓달 22일에 겸재에게 보낸 다음과 같은 편지삽도63가 이 그림 뒤에 붙어 있기 때문이다.

　글월이 동어凍魚♦ 풍미風味를 띄우고 오니, 아침이 와도 밥상 대할 걱정이 없어졌습니다. 받들어 보니 정무가 매우 바쁘신 모양이나 어찌 조금 참지 않으시겠습니까. 십경十景이 매우 좋아서 시가 좋기 어려울까 걱정입니다. 곧 벽에 걸어 놓고 보겠습니다. 나머지는 손님이 있어 다 갖춰 쓰지 못합니다.

♦동어凍魚
중간치 숭어 새끼

書帶凍魚風味, 朝來可無對案之愁. 憑審政履尤聳簁羅, 豈不少耐耶. 十景甚好, 恐詩難好也. 卽付壁以看耳. 餘對客不備.

　다시 그림 곁에는 사천이 보낸 시를 겸재가 옮겨 적은 제화시가 있으니 그 내용은 이렇다.

　층층이 얼어붙고 나뭇짐 등에 져 있어도, 올라오면 어려웠다 말하지 않네.
　다만 걱정은 도성 안이니, 노래방에서 노래하고 춤추는 데 춥지나 않을까.
層氷薪在負, 登頓不言難. 惟恐洛城裡, 曲房歌舞寒.

겸재는 천지 사방에 눈이 가득 쌓인 어느 추운 겨울날 꽁꽁 얼어붙은 한강가

얼음베리에서 백성들이 나뭇짐을 지고 오르는 위태로운 장면을 목격했던 모양이다. 아마 설경雪景을 즐기기 위해 소악루小岳樓에 나왔다가 내려다본 정경이었을 것이다. 그러니 현재 올림픽대로가 지나는 가양동 219번지 일대의 모습일 듯하다.

강이 얼기 전에 틈틈이 물길을 이용해 강원도나 충청도, 경기도의 산악지대로부터 나무를 실어다 물가에 쌓아 놓았다가 이렇게 강물이 꽁꽁 얼어붙는 강추위가 몰아닥치자 온돌을 덥히는 땔감으로 이를 내다 팔기 위해 져나르는 모습이리라.

우리가 언제부터 온돌溫突을 사용했는지는 분명치 않다. 벌써 삼국시대부터 온돌이 있었다는 주장이 있으나 확실한 전거는 없다.

조선왕조실록에서 대충 온돌에 대한 기록을 찾아보면 중종 23년(1528) 무자戊子 10월 을축조乙丑條에 다음과 같은 기사가 있어 조선 중기까지도 온돌이 극히 귀했던 사실을 알 수 있다.

집의執義 오결吳潔이 이르기를 신이 성균관에 있을 때 최응현崔應賢, 반우형潘祐亨, 김경조金敬祖가 동지同知가 되어 대사성大司成과 함께 항상 학궁學宮에 나와 강고講鼓가 울린 후면 전심으로 교회敎誨했습니다. 그때 최응현은 나이가 이미 80이었으나 오히려 교회하는 데 게으르지 않았습니다. 그때 국가가 유생 대우하는 것이 어찌 오늘날에 미쳤겠습니까.

방은 온돌이 없었고 벽은 도배도 하지 않았으나 오히려 유생들이 방 안에 가득 차서 강의를 들었습니다. 그 후 유숭조柳崇祖(1452~1512)가 대사성이 되어 비로소 온돌과 도배를 했으니 국가가 유생을 대우함이 가히 지극하다 할 수 있겠는데, 유생들은 모두 성균관에 사는 것을 즐거워하지 않고 또한 강의도 듣지 않으니 심히 괴이쩍다 하겠습니다.

執義吳潔曰, 臣居館時, 崔應賢 潘祐亨 金敬祖, 爲同知, 與大司成, 常仕學宮, 若講鼓後, 則專心敎誨. 時崔應賢, 年已八十, 猶不怠敎誨也. 其時國家之待儒生, 豈及於今日哉. 房無溫突, 壁不塗排, 猶且儒生滿堂聽講. 其後柳崇祖, 爲大司成, 始爲溫突塗壁, 國家之待儒生, 可謂至矣, 儒生皆不樂居館, 而亦不聽講, 甚可怪也.

『中宗實錄』卷六十三, 中宗二十三年 戊子 十月 己丑條.

169

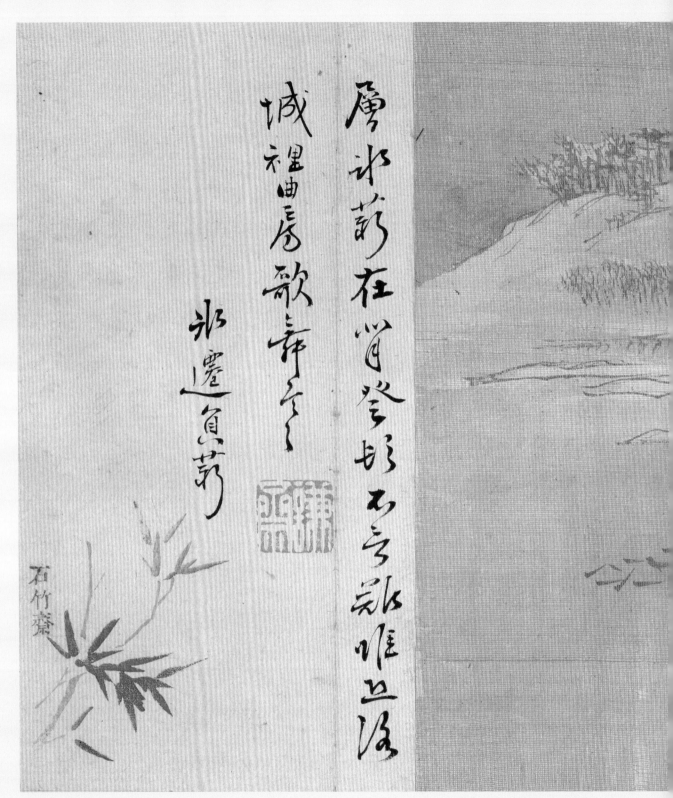

層氷蔚在崖登彤石立泳唯と泳

城裡曲房歌舞之

氷遷負薪

石竹齋

빙천부신氷遷負薪^{도판66}

1741년 신유辛酉, 견본채색絹本彩色, 29.2×23.0cm,《경교명승첩京郊名勝帖》상, 간송미술관 소장.

이에 이어 『인조실록』 권5 2년(1624) 갑자甲子 3월 4일 무오조戊午條에서는 광해군 난정 때 내인內人들이 발호하면서 비로소 판방板房을 온돌로 고쳐 거처함으로써 비용이 많이 들게 됐으니 이를 원래대로 고치자는 영의정 이원익李元翼(1547~1634)의 건의가 있다.(元翼曰, 臣嘗聞 先朝內人輩, 皆言士夫家婢僕, 尙處溫突, 以內人而處板房可乎. 自此闕內多溫突, 若代以板房, 則可省冗費. 『인조실록仁祖實錄』 권5, 인조 2년 갑자甲子 3월 무오조戊午條.)

이런 건의는 받아들여져 시행됐던 듯 숙종 7년(1681) 신유辛酉 9월 5일 갑인조甲寅條에서도 다음과 같은 기사가 실려 있다.

갑인甲寅 주강晝講에 나가니 동지경연同知經筵 이단하李端夏가 또 말하기를 전에는 대내大內 제실諸室이 많이 판방板房이었는데 지금은 온돌이 점차 많아져서 기인其人이 나무와 숯 등 공물을 대기가 어려운 형편입니다.

甲寅, 御晝講, 同知經筵 李端夏……且言, 頃年大內諸室, 多是板房, 今則溫突漸多, 其人柴炭貢物, 難支之狀.

『肅宗實錄』 卷十二, 肅宗七年 辛酉 九月 甲寅條.

이로 보면 숙종대까지 아직 궁중에도 온돌이 많지 않았던 것을 알 수 있으니 사가에 어찌 온돌 보급이 보편화될 수 있었겠는가. 하기야 서울 사람이 때는 나무와 숯을 서울 주변의 산과 들에서 나무꾼들이 해다 파는 것에 의지한다면 온돌이 있다 한들 얼마나 지탱할 수 있겠는가.

다행히 큰 산이 많은 강원도와 충청좌도 그리고 경기좌도의 물을 모두 모아오는 한강이 턱 밑을 감돌아 나가기 때문에 상류로부터 물길로 실어 나르는 나무가 끊일 새 없이 나루터마다 쌓이게 되니 겨우 지탱할 수 있었을 것이다.

눈이 강산에 가득 쌓이고 하늘이 어둑어둑 저물어 가니 강바람이 좀 맵싸겠는가. 강물은 꽁꽁 얼어붙어 나룻배는 얼음에 갇혀 버렸고 강얼음 위로 흰 눈이 쌓여 끝없는 설원雪原이 전개되니 사위는 고요해 적막하기 그지없다. 날새조차 보금자리를 찾아간 어둘 녘이 되자 나뭇짐 져 나르는 발길이 더욱 바빠질 수밖에 없다.

빙천부신水遷負薪 부분

나루터로 뚫린 얼어붙은 벼랑길로 두 사람은 등이 휘도록 나뭇짐을 지고 올라가고, 한 사람은 배 곁에 쌓아 놓은 나뭇더미에서 나뭇단 한 아름을 추슬러 안고 있다. 아마 지게에 짊어지려는가 보다. 나루터 주변에 널려 있는 검은 바위들은 눈 속에 파묻히지 않아 그 자태가 더욱 선명하게 드러난다. 흰빛과 대조되기 때문이다.

◆부벽찰법斧劈擦法
도끼로 쪼갠 단면처럼
수직으로 보이도록 붓으로
쓸어 내려 절벽을 나타내는 먹칠법

이에 부벽찰법斧劈擦法◆으로 대담하게 쓸어 내 강렬한 흑백대조를 이루어 놓고, 눈 속에 파묻혀 윤곽만 드러나는 낮은 바위들은 엷은 먹선으로 그 존재를 상징했다.

그늘진 골짜기에 벌써 어둠이 짙게 물들기 시작하자 언덕 위의 소나무숲이 갑

173

자기 후미지게 느껴진다. 강물이 씻어가 낮은 벼랑을 이룬 벌판 위에는 버드나무숲이 우거져 있는데 눈꽃을 피우며 아련히 어둠에 묻혀 가고 있다.

해질녘 눈 쌓인 강변 정취를 유감없이 드러내 주는 표현이다. 앞산 봉우리 위의 잡수림에는 마지막 새어 나온 낙조落照의 잔광殘光이 언뜻 비추는가도 싶다.

《경교명승첩》 상권은 겸재의 일상생활 모습인 〈독서여가讀書餘暇〉^{도판48}가 벽두를 장식하고 그 다음부터는 남한강의 〈녹운탄綠雲灘〉^{도판49}으로부터 한강을 타고 내려오며 계속 강상江上 승경勝景을 사생해 낸 진경산수화첩이다.

그런데 이 화첩의 화법은 《해악전신첩海嶽傳神帖》이나 《관동명승첩關東名勝帖》에서 보던 것처럼 골기삼엄骨氣森嚴◆하고 묵법임리墨法淋漓◆하며 파도흉용波濤洶湧◆하는 웅혼장쾌雄渾壯快◆한 것이 아니라 산세온유山勢溫柔◆하고 청록화려靑綠華麗◆하며 풍범내왕風帆來往◆하는 청징명미晴澄明媚◆한 것이라는 차이를 보인다. 송수법松樹法이나 토산태점土山苔點◆ 처리 등에서 겸재 특유의 임리淋漓한 기법이 거침없이 구사된다거나 절벽이나 바위섬 표현에서 뚜렷한 부벽흔斧劈痕이 가차 없이 노출되는 동일성을 보이지 않는다면 거의 딴 사람의 작품이 아닐까 의심이 들 만큼 상이相異하다.

겸재가 1740년 경신庚申 12월 11일에 양천현령으로 발령받았으므로 11월 22일자의 사천편지를 양천에서 받았다면 이는 1741년 신유辛酉 11월 22일이어야 한다.

◆ **골기삼엄**骨氣森嚴
뼈 기운이 가득 차서 엄숙함

◆ **묵법임리**墨法淋漓
먹 쓰는 법이 물이 뚝뚝 떨어질 듯 흥건함

◆ **파도흉용**波濤洶湧
물결이 일렁거림

◆ **웅혼장쾌**雄渾壯快
굳세고 듬직하며 씩씩하고 통쾌함

◆ **산세온유**山勢溫柔
산의 형세가 따뜻하고 부드러움

◆ **풍범내왕**風帆來往
돛단배가 오고감

◆ **청징명미**晴澄明媚
맑고 깨끗하며 밝고 아리따움

◆ **토산태점**土山苔點
흙산에 돋아난 풀이나 이끼를 표현하기 위해 붓을 뉘어 반복적으로 찍어 낸 큰 먹점

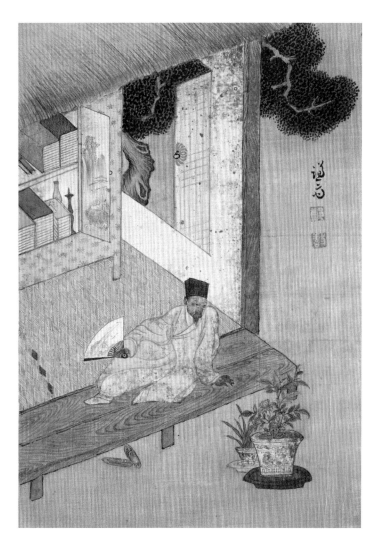

독서여가讀書餘暇^{도판48}
1741년 신유辛酉,
견본채색絹本彩色,
16.8×24.0cm,
《경교명승첩京郊名勝帖》상,
간송미술관 소장.

녹운탄綠雲灘^{도판49}
1741년 신유辛酉,
견본채색絹本彩色,
31.2×20.8cm,
《경교명승첩京郊名勝帖》상,
간송미술관 소장.

21

경교명승첩 京郊名勝帖 _ 하권下卷 1

그러나 하권에 장첩된 그림 중에는 겸재가 무슨 연유에서인지 사천의 시찰만 받
고 자신에게는 그려 남겨 두지 않았던 그림을 사천이 돌아간 이후 즉 겸재 76세
(1751) 이후에 다시 그려 보충한 것이 섞여 있으니, 인곡정사仁谷精舍에서 은거하
는 그의 만년 생활 모습을 스스로 그린 〈인곡유거仁谷幽居〉^{도판67}와 〈양천현아陽
川縣衙〉^{도판68}, 〈시화환상간詩畵換相看〉^{도판69}, 〈홍관미주虹貫米舟〉^{도판70}, 〈행주일
도涬洲一棹〉^{도판71}, 〈창명낭박滄溟浪泊〉^{도판72} 등 6폭이 그것이다. 이 그림들을 차
례로 살펴나가겠다.

인곡유거仁谷幽居^{도판67}

양천현아陽川縣衙^{도판68}

시화환상간詩畵換相看^{도판69}

홍관미주虹貫米舟^{도판70}

행주일도涬洲一棹^{도판71}

창명낭박滄溟浪泊^{도판72}

177

인곡유거 仁谷幽居 도판67

〈인곡유거〉는 본래 이 화첩 속에 넣기 위해 그려진 것은 아닌 듯하며 76세 이후에 한꺼번에 보사補寫한 듯 다른 그림과는 필법이 다르다. 수채화처럼 해맑은 분위기와 극도로 세련된 필법이 화성畵聖의 총체적 자기표현인 듯 느껴지기 때문이다. 아마 〈독서여가讀書餘暇〉도판48와 마찬가지로 문득 어느 때 당시의 자화상自畵像을 그리고 싶어 그려 두었던 그림들 중에서 마치 기념사진처럼 그 시기와 맞는 곳에 끼워 넣은 그림일 듯하다.

인곡유거는 겸재謙齋 정선鄭敾(1676~1759)이 살던 집의 이름이다. 지금은 아파트만 이름이 있고 단독 주택은 특별한 경우가 아니면 이름이 없지만 겸재가 살던 진경시대에는 사대부의 집들이 모두 택호宅號를 가지고 있었다. 그래서 겸재도 자신이 52세부터 살기 시작하여 84세로 돌아갈 때까지 살았던 이곳 인왕산 골짜기의 자기 집 이름을 인곡유거 또는 인곡정사仁谷精舍라 불렀다.

유거라는 것은 마을과 멀리 떨어진 외딴 집이란 의미이고 정사라는 것은 심신을 연마하며 학문을 전수하는 집이란 뜻이다. 모두 학문 연구를 궁극의 목표로 삼던 사대부들이 붙일 만한 집이름이다. 그래서 도심 속에 있으면서도 즐겨 유거를 붙였으니 겸재 스승인 삼연三淵 김창흡金昌翕(1653~1722)이 태어났던 집도 악록유거岳麓幽居였다. 삼연의 증조부 청음淸陰 김상헌金尙憲(1570~1652)이 붙인 이름이다.

인곡유거가 있던 자리는 옥인동 20번지 부근이다. 지금은 그 터에 군인아파트가 들어서 있다. 인곡유거라고 이름 붙인 까닭은 당시 겸재댁 주소를 살펴보면 금방 알 수 있다. 한도漢都 북부北部 순화방順化坊 창의리彰義里 인왕곡仁王谷이었다. 그러니 인곡은 인왕곡의 준말이었던 것이다. 사실 옥인동이란 현재의 동명도 1914년에 옥류동玉流洞과 인왕곡을 합치면서 만들어진 이름이다.

〈인곡유거仁谷幽居〉는 겸재가 관아재와 이웃해 살던 후반 생애의 생활모습을 그린 자화경自畵景◆이다. 인곡유거는 지금 신교동과 옥인동을 나눠 놓는 세심대洗心臺 산봉우리를 등지고 남향해 있던 집이었다. 그런데 그 집을 동쪽에서 내려다보는 시각으로 그린 것이 이 그림이다.

◆**자화경** 自畵景
스스로의 생활모습을 그린 진경

인곡유거仁谷幽居^{도판67}

1751년 신미辛未경, 지본담채紙本淡彩, 27.4×27.4cm,《경교명승첩京郊名勝帖》하, 간송미술관 소장.

인왕산의 주봉은 모두 생략해 버리고 뒷동산인 낮은 봉우리들만 그리고 있어 언뜻 인왕산 밑 동네임을 실감할 수 없다. 그러나 담묵淡墨*으로 우리고暈染 다시 물칠水潤해 가면서 담묵의 미점米點을 성글게 찍어, 수목이 골마다 우거진 둥근 바위 산봉우리를 연상케 해 줌으로써 인왕산을 아는 이는 느낌으로 그곳이 인왕산 자락임을 감지할 수 있다.

*담묵淡墨
옅은 먹색

마치 현대의 양기와집처럼 표현한 고패집의 동쪽 모서리방이 겸재의 사랑방인 듯 사방관四方冠을 쓰고 도포 입은 선비가 서책이 쌓인 서가書架 곁에서 책을 펴 놓고 앉아 있다.

활짝 열려 방 안을 들여다볼 수 있는 툇마루의 지게문 곁에는 띠살문으로 된 평범한 방문이 보이고 그 앞으로는 삿자리 모양으로 엮어진 울바자가 보인다. 이엉을 얹은 토담이 둘러쳐져 후원을 만드는데 초가지붕의 일각문一閣門이 기분 좋게 표현되고 그 안에는 큰 버드나무와 오동나무 등 기타 잡수들이 서 있으며 버드나무 위로는 포도인지 머루인지 모를 덩굴이 기품 있는 잎새들을 달고 감아 올랐다.

이런 조촐한 생활 분위기를 꾸며갈 수 있는 개결한 선비였기에 겸재는 조선 문화 절정기에 그 꽃으로 피어났던 진경산수화풍을 창안하고 완성시켜 나갈 수 있었던 것이 아닌가 하는 생각이 든다.

이렇게 그윽한 자연미를 자랑하던 이곳을 지금 찾아가 보면 옥인 파출소와 효자동 사무소 뒤로 군인아파트의 건물들이 살벌하게 솟아나서 그 큰 인왕산을 간 곳 없이 밀어내고 있을 뿐이다. 옥인동에 효자동 사무소가 있는 이유는 효자동과 옥인동 등 6개 동의 사무소를 통합하여 이곳에 사무소를 지어 놓고 효자동 사무소라는 대표 이름을 붙였기 때문이라 한다.

양천현아陽川縣衙^{도판68}

사천은 겸재가 영조 16년(1740) 경신庚申 세밑에 양천현령으로 부임해 가자 겸재에게 이런 시로 엮은 편지를 보낸다.

양천에 떨어져 있다 말하지 말게, 양천에 홍이 넘칠 터이니.

처자를 데리고 부임해 가면, 계옥桂玉[♦]이 비로소 곳간에 들며.

♦ **계옥桂玉**
보배

비온 뒤엔 선유객仙遊客 되고, 봄이 오면 세어稅魚를 그물질할걸.

오리와 백로들 바쁜 걸 보면, 날아와 이르는 것 문서 같으리.

莫謂陽川落, 陽川興有餘. 妻孥上宦去, 桂玉入倉初.

雨後船遊客, 春來網稅魚. 忽看鳧鷺迅, 飛到似文書.

불과 삼십 리 밖의 양화나루 건너 지척에 있으면서도 서울집에 돌아오지 못하는 겸재의 세밑 외로움을 위로하고자 보낸 편지시다. 겸재도 이 위로시 한 수를 받고 사천의 진정한 우의에 감동했던 것 같다.

그래서 자신이 외로이 떨어져 있는 양천현아의 진경眞景을 일필휘지一筆揮之하고 화제로 위로시의 첫 구절을 휘갈겨 내고 있다. 이런 그림에서 꼼꼼하게 정성들일 여가가 있겠는가. 굵은 필선으로 가슴이 막히고 콧마루가 울리는 감격 상태를 그대로 표출해 내고 있을 뿐이다. 그러나 어느 곳 하나 빠뜨려 놓지는 않았다.

♦ **건좌손향**乾坐巽向
서북쪽에 앉아서 동남쪽을 바라봄

『양천읍지』의 기록에 의하면 동헌인 종해헌宗海軒이 건좌손향乾坐巽向[♦], 즉 동남향이었다 하니 현아 전체의 좌향坐向[♦]이 동남향이었을 것이다. 겸재는 이를 실감나게 하기 위해 건물들을 모두 서북쪽으로 약간 비스듬히 틀어 놓았다. 방향감각까지 배려한 빈틈없는 사생능력이다.

♦ **좌향**坐向
양택이나 음택이 자리하고 앉은 방향

♦ **외삼문**外三門
관청이나 대갓집의 대문.
세 쪽문으로 되어 있으므로
삼문이라 한다.

외삼문外三門[♦]과 내삼문이 이중으로 지어져서 관부의 위용을 자랑하니 백성들은 이 문 앞에 서기만 하면 벌써 기가 죽어 주눅이 들었을 것이다. 외삼문 왼쪽으로는 육방六房 아전들의 집무소인 길청건물이 있고 오른쪽으로는 줄행랑 건물이 이어져 여러 용도의 집무실이 차려져 있을 듯하다.

181

양천현아陽川縣衙 ^{도판68}
1751년 신미辛未경, 견본담채絹本淡彩, 26.5×29.0cm,《경교명승첩京郊名勝帖》하, 간송미술관 소장.

◆관곡官穀
관청 소유의 곡식

내삼문은 외삼문보다 규모가 더 큰데 왼쪽으로 이어진 줄행랑 규모도 훨씬 커서 이 건물이 관곡官穀◆의 보관장소인 읍창邑倉이었다는 기록을 증명해 준다. 외삼문과 내삼문이 네모진 담장으로 연결된 것을 삼문의 오른쪽 끝부분에서 확인할 수 있다.

그러니 삼문 안 폐쇄된 공간은 아전들의 독무대였으리라. 당연히 지방 행정의 대강은 이 삼문 안에서 이루어졌을 것이다. 이에 이들의 전횡을 감시하고 억제하는 기구가 필요해 덕망 있는 지방 선비들이 모여 여론을 대변하게 하니 그들이 모여 일하는 곳을 향청鄕廳이라 했다. 이 그림에서 그 향청건물이 바로 외삼문 오른쪽에 그려져 있다. 느티나무에 가려진 기와집이 그것이다. 이상적인 건물의 배치다.

◆내아內衙
관사, 지방관의 살림집

내외삼문을 지나면 동헌東軒인 종해헌宗海軒이 석축을 높이 쌓은 축대 위에 팔작집으로 우람하게 지어져 있다. 중앙에 넓은 대청이 있고 좌우로 방이 꾸며진 독채집이다. 그 오른쪽에는 입 구口 자 형태의 내아內衙◆가 있는데 정면 행랑채에서 시작된 담장이 전체를 감싸는 모양이다. 그러나 그림에서는 다 그리지 않고 관아에 깃들기 시작하는 어둠으로 그 끝을 묻어 버렸다. 내아 앞에 일부만 표현된 건물은 군노와 사령들이 일보던 사령청 건물일 듯하다.

종해헌 왼쪽 언덕에는 거목으로 자란 잡목 두 그루가 높이 솟아 있는데 잎새의 표현 기법으로 보아 앞에 있는 것은 느티나무고 뒤에 있는 것은 갈참나무 같다. 외삼문 앞에는 버드나무가 앙상한 가지를 듬성듬성 늘어뜨리고 있다. 아마 대담한 가지치기로 이런 모습을 보인 듯하다. 그 둥치 끝에 까치집 하나가 위태롭게 지어져 있다. 오늘날도 우리 주변에서 흔히 볼 수 있는 정경이다.

관아 전체가 텅 비어 사람모습 하나 찾아볼 수 없고 어둠이 내리는 듯 거뭇거뭇 밤기운이 종해헌과 내아 뒤편으로부터 몰려와 뒷산 배경을 그 속에 묻어 버리고 있다. 따라서 건물들은 그 윤곽선만 더욱 뚜렷이 드러나게 되므로 굵은 필선으로 거칠게 이를 잡아냈다. 고목나무에 어둠이 깃들기 시작할 때면 나무의 겉모습이 더욱 우람해지며 울창한 기운을 발산하는데 겸재는 해거름에 일어나는 이런 어둠의 조화를 세심하게 관찰했던 모양이다.

이 시각이면 출퇴근하는 관속들은 당연히 퇴청하고 관아에 남아서 수직할 사람들도 모두 제 처소에 들어갔으리라. 그래서 관아 전체가 텅 비었다. 겸재는 양천관아의 한적한 분위기를 강조하기 위해 아마 이런 시점의 현아 모습을 진경으로 표출해 냈을 것이다.

그런데 건물들을 그려 낸 필선이 너무 굵고 거침없으며 나무 표현이 지나치게 함축적 상징성을 보이고 있다. 그래서 이 그림을 추상성이 노골화되는 70대 중반 이후에 다시 그려 낸 작품으로 보고자 하는 것이다.

『양천읍지』 관해조에 의하면 정조대왕은 그 21년(1797) 정사년 가을에 원종릉元宗陵인 장릉長陵에 행차하면서 이 종해헌에 잠시 주필駐畢하여 이런 시를 남겼다 한다.

한강 가을 물결 무명베 펼쳐 놓은 듯, 무지개다리 밟고 가니 말발굽 가벼웁다.

사방 들녘 바라보니 누런 구름 일색인데, 양천 일사一舍에서 잠시 군대 쉬어 간다.

江漢秋濤匹練橫, 虹橋踏過萬蹄輕. 爲看四野黃雲色, 一舍陽川少駐兵.

겸재가 고적감에 겨워하며 아사衙舍를 그려 내던 해로부터 57년 뒤에 지은 시다. 그러나 지금은 종해헌은 물론 그 부속건물 하나 남아 있지 않고 그 터에는 연립주택과 개인주택이 가득 들어차 있다. 이곳은 현재 강서구 가양1동 239번지 일대이다. 필자가 1981년 9월 중순에 이곳 양천현아 터를 찾았을 때 그해 8월 31일에 복원준공된 양천향교에서 만난 고로故老들의 이야기를 들으니 4년 전인 1977년까지는 종해헌 건물이 남아 있었다 한다. 그런데 그해에 이곳 양천현 일대가 서울시로 편입되면서 헐리고 연립주택이 들어섰다 한다. 파릉관 자리는 이미 30여 년 전에 개인 소유로 넘어가 양옥이 지어졌다며 그 터를 가르쳐 준다. 참으로 아쉬운 일이다.

다행히 향교를 복원해 놓았으니 이 유서 깊은 양천아사도 겸재시대의 모습대로 복원해 놓는다면 한강변의 명소로 크게 각광받을 것이다. 다만 한강변의 풍류고을로 풍광이 아름다운 곳이라는 이유뿐만 아니라 화성畵聖 겸재가 65세로부터 70세까지 6년 동안을 현령으로 재임하면서 그 천재성을 최고로 발휘했던 명화 제작의 산실이기 때문이다.

184

시화환상간詩畫換相看도판69

겸재가 양천현령으로 발령받는 것은 영조 16년(1740) 경신 12월 11일이다. 이때 겸재는 단금斷金의 벗인 사천槎川 이병연李秉淵과 단둘이서만 석별의 정을 나누면서 시화환상간詩畫換相看, 즉 '시와 그림을 서로 바꿔 보자'는 맹약을 굳게 재다짐하고 떠났던 모양이다.

그래서 부임해 가자마자 겸재는 양수리 일대로부터 양천현 일대에 이르는 한강 주변의 명구승지名區勝地를 화폭에 담아 부지런히 사천에게 보냈고 사천도 이에 화답하는 시를 빠짐없이 지어 보냈던 것이다.

어느 때는 그림이 먼저고 어느 때는 시가 먼저였던 모양인데 이 그림은 시가 먼저 가서 그려진 것인 듯하다. 이 그림 바로 다음 장에 이런 시찰詩札삽도64이 장첩되어 있기 때문이다.

정겸재와 더불어 시가 가면 그림이 온다는 약속이 있어서, 기약期約대로 가고 옴
의 시작을 한다.
與鄭謙齋, 有詩去畫來之約, 期爲往復之始.

내 시 자네 그림 서로 바꿔 봄에, 그사이 경중輕重을 어이 값으로 논하여 따지겠
는가. 시는 간장肝腸에서 나오고 그림은 손으로 휘두르니, 누가 쉽고 누가 어려
운지 모르겠구나. 신유(1741) 중춘에 사제槎弟.
我詩君畫換相看, 輕重何言論價間. 詩出肝腸畫揮手, 不知誰易更誰難.
辛酉仲春 槎弟.

이 시찰을 받고 겸재는 지난해 늦여름 사천과 단둘이 북악산 아래 개울가 어느 노송 나무 아래에서 시전詩箋과 화전畵箋을 펴 놓고 단둘이 시화詩畵를 논하며 시화환상간詩畫換相看의 약속을 하던 그날의 정경을 떠올리며 그대로 그 장면을 그려 냈던 것 같다.

지금 청와대 경내에 있는 개울가이거나 삼청동 근처일 듯도 한데 혹시 청운동

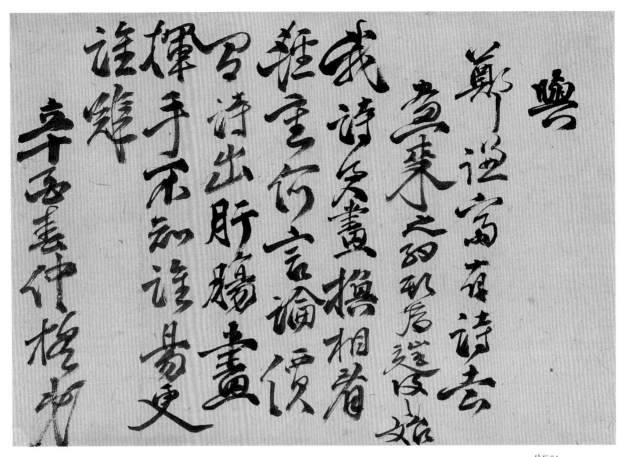

시거화래詩去畵來 삽도64
이병연李秉淵,
1741년 신유辛酉 2월,
지본묵서紙本墨書,
35.3×24.4cm,
《경교명승첩京郊名勝帖》하권 9면,
간송미술관 소장.

골짜기인 청풍계의 어느 곳일지도 모르겠다. 사천이 겸재를 찾아왔다면 인왕산 아래 옥인동 골짜기의 어느 둔덕일 수도 있다.

아직 노염老炎이 극성을 부리고 아침저녁으로나 선들바람이 부는 그런 철이라서 베옷을 채 벗지 못한 듯하니 소나무에서는 쓰름매미의 구성진 울음소리가 물소리를 제압할 만큼 크게 울려 퍼질 것 같다. 이런 호젓한 분위기 속에 평생 뜻을 같이하며 성공적인 인생을 살아온 두 노우老友들이 얼굴을 마주 대하고 잠시의 헤어짐도 섭섭해 시화詩畵를 바꿔 보자고 굳게 약속하는 정경을 상상해 보라. 얼마나 부러운 장면인가. 조선시대 사대부들이 살아가던 생활모습이다.

겸재는 이 그림에 화제畵題를 붙이지 않고 사천의 시찰 한 구절을 그대로 이끌어 제시題詩로 적어 놓았다.

186

시화환상간詩畵換相看**도판69**

1751년 신미辛未경, 견본담채絹本淡彩, 26.4×29.5cm,《경교명승첩京郊名勝帖》하, 간송미술관 소장.

내 시 자네 그림 서로 바꿔 봄에, 그사이 경중을 어이 값으로 따져 논하겠는가.

我詩君畫換相看, 輕重何言論價間.

라는 것이다.

그림기법은 파묵破墨, 발묵潑墨과 훈염법暈染法이 화법의 기조를 이루던 겸재 만년기의 특징이 구석구석 배어난 것으로 몰골묘沒骨描와 감필減筆로 추상한 거 송巨松의 표현이나, 발묵법에 가까운 묵찰墨擦로 파묵한 바위와 토파土坡의 표현, 청묵靑墨의 훈염으로 일관한 임상林狀, 첨두점尖頭點을 보태어 나타낸 초상 草狀 등 어느 것 한 가지도 극도의 노련미를 보이지 않는 것이 없다.

인물 묘사도 간결하고 질박하며 부드러운 묘선描線을 구사했으나 골기骨氣가 내재하여, 생동감은 물론이려니와 그 정신까지도 감지되는 듯하다. 겸재의 일생 화력畫歷◆이 이곳에 총집결되는 듯한 느낌이 드는 그림이다.

◆**화력**畫歷
그림 이력

정면으로 얼굴을 보이고 앉은 노인이 사천일 것이고 그와 마주앉아 뒷모습과 옆모습만 보이고 있는 코 높은 노인이 겸재일 것이다. 다른 그림에서 겸재이리 라고 생각되는 모습과 방불하기 때문이다.

모두 탈관脫冠◆한 맨상투 차림으로 파탈하고 있어 격의 없이 사귀던 평생지기 平生知己 노우老友 간의 정의情誼를 실감케 한다. 유려하게 흐르면서도 골기 충 만한 수파문水波紋과 부드러운 파묵법에서 강렬한 묵색을 발현시키는 석파石坡 는 보통으로 보아 넘길 필묵법이 아닐 것이다.

◆**탈관**脫冠
갓을 벗음

홍관미주虹貫米舟^{도판70}

사천槎川이 신유辛酉(1741)년 초봄에 북악산北岳山 아래에서 양천陽川으로 겸재에게 다음과 같은 서찰^{삽도65}을 보낸다.

◆**파릉巴陵**
양천의 별호

앞서서 파릉巴陵◆과 행주涬洲를 한 척의 돛단배로 내왕하는 것을 생각하니 일단一段의 기연奇緣인 듯싶습니다. 누워 있는 사람을 돌아봄에 어찌 부러움이 있겠습니까. 전운前韻으로 또 두 수二首를 거듭 지어 행호도안涬湖道案에 부쳐 드립니다.

◆**건중주賽中洲**
강변의 의미

'내 벗을 건중주賽中洲◆로 찾아가고자, 서화 옮겨 싣고 푸른 물결 따라간다. 다만 용들이 황산곡黃山谷 부채를 다툴까 겁내었으나, 응당 무지개가 미불米芾집 물건 실은 배에 걸려 오리라.'

좌상파릉坐想巴陵^{삽도65}
이병연李秉淵, 1741년 신유辛酉 1월,
지본묵서紙本墨書, 52.0×29.5cm,
《경교명승첩京郊名勝帖》하권 13면,
간송미술관 소장.

坐想巴陵涬洲 一棹來往, 爲一段奇緣. 顧臥人, 何有羨也. 前韻又二疊, 寄奉涬湖道案.

叩須我友賽中洲, 書畫移廚影碧流. 秖恐龍爭山谷扇, 定應虹貫米家舟.

189

홍관미주虹貫米舟^{도판70}

1751년 신미辛未경, 견본담채絹本淡彩, 30.2×27.0cm,《경교명승첩京郊名勝帖》하, 간송미술관 소장.

이 편지에 계속하여 몇 수의 시와 추신追信이 실려 있다.

이 그림은 바로 위에 든 시구詩句를 화제畵題로 하여 그린 것이 분명하다. 겸재가 자필自筆로 위 시의 마지막 구절을 그림 위에 써서 제화시를 삼고 있기 때문이다. 산곡山谷 황정견黃庭堅(1045~1105)과 미불米芾(1051~1105), 미우인米友仁(1086~1165) 부자父子를 일컫는 미가주米家舟란 시화 때문인지 중국 정형화풍定型畵風으로 화면을 처리했다. 배와 인물이 특히 화보풍인데 물가의 갈대를 쳐낸 경쾌한 필치는 겸재 자득自得의 묘법이다. 훈염에 의해서 화면을 환상적인 분위기로 이끌어가는 특징은 최만년기 작풍을 시사하는데, 훈염법으로 7색 무지개를 영롱하게 표현하여〈홍관미주〉를 실감하게 한다.

행주일도 涬洲一棹 도판71

역시 사천의 다음 시삽도65를 소재로 그린 그림이다.

묵은 구름 먹 뿌려 난주蘭洲◆ 적시니,

동정호洞庭湖◆파릉巴陵◆으로 상수湘水는 흐른다.

술 싣고 몇몇 손들 운정雲亭에 오니, 봄이 어찌 웅어葦魚 배만 위해서 오랴.

宿雲散墨點蘭洲, 洞庭巴陵湘水流. 載酒雲亭多小客, 春來豈爲葦魚舟.

◆**난주**蘭洲
중국 감숙성 고란현에 있는
황하와 양자강의 발원지

◆**동정호**洞庭湖
중국 호남성 악양현 서쪽에 있는
중국 제일의 담수호

◆**파릉**巴陵
중국 호남성 악양현 현치.
동정호 동쪽에 있다.

아마 원래는 〈행호관어幸湖觀漁〉에 부친 제시題詩였을 것이다. 그러나 겸재는 진경을 이념화해 나가려는 의도로, 중국의 동정호洞庭湖에 비겨 행호를 동정호라 일컫는 사실을 상기想起하고 중국의 원原 동정호를 상상하여 이 그림을 그려낸 듯하다.

원산遠山으로 기봉奇峰이 배설排設되고, 근경近景은 황량荒凉한 산봉우리 아래로 돛단배 한 척이 빠져나오는 정경인데, 중경中景은 호수의 수면뿐이다. 원산은 겸재 특유의 담묵淡墨·담청淡靑의 훈염법暈染法으로 처리되었으며, 근산近山은 극도로 자제된 윤곽선과 성글게 찍힌 태점苔點, 그리고 발묵潑墨과 파묵破墨에 의한 암산岩山의 표현 등으로 단조롭게 처리되어 있다. 역시 훈염기법이 화면 전체를 지배하여 극노필極老筆임을 시사한다.

겸재는 자필로 '숙운산묵점난주宿雲散墨點蘭洲, 동정파릉상수류洞庭巴陵湘水流'라는 제어題語를 써 놓았다. 사천 시의 첫 구절이다.

행주일도涬洲一棹^{도판71}

1751년 신미辛未경, 견본담채絹本淡彩, 26.5×29.5cm,《경교명승첩京郊名勝帖》하, 간송미술관 소장.

창명낭박滄溟浪泊^{도판72}

태화산太華山은 북쪽에서 구름을 열고, 창명滄溟◆은 동쪽에서 물결을 일으킨다.

太華雲開北, 滄溟浪泊東.

◆**창명**滄溟
큰 바다

는 제시題詩가 있다. 겸재 자필이다. 이 역시 사천槎川의 시구詩句인 듯하나 시찰
詩札에는 들어 있지 않다.

태화산太華山을 상징한 기봉奇峰이 멀리 바다 밖으로 구름에 잠겨 있고, 창명
滄溟의 푸른 물결은 낭화浪華◆를 일으키며 일렁이고 있다. 다만 오른쪽 일변一邊
으로 치우쳐서 기이한 암석岩石이 흘립屹立해 있는데 매가 웅크리고 앉은 듯한
형태다. 암석의 표현은 운두준雲頭皴을 대담방일大膽放逸하게 구사하고 태점苔
點을 성글게 찍은 단순한 기법이나, 부드러운 선묘線描에 내재한 골기骨氣가 암
석에 천 근千斤의 무게를 가진 무쇠와 같은 중량감을 부여해 사납게 달려드는 거
친 물결에 대항하게 한다.

◆**낭화**浪華
물보라

바위의 질량감도 훈염의 묘용妙用으로 살리고 바다와 구름, 구름 밖의 산들도
철저하게 훈염법暈染法으로 일관一貫 표현하여 아득하고 신비로운 분위기를 이
루어 놓았다. 화면의 단조로움은 화면 중앙부에 아름답고 세련된 필치로 제시題
詩를 쓰고, 꼭 알맞는 자리에 주인朱印을 찍는 제시낙관題詩落款의 보조에 의해
거의 완벽에 가깝도록 극복되었다. 제시낙관이 화면구성의 중대한 요소임을 분
명히 드러내 보여 준 작품이다.

삼각산의 별호가 태화산인 것을 생각하면 저 바다 밖의 먼 산은 삼각산을 형
용한 것인지도 모르겠다.

太華雲尖
北滄滙浪
泊東

창명낭박滄溟浪泊^{도판72}

창명낭박滄溟浪泊^{도판72}

1751년 신미辛未경, 견본담채絹本淡彩, 29.3 × 27.0cm, 《경교명승첩京郊名勝帖》하, 간송미술관 소장.

22

경교명승첩京郊名勝帖 _ 하권下卷 2

그러나 대은암大隱巖 동쪽을 그린 〈은암동록隱岩東麓〉^{도판73}, 안개비에 휩싸인 서울 장안을 그린 〈장안연우長安烟雨〉^{도판74}, 양천 개화산에 있는 〈개화사開花寺〉^{도판75}, 율곡栗谷선생이 눈쌓인 절을 찾는 모습인 〈사문탈사寺門脫蓑〉^{도판76}, 풍류문사 척재惕齋 김보택金普澤(1672~1717)이 웅어葦魚 꿰미를 선물받으며 시로 대가를 치르는 장면을 그린 〈척재제시惕齋題詩〉^{도판77} 및 강절康節선생 소옹邵雍(1011~1077)의 「어초문답漁樵問答」을 소재로 그린 〈어초문답漁樵問答〉^{도판78}, 북송北宋 고사高士 고산孤山 임포林逋의 고사를 소재로 한 〈고산상매孤山賞梅〉^{도판79}, 서울의 달밤을 그린 〈장안연월長安烟月〉^{도판80}은 모두 신유년 봄부터 겨울까지 1년 동안에 그린 그림들이다.

이 그림들을 차례로 살펴보겠다.

은암동록隱岩東麓^{도판73}

장안연우長安烟雨^{도판74}

개화사開花寺^{도판75}

사문탈사寺門脫簑^{도판76}

척재제시惕齋題詩^{도판77}

어초문답漁樵問答^{도판78}

고산상매孤山賞梅^{도판79}

장안연월長安烟月^{도판80}

197

은암동록隱岩東麓 도판73

〈은암동록隱巖東麓〉은 '대은암大隱巖 동쪽 기슭'이라는 뜻이다. 지금 청와대 본관 동쪽 부근에 해당하는 지점이다. 경복궁의 북문인 신무문神武門 밖에서 조금 동쪽으로 치우친 곳이다.

그 앞에는 조선 역대 국왕들이 백관을 거느리고 직접 농사를 지어 백성들의 노고를 체험하던 경적전耕籍田 넓은 논밭이 펼쳐져 있다. 마침 보리 싹이 패어 나는 초여름인 듯 연초록빛이 너른 공간에 물결치는데 그 아래에는 경복궁의 허물어진 담장이 둘러쳐져 있다. 임진왜란壬辰倭亂(1592)으로 소실돼 폐허가 된 지 150여 년, 그사이 궁터에서 나고 자란 소나무들이 고목이 되어 숲을 이루고 그 빽빽한 송림 위로 백로 떼가 하얗게 내려앉았다.

그 너머로는 남산이 앞을 가로막는데 상봉에는 '남산 위의 저 소나무'로 불리는 늙은 소나무 한 그루가 산봉우리를 다 덮을 만큼 우람한 기세를 자랑하며 우뚝 솟아 있다. 먼 빛으로는 관악산이 아련하게 보이고 있으니 지금 보아도 앞산 경개景概는 그때와 다름이 없다. 다만 인왕산 동쪽 기슭이 남쪽으로 흘러내려 평지를 이루며 도시를 이루어 놓은 창성동, 통의동, 체부동, 필운동, 내자동, 내수동, 사직동, 신문로 일대의 모습이 지금과 크게 다를 뿐이다.

기와집들이 지붕을 맞대고 즐비하게 늘어서서 만호萬戶 장안長安의 위용을 과시하는데 그 끝에는 경덕궁慶德宮 숭정전崇政殿이라고 생각되는 전각이 웅장하게 솟구쳐 있다. 광해군 8년(1616)에 왕기王氣◆를 누른다고 아우인 정원군定遠君 부琈(1580~1619)의 집을 빼앗아 지은 것이 이 궁궐이다. 뒷날 정원군의 장자인 인조仁祖(1595~1649)가 반정을 일으켜 왕위를 빼앗았으니 풍수도참설이 맞았더란 말인가.

◆**왕기**王氣
왕이 될 기운

담묵으로 처리한 만호장안의 즐비한 인가 표현이 당시 서울의 융성한 도시 경관을 헤아려 볼 수 있게 해 준다. 솔숲에 가려서 보이지 않는 서울의 중심가 종로와 구리개의 정경도 마땅히 이러했으리라 생각된다.

저 멀리 원산으로는 관악산이 삐죽삐죽한 봉우리들을 드러내고 있는데 흐린 청묵靑墨으로 아련히 우려서 그 윤곽만 드러난다. 남산은 보다 짙은 청묵으로 대

은암동록隱岩東麓^{도판73}

1741년 신유辛酉, 지본담채紙本淡彩, 29.8×31.0cm,《경교명승첩京郊名勝帖》하, 간송미술관 소장.

은암동록隱岩東麓 부분

담하게 우려내 윤곽을 잡은 다음 그 위에 미점米點을 거칠게 찍어 나가 송림에
싸인 그 특유의 계곡미를 살려 냈고 소나무숲은 파묵破墨과 발묵법潑墨法으로
담묵 바탕에 농묵濃墨을 중적重積*해 나가 짙은 색감을 도출해 냈다.

　신록이 무르익어 갈 때 소나무를 비롯한 상록 침엽수들이 보이는 해묵은 칙칙
한 색감을 드러내 보이고자 한 의도인 듯하다. 그 사이 바다처럼 비워 놓은 경적
전의 공터에 일렁이는 녹파綠波는 이런 농밀한 색채에서 풍기는 어두운 기운을
모두 거둬 내기에 충분하다. 신록이 물들어 가기 시작하는 키 큰 잡수림의 연둣
빛도 이를 거들고 언덕 위의 연둣빛 역시 상쾌한 훈풍을 연상시켜 준다.

◆중적重積
거듭 쌓음

장안연우 長安烟雨 ^{도판74}

봄을 재촉하는 이슬비가 촉촉이 내리는 날, 서울 장안을 육상궁 뒷산쯤의 북악
산 서쪽 기슭에 올라가 내려다본 정경이다.

연무煙霧가 낮게 드리워 산 위에서는 먼 경치가 모두 보이는 그런 날이었던 모
양으로, 남산이 분명하게 드러나고 멀리는 관악산, 우면산, 청계산 등의 연봉들
이 아련히 이어진다. 겸재가 전반 생애를 보냈던 북악산 서쪽 산자락과 후반생
을 살고 간 인왕산 동쪽 산자락이 마주치며 이루어 놓은 장동壯洞 일대의 빼어난
경관을 눈앞에 깔면서 나머지 부분들은 연하煙霞에 잠기게 하여 시계 밖으로 밀
어냄으로써 꿈속의 도시인 듯 환상적인 분위기를 고조시킨 서울 장안의 진경眞
景이다.

비록 남대문로와 운종가雲從街(종로) 일대의 번화가가 운무에 가려 있다 하나
효자동, 청운동 일대에서 동쪽으로는 광화문과 종로 초입 부근까지 서쪽으로는
서울역사박물관이 있는 경희궁 근처까지 표현하고 있어 당시 인구 18만 남짓이
살던 한양 서울의 진면목을 생생하게 실감할 수 있다.

무성한 숲 속에 싸여 천연의 경관과 조화를 이루면서 쾌적한 분위기를 만들어
나간 선인들의 도시 경영 실태를 이 그림에서 확인할 수 있는 바, 그 생활의 예지
와 문화 역량에 새삼 탄복을 금할 수 없다. 자연의 파괴와 무질서한 건축으로 천
부의 미관을 되찾을 수 없이 망가뜨리고 있는 현대문화의 오류는 이런 수준 높은
우리 전통문화의 역량에 대한 재인식을 통해 자각과 반성을 거치면서 시정되어
야 할 것이다.

송림松林은 발묵潑墨과 수묵훈염법水墨暈染法으로, 기타 잡수들은 태점苔點과
수묵훈염법으로 처리하여 아늑한 연수煙樹*의 모습이 보얗게 드러나는데, 버드
나무의 늘어진 가지들은 봄버들로의 계절감을 나타내 준다. '봄버들은 가지를
늘어뜨린다春柳低垂'는 그림의 이치畫理를 아는 이라면 바로 이 사실을 읽어讀畫
내고 감지할 수 있을 것이다.

남산은 조밀한 미점米點과 수묵훈염水墨暈染으로 미가운산米家雲山을 방불하
게 표현했고, 그 아래 남촌들은 다만 수묵훈염과 태점苔點만으로 인가가 즐비함

* **연수**煙樹
안개에 잠긴 수풀

201

을 나타내었다.

　북악산과 인왕산의 산기슭은 짙고 엷은 굵은 미점과 간략한 피마준披麻皴 계
통의 선묘로 산 모양을 상징하고 수묵으로 훈염했으나 산언덕 부분은 비교적 밝
게 남겨 둠으로써 빛의 변화와 연하煙霞의 심천深淺을 강조했다.

　송림과 산세에서 보인 대담한 묵법墨法에 비해 가옥을 세심하게 배치한 치밀
한 운필運筆은 극단의 대조를 이루는 바, 이것이 바로 조밀粗密 농담濃淡을 자재
롭게 구사할 수 있었던 겸재의 탁월한 기량이었다.

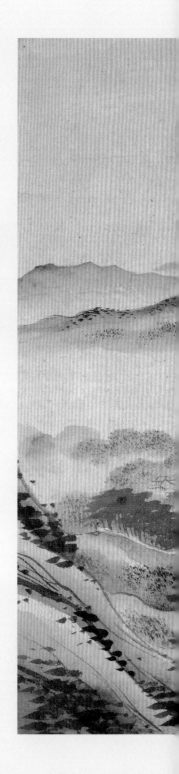

장안연우長安烟雨도판74

1741년 신유辛酉, 지본수묵紙本水墨, 39.8×30.0cm,《경교명승첩京郊名勝帖》하, 간송미술관 소장.

개화사開花寺 도판75

현재 강서구 개화동開花洞 332-12번지에 있는 개화산 약사사의 겸재 당시 모습이다. 그때는 주룡산駐龍山 개화사開花寺라 했기 때문에 개화사로 그림 제목을 삼았을 것이다. 이 주룡산은 안산의 수리산과 인천의 소래산 줄기가 벋어 나와 한강변에 솟구친 산으로 양천현아의 뒷산인 성산에서 보면 서북쪽에 위치한다.

　그 자세한 내용은 『양천읍지』 산천山川조에서 『여지승람』을 이끌어 다음과 같이 말하고 있다.

　　해동海東의 산맥은 백두산으로부터 조봉祖峯을 일으켜 태백산에 이르고 서쪽으로 굽이쳐 속리산이 된 다음 북행하여 청계산이 되는데 여기서 맥을 나누어 일맥은 북쪽으로 관악산을 이루고 다시 북쪽으로 떨어져 양화도 선유봉이 되며, 일맥은 서북행하여 안산의 수리산, 인천 소래산으로 이어져 북행해 와서 본현에 이르러서는 증산이 된다. 증산은 산 모습이 보배롭고 듬직하여 사랑스러우니 군자봉君子峰이라고도 하는데 이것이 일읍一邑의 조봉祖峰이 된다.

　　일맥은 북행하여 주룡산駐龍山이 되는데(일명 개화산開花山이라고도 하며 일읍一邑의 진산鎭山이다) 동쪽은 파려산玻瓈山, 우장산雨裝山, 검두산黔頭山(일명 검지산劒之山)이 되고 북쪽으로 떨어져서는 성산城山(즉 읍차산邑治山이니 일명 성황산城隍山, 파산巴山이라고도 한다), 공암산孔岩山(일명 진산津山이라고도 한다)이 되며 동쪽으로 굽이쳐서는 엄지산嚴知山, 서산鼠山(선유봉仙遊峰은 고양이 형상이고 서산鼠山은 쥐 형상이라서 작은 나루를 사이에 두고 서로 바라보며 삼키려 하고 있다)이 된다.

海東山脈, 自白頭山 起祖, 至于太白山, 西迆爲俗離山, 北行爲淸溪山, 分脈 北行冠岳山, 又北落爲楊花渡仙遊峰, 一脈西北行, 爲安山修理山 仁川蘇來山, 北行至本縣, 爲甑山. 山形珍重可愛, 爲君子峯, 是爲一邑之祖峯. 一脈北行, 爲駐龍山. (一名開花山, 爲一邑嶺山.) 東爲玻瓈山 雨裝山 黔頭山 (一名 劒支山), 北落爲城山, (卽邑治山, 一名 城隍山, 巴山.) 孔巖山 (一名 津山.) 東迆爲嚴知山 鼠山 (仙遊峰 猫形, 鼠山 鼠形, 間以 小津, 相望若相呑.)

開花寺
繪

개화사開花寺^{도판75}

1741년 신유辛酉, 지본수묵紙本水墨, 24.8×31.0cm,《경교명승첩京郊名勝帖》하, 간송미술관 소장.

다시 읍지의 고적古蹟조에서는 이런 기록을 남기고 있다.

신라 때에 한 도인道人이 이곳 주룡산駐龍山에 살면서 주룡선생이라 자칭하며
숨어서 도를 닦고 세상에 나오지 않다가 이곳에서 늙어 죽었다. 그가 매해 9월 9
일에 동지들 두세 명과 더불어 높은 곳에 올라가 술을 마시며 구일용산음九日龍
山飮이라 했으므로 주룡산이라 이름했다. 선생이 돌아간 후에 이르러 이상한 꽃
한 송이가 옛 터에 피어났으므로 시골 사람들은 또 개화산開花山이라 일컫기도
한다. 지금 개화사開花寺가 곧 선생의 옛 터라 한다.

송상국宋相國 인명寅明은 호를 장밀헌藏密軒이라 했는데 일찍이 개화사 산방
山房에서 독서하고 귀하게 되어 재상이 되기에 이르자 절 아래에 불향답佛享畓
을 두었었다고 한다. 몇 해 전 불우佛宇를 중수할 때 그 후손 송교리宋校理 백옥
伯玉이 중수기를 지었다.

新羅時一道人, 居駐龍山, 自稱駐龍先生, 藏修不市, 終老于此. 每歲九月九日, 與同志
二三人, 登高酌酒, 謂之九日龍山飮, 故名爲駐龍山. 及先生去後, 有異花一朶, 開於舊
址, 故鄕人又稱開花山. 今開花寺, 卽先生宅址云. 宋相國寅明 號藏密軒, 嘗讀書開花
寺山房, 及貴爲相, 置佛享畓于寺下云. 年前 佛宇重修時, 其後孫宋敎理 伯玉, 爲作記.

개화사가 있는 산 이름을 주룡산이라고도 하고 개화산이라고도 하는 내력을
소상히 밝힌 내용이다. 이곳은 행주산성과 한강을 사이에 두고 마주 보는 산이
다. 그러니 삼각산과 도봉산을 한눈에 바라보고 멀리 한강과 임진강이 마주치는
조강祖江의 광활한 호해湖海 풍광을 아울러 조망할 수 있으며 서울을 둘러싸고
있는 인왕, 백악, 낙산, 남산을 비롯하여 멀리 관악산과 그 사이를 굽이쳐 오는
한강 상류의 물길도 한눈에 즐길 수 있는 명소가 될 수밖에 없다.

이 절에서 어릴 적에 글공부했던 장밀헌藏密軒 송인명宋寅明(1689~1746)이 영
조의 신임을 일신에 모아 소론 탕평재상으로 세도를 담당해 탕평책을 주도해 가
게 되자 그가 우의정의 지위에 있던 때인 영조 13년(1737) 정사丁巳에는 드디어

개화사開花寺 부분

이 개화사를 크게 중수하고 절 아래에 불향답을 사서 시주하기까지 했다 한다. 이는 그의 현손玄孫인 송백옥宋伯玉(1837~1887)과 송숙옥宋叔玉(1841~1923) 형제가 철종 10년(1859) 기미己未와 고종 24년(1887) 정해丁亥에 다시 중수기를 지으면서 밝혀 놓은 사실이다.

아마 장밀헌은 어릴 적 가난했을 때 역시 빈찰을 면치 못했던 개화사에서 극진한 대접을 받으며 글 읽던 기억을 잊지 못했던가 보다. 그는 25세(1713)에 생원시에 급제하고 31세(1719)에 문과에 급제하는데 그 과거시험 공부를 모두 이 개화사에서 했다고 한다. 글 읽다 나와 보면 수려한 산하경관山河景觀이 마음을 빼앗았던 듯 끝내 이 근방 풍광을 못 잊어 그가 성공하고 난 뒤에는 맞은편 행주에 장밀헌藏密軒이란 별서를 으리으리하게 경영해 놓는다. 아마 개화사의 중수와

207

비슷한 시기에 이루어졌을 것이다. 이는 겸재가 양천현령으로 부임해 가기 불과 3년 전의 일이다.

그런데 장밀헌은 비록 소론 당색을 띠고 있었지만 백악사단白岳詞壇의 종장宗匠인 정관재靜觀齋 이단상李端相의 외손자로 겸재와 사천의 스승인 농암 김창협의 이질姨姪이었고 관아재 조영석과는 내외종사촌 처남남매 간이었다. 이런 관계니 장밀헌과 겸재 그리고 사천의 친분이 두텁지 않을 리 없다.

그래서 사천은 장밀헌의 일족이라고 생각되는 군택君澤이라는 이에게 이런 시삽도[62]를 보낸다.

봄이 오면 행주배에 오르지 마오, 손님 오면 어찌 꼭 소악루小嶽樓만 오르려 하나.

책을 서너번 다 읽을 곳이니, 개화사開花寺에서 등유燈油를 소비해야지.

春來莫上杏洲舟, 客到何須小嶽樓. 書冊三餘完課處, 開花寺裏費燈油.

겸재는 증시贈詩를 화정畵情으로 바꾸어 〈개화사開花寺〉라는 화제로 일필휘지一筆揮之해 놓았다. 종이에 다만 수묵水墨으로만 담담하게 그려 내었는데, 담묵淡墨의 부드러운 피마준披麻皴법으로 산세를 표현하고 태점苔點을 성글게 찍어 나간 다음 그 위에 수묵훈염水墨暈染을 엷게 가하여 온 산을 회색으로 물들여 놓았다.

주룡산 거의 상봉에 법당이 우뚝 솟아 있고 그 법당 석축 아래에 3층 석탑이 그려져 있다. 석탑 오른쪽으로 요사채가 있는데 ㄴ자식 평면이라 아직 덜 지어진 집인 듯하다. 이 그림보다 뒤에 그려진 김충현金忠顯 소장의 개화사 진경을 보면 이 집이 ㄷ자 평면을 하고 있어서 이때는 아직 다 마무리 짓지 못한 상황이었음을 증명해 준다.

절 아래에 초가집 세 채가 섶울타리에 둘려 있으니 이 집들도 절의 부속건물이었던가 보다. 절 뒤로는 늙은 소나무 몇 그루가 서 있고 마당 아래로는 버드나무가 고목이 되어 숲을 이루며 겹울타리를 치고 있다. 아마 강바람을 막으려는 배려로 조성한 방풍림일 것이다. 버들숲 아래로 층층이 다락논이 보이나 가을걷이가 끝난 듯 논들은 모두 텅 비었다. 산자락 끝은 바로 한강변 모래사장으로 이

어지는데 모래사장에서 시작된 산길이 산골짜기를 따라 논과 산의 경계를 지으며 절로 오르고 있다.

왼쪽에 주룡산 최고봉이 있고 거기서 벋어 내린 산줄기가 높고 낮은 봉우리들을 만들며 개화사를 3면에서 감싸고 강으로 내려왔다. 그러니 개화사에서는 한강 쪽으로만 시계가 열려 있어 항상 한강을 내려다보고 그 건너 행주산성과 삼각산과 어우러지는 아름다운 경치를 감상하게 된다.

더구나 산 아래 한강으로는 조강祖江 입구를 통해 들고나는 배들이 서해안 각처로부터 물화를 싣고 끊임없이 오가고 있었으니 그 정취가 어떠했겠는가. 겸재는 이런 개화사의 풍치를 진경산수화로 자주 그려 냈다. 이 그림도 그 중의 하나다. 이 그림에서는 쌍돛단배가 떠가는 한강물이 바로 주룡산 밑을 스쳐 지나고 있지만 지금 개화산 약사사는 한강과 상당히 떨어져 있다. 물길이 바뀌었기 때문이다.

개화사는 겸재 이후 어느 때부터인지 약사암藥師庵이라 불렀던 모양이다. 철종 10년(1859) 송인명의 증손인 송지규宋持珪(1795~1859)가 중수할 때 그의 장남인 송백옥이 중수기를 쓰면서도 약사암이라 했고, 고종 24년(1887) 처사 창선昌善이 중수할 때 송백옥의 아우 송숙옥이 중수기를 쓰면서도 약사암이라 했다. 지금은 개화산 약사사라 부르고 있다.

이 그림에서 보이는 3층석탑은 지방문화재 39호로 지정되어 있다. 약사전 안에는 3층석탑과 같은 시기에 조성되었을 고려시대의 약사여래藥師如來가 봉안되어 있는데 지방문화재 40호이다.

사문탈사 寺門脫蓑 ^{도판76}

〈사문탈사寺門脫蓑〉는 '절 문에서 도롱이를 벗다'라는 뜻이다. 도롱이는 물기가 잘 스며들지 않는 띠풀을 엮어 어깨에 둘러쓰던 비옷이다. 비나 눈이 올 때 이를 두르고 삿갓을 쓰고 나다녔다. 이 그림은 율곡栗谷 이이李珥(1536~1584)가 세밑의 어느 눈 오는 날 소 타고 절을 찾는 모습을 그린 것이다. 사천 이병연이 영조 17년(1741) 신유 겨울에 양천현령으로 가 있는 겸재에게 이 그림을 그려 달라고 다음과 같은 내용의 편지를 보낸 것이 이 그림 뒤에 붙어 있기 때문에 그 사실을 알 수 있다. 〈사문탈사〉 다음에 장첩된 사천의 편지^{삽도66}는 이렇다.

어제 큰 자제와 자세히 이야기하며 들은 바 많습니다. 간밤 자는 동안에 눈이 많이 왔으니 아마 일찍 일어나셨겠지요. 궁하고 병든 몸이라 문안을 못 드립니다. 십경十景은 보내 주신 것에 의해서 다 읊었습니다. 빨리 붓을 들어 뜻을 펴고 싶으니 틈나시는 대로 남은 폭에 그려 보내 주십시오. 다시 화제畵題를 써서 보내 드리는데, 〈사문탈사寺門脫蓑〉는 형이 익숙한 바입니다. 소를 타고 가신 율곡의 고사 본시本詩에 이르기를,

'한 해 저물고 눈이 산을 덮는데, 들길은 큰 나무 숲 속으로 가늘게 나뉘어 간다' 하고, 또 이르기를 '사립문 저녁에 두드려 맑은 얼굴 읍하여 뵈니 작은 방에서 잠뱅이 걸치고 포대기에 의지해 있네'라 했을 뿐입니다. 나머지는 남겨 둡니다. 큰 사위가 돌아간다기에 갖춰 쓰지 못하오니 오직 살펴보옵소서. 삼가 드림.

昨與長胤細敍, 多所承聞. 夜雪黃紬, 想早起, 窮病不須問. 十景依來示完詠. 欲速得散毫開懷, 幸承隙圖之剩幅. 又書題以去, 寺門脫蓑, 兄所慣也. 騎牛栗谷事 本詩曰 歲云暮矣雪滿山, 野逕細分喬林間. 又向柴門晚扣揖, 淸癯小室, 擁褐衣蒲團而已. 餘留. 長郞歸達, 不備, 惟雅照.

謹狀.《京郊名勝帖》原蹟

역시 신유년 세밑에 보낸 편지일 것이다.

위의 내용으로 보면 어느 겨울날 겸재가 큰 자제 만교萬僑(1704~?) 편에 10경

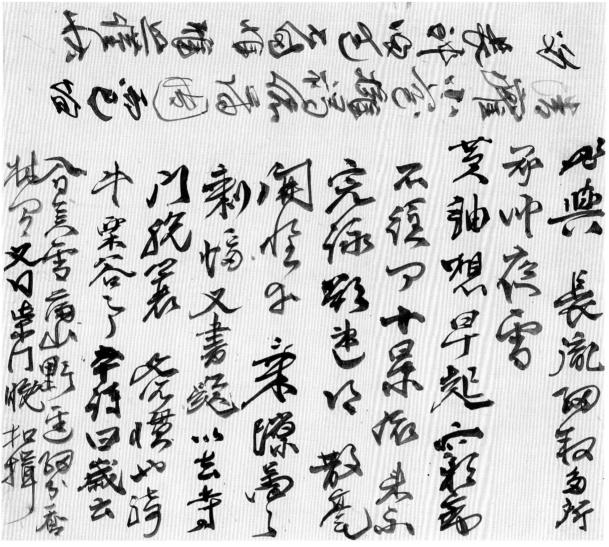

작여장윤昨與長胤 삽도66

이병연李秉淵, 1741년 신유辛酉 겨울,
지본묵서紙本墨書, 31.0×27.0cm,
《경교명승첩京郊名勝帖》 하권 15면,
간송미술관 소장.

도를 그려 사천에게 보내며 그 제화시를 요구했고 사천은 이 십경시를 완성해 다음 날 겸재에게로 떠난다는 만교에게 주기로 약속했는데 자고 일어나 보니 눈이 온 세상에 가득 쌓여 있다. 생각 같아서는 겸재에게로 달려가서 설경을 함께 즐기고 싶었다.

그럴 수 없자 문득 겸재가 율곡선생이 소 타고 눈 속을 헤쳐 절을 찾던 고사도故事圖 잘 그리던 것을 생각해 내고 이 그림을 그려 보내 달라고 했던 것 같다. 눈을 사랑해서 함께 즐길 만한 벗을 찾아가는 옛 선현들의 풍류를 빌려 자신의 마음을

211

사문탈사寺門脫簑 도판76
1741년 신유辛酉,
견본채색絹本彩色,
32.8×21.0cm,
《경교명승첩京郊名勝帖》하,
간송미술관 소장.

겸재에게 전하고자 했던 것이다. 겸재는 그 마음을 읽고 이 그림을 그려 냈다.

몇백 년이나 묵었을지 모를 노거수老巨樹가 절문 앞에 줄로 늘어서 있는데 잎 진 가지 위에 눈꽃이 가득 피어 있다. 절 문이 행랑채 딸린 재궁齋宮 건축의 특징을 보이고 있어 왕릉의 조포사造泡寺 *인 것이 분명하니 이때 서울 주변에 남아 있던 대표적 원찰인 뚝섬 봉은사奉恩寺가 아닐지 모르겠다.

절 문이나 줄행랑의 지붕 위에도 눈이 가득 쌓여 있고 땅 위에도 눈빛뿐이다. 이렇게 눈빛 일색의 단조로움을 깨뜨리려는 듯 절 집의 벽을 온통 분홍빛으로 칠해 놓았다. 파격이라 하지 않을 수 없다. 절문 앞 큰길가에는 큰 도랑이 여울지며 흐르는데 그 위로는 네모진 한 장 판석板石으로 돌다리를 놓았다. 방금 그 다리를 건너온 듯한 율곡선생이 검은 소를 타고 도롱이 삿갓 차림으로 절문 앞에 당도하고 있다. 소가 아직 채 걸음을 멈추지 못한 상태인데도 고깔 쓴 승려들이 달려들어 우선 도롱이부터 벗겨 드리고 있다. 정녕 '사문탈사'의 장면이 연출되고 있는 것이다.

얼굴이 보이는 쪽 승려는 나이가 상당히 들어 보인다. 아마 이 절 주지인 듯하다. 주지가 직접 달려 나와 이렇게 허겁지겁 도롱이를 벗겨 드릴 정도라면 율곡선생과의 관계가 어떤 것일지 대강 짐작이 간다. 문 안으로부터 젊은 승려 하나가 잇달아 합장하며 달려 나오고 문 안 층계까지 달려 나오던 노승은 뒤따르던 젊은 승려에게 다담을 준비시키는 듯 뒤 돌아서서 무엇을 지시하고 있다. 눈 속을 뚫고 눈 사랑하는 감회를 함께 하려 찾아온 현자를 맞는 사찰의 분위기가 유감없이 드러나 있다.

그러나 『율곡전서栗谷全書』에는 율곡선생이 눈 오는 날 소를 타고 절을 찾았다는 내용은 실려 있지 않다. 그리고 소 타고 간 율곡고사의 본시本詩하고 인용한 시 구절은 율곡이 우계牛溪 성혼成渾(1535~1598)을 찾아갔다 남긴 시다. 사천이나 겸재가 율곡과 우계 관계를 모를 리 없으니 이는 착오에 의해서 저질러진 일이라 볼 수 없다.

오히려 문집에는 실리지 않았지만 율곡선생의 〈사문탈사〉는 누구나 아는 고사였기에 이후 화제로 삼되 시만은 '눈 속에 소 타고 호원을 찾아갔다가 작별하면서雪中騎牛訪浩源敍別'의 내용에서 일부를 따다가 제사를 삼으려 했던 듯하다.

* **조포사**造泡寺
왕릉 원찰을 일컫는 말.
두부 만드는 절이란 의미이다.

율곡학파의 핵심으로 자부하고 있던 사천과 겸재 사이에서 있음 직한 일이다.

이 시가 이루어지던 배경을 『율곡전서』와 「우계연보牛溪年譜」 등을 종합해 추론해 보면 다음과 같다. 율곡선생이 43세 때인 선조 11년(1578) 무인戊寅 겨울 어느 날 함박눈이 펑펑 쏟아지자 마침 파주 율곡에 머물고 있던 율곡은 머지않은 곳인 파주 우계에 은거하고 있던 금란金蘭의 벗 우계 성혼이 문득 보고 싶어 소를 타고 수십 리 눈길을 헤치며 우계로 찾아갔던 모양이다.

눈 오는 날의 흥취를 못 이겨 찾아온 지기知己를 맞는 우계의 심회 또한 어떠했겠는가. 저물녘에 만나서 밤새 회포를 풀다 보니 어느덧 새벽닭이 울고 설월雪月이 창가에 어리었다. 날이 밝자 율곡은 내친김에 그대로 자신의 은거처인 해주 석담石潭으로 내려가고 만다. 이 시는 율곡이 우계에서 해주로 떠나며 우계에게 남긴 시다. 그 시 전체를 옮기면 다음과 같다.

한 해 저물고 눈이 산을 덮는데, 들길은 큰 나무숲 사이로 나뉘어 간다.

소타고 어깨 웅숭그린 채 어디로 향해서 가나, 내 맘속 미인은 우계 물가에 있다네.

사립문 저녁에 두드려 맑은 얼굴 읍하여 뵈니, 작은 방에서 잠방이 걸치고 포대기에 의지해 있네.

고요하고 긴 밤에 앉아서 잠 못 이루니, 벽 가운데 푸른 불빛 등 그림자만 남긴다.

반평생 이별을 슬퍼함만으로 족한데, 다시 천산의 갈 길을 생각하니 어렵기만 해라.

얘기 끝에 뒤척이다 새벽 닭 울매, 눈 들어 창을 보니 서리 친 달빛만 차갑다.

歲云暮矣雪滿山, 野逕細分喬林間. 騎牛聳肩向何之, 我懷美人牛溪灣.

柴扉晩扣揖淸臞, 小室擁褐依蒲團. 寥寥永夜坐無寐, 半壁靑熒燈影殘.

因悲半生別離足, 更念千山行路難. 談餘輾轉曉鷄鳴, 擧目滿窓霜月寒.

李珥, 『栗谷全書』卷二 雪中騎牛訪浩源敍別

척재제시惕齋題詩 도판77

한강이 행주幸州 앞에서 호수처럼 넓어짐으로 행호幸湖라 부르고 이곳에서 바닷물과 민물이 만나므로 각종 물고기들이 많이 나는데 그 중에서도 웅어葦魚와 황복黃鰒은 계절의 진미眞味로 서울 미식가들의 사랑을 독차지했다.

초여름 보리누름에 훈풍薰風을 타고 바다에서 강으로 산란하러 올라오는 어종이다. 그러니 겸재와 같은 화성畵聖의 미감味感이 이 맛을 모를 리 없고 그 진기한 별미를 얻고 나서 평생지기인 사천에게 먼저 맛보여 주려는 생각을 하지 않았을 리 없다.

이에 겸재는 싱싱한 웅어 한 꿰미를 날랜 군노軍奴◆를 시켜 사천에게 선물로 보내면서 척재惕齋가 웅어 꿰미를 선물받고 시를 지어 답례하던 옛일을 생각해 내고 〈척재제시惕齋題詩(척재가 시를 짓다)〉라는 화제畵題로 그림까지 그려 함께 보냈던가 보다.

이에 사천은 그 답례로 그림 그리기에 좋은 종이인 설화전雪花牋 6폭을 싸서 보내며 시찰詩札◆로 답서를 보낸다. 이런 사실들은 〈척재제시〉 그림 뒷면에 사천의 답장삽도67이 붙어 있기 때문에 짐작할 수 있다. 그 내용을 옮겨 보면 다음과 같다.

◆**군노**軍奴
군영에 딸린 종

◆**시찰**詩札
시로 쓴 편지

설화전雪華牋 육폭六幅을 싸서 종해헌宗海軒에 보냅니다.

내가 제시를 하고저 하나 좋은 시 없어, 설화전 펴 놓고 머뭇거린다.

차라리 파릉태수巴陵太守에게 권卷째로 보내, 강천江天에서 안책岸幘◆ 쓸 때나 기다림만 같지 못할걸. 신유년 첫여름에 사제槎弟.

버들가지에 꿰어 보낸 것으로 한 술 뜰 수 있었습니다. 제 시를 보시고자 한다 하나 제가 보고자 하는 것은 몇 배입니다. 육지六紙가 애상碍傷될까 보아 하나의 시축詩軸 중에 넣어 보내니, 육지를 돌려 보내실 때 함께 돌려 보내소서. 속말에 기다리게 하는 것으로써 병회病懷를 위로하는 것이 어렵지 않다 합니다. 18일 새벽에 조아림.

◆**안책**岸幘
관冠의 일종인 책幘을 젖혀 이마를 드러내는 것으로 파탈擺脫을 의미한다.

雪華牋六幅, 裹奉宗海軒. 我欲題詩無好詩, 雪牋披拂故遲遲. 不如卷與巴陵守, 待入

216

설화전 6폭雪花牋六幅^{삽도67}

이병연李秉淵,
1741년 신유辛酉 초하初夏,
지본묵서紙本墨書, 37.4×24.8cm,
《경교명승첩京郊名勝帖》하권 17면,
간송미술관 소장.

江天岸幀時. 辛酉初夏 槎弟.

貫柳之惠, 令人加匕. 欲見我詩, 我之欲見者, 尤倍倍. 六紙恐碍傷, 入於一詩軸中以去,

還六紙時, 幷還. 俚無難待以慰病懷. 十八早頓.

《京郊名勝帖》原蹟.

　　이로 보면 신유년辛酉年(1741) 초여름 어느 날에 겸재가 웅어를 한 꿰미 사천
에게 선사했던 모양이고 그때에 〈척재제시惕齋題詩〉의 시화를 소재로 하여 이
그림을 함께 그려 보냈던 듯하다.

　　그렇다면 겸재가 웅어 꿰미를 보내면서 함께 그려 보내 사천의 시심詩心을 촉
발시키려 했던 〈척재제시〉라는 고사도故事圖의 주인공인 척재는 과연 누구였을
까. 이런 풍류와 호사를 누릴 만한 인물로 척재라는 호를 가진 인물은 전라감사
를 지냈던 척재 김보택金普澤(1672~1717)밖에 없다.

217

김보택은 당시 조선제일 명문가로 꼽히던 광산김씨光山金氏로 광성부원군光城府院君 김만기金萬基(1633~1687)의 손자이자 이조판서 김진구金鎭龜(1651~1704)의 둘째 자제였다. 즉 숙종(1661~1720)의 첫째 왕비인 인경仁敬왕후(1661~1681)의 친정 조카다.

당대 제일 명문가이자 왕실의 가까운 친척이었으니 계절의 진미가 진상되는 것은 당연한 일이었을 터인데 척재가 시문서화詩文書畫에 능통한 풍류문사였음에랴! 계절의 진미인 웅어 꿰미가 진상되자 시 한 수로 멋들어진 답례를 한 연후에 이를 받아서 그 시화詩話♦가 서울 장안에 널리 소문나 있었던가 보다. 그래서 겸재는 이를 화제로 척재가 웅어 꿰미를 받고 시 짓는 장면을 그려 낼 수 있었던 모양이다.

♦ **시화**詩話
시에 얽힌 이야기

서가에 책들이 가득 쌓이고 네모반듯한 장판방 위에 벼루와 연적이 놓여 있으며 수염이 희끗희끗한 초로初老의 건장한 선비 하나가 붓을 들어 흰 종이 위에 시를 쓰려 하고 있다. 사랑 앞마당에는 각종 활엽수와 침엽수들이 가득 들어차서 울창한 녹음을 자랑하는데 파초 한 그루가 훌쩍 커서 기와지붕을 능가한다.

심부름 온 군노軍奴가 뜰 아래 마당 가운데 서서 웅어 꿰미를 들어 보이자 척재라고 생각되는 초로의 선비가 만면에 반가운 기색을 띄우며 시상詩想을 가다듬는 모습이다. 무서운 기세로 뻗어 올라간 파초의 형세에서 집주인의 기개를 엿볼 수 있는데, 열려진 아래위 창문 밖으로도 온통 푸르름뿐이다. 실제로 척재댁 뜰의 짙푸름이 이와 같았을 것이다.

어느 때 겸재가 척재댁을 방문하여 느꼈던 인상이었을지도 모르겠다. 척재의 생김으로 보아 능히 이런 집안 분위기를 이루어 놓았을 만하다. 이런 대담한 청록青綠의 구사는 겸재 그림 중에서도 매우 희귀한 예다. 조선시대 집권층 사대부 생활환경을 헤아려 볼 수 있게 하는 좋은 풍속자료다. 척재가 살던 곳은 지금 헌법재판소가 들어서 있는 종로구 재동 83번지 일대다.

후손가에 소장된 척재 초상화[삽도68]와 비교해 보면 코 크고 수염 많은 이 인물이 척재 김보택임이 거의 틀림없겠는데 초상화보다 겸재의 인물 표현이 훨씬 더 자연스럽고 생동감 넘친다.

겸재의 지기지우知己之友들인 사천 이병연(1671~1751)과 관아재 조영석(1686~

척재제시惕齋題詩^{도판77}

1741년 신유辛酉, 견본채색絹本彩色, 33.0×28.5cm,《경교명승첩京郊名勝帖》하, 간송미술관 소장.

김보택金普澤 초상肖像^{삽도68}
1716년 병신丙申,
견본채색絹本彩色,
100.0×160.0cm,
김선명 소장.

1761)도 이와 비슷한 생활 분위기를 꾸며 놓고 살았던 듯 사천은 자신의 사랑방

인 취록헌翠麓軒 앞에 심어 놓고 즐겼을 파초를 이렇게 읊고 있다.

파초가 여름 지나 늙으니, 생의生意가 더욱 새롭다.

속 다 뽑아냄이 부끄러운 듯, 아침마다 주인 향하네.

芭蕉經夏老, 生意尙新新. 慙愧抽心盡, 朝朝向主人.

李秉淵, 『槎川詩選批』 卷下, 芭蕉

관아재도 자신의 사랑방인 관아재에서 파초를 바라보며 이런 시를 지었다.

두 줄기 서로 안 듯, 속 뽑기도 또 때가 있구나.

숙이고 든 서너 잎, 푸르른 몇 겹 둘치어.

성질은 깨끗하여 그늘을 얻고, 풍신風神은 비 한 번에 새로워진다.

굳센 마디 없다고 말하지 말게, 오히려 범속한 티끌을 벗어났다네.

兩兩如相抱, 抽心且有辰. 低昻三四葉, 蒼綠數圍身.

性質純陰得, 風神一雨新. 莫言無勁節, 猶自出凡塵.

趙榮祐, 『觀我齋稿』 卷一 次芭蕉韻

그러던 어느 때 관아재는 파초를 겨울에 얼려 죽이고 사천에게 그 분주分株를 청하게 되었던 듯 「악하嶽下(사천의 다른 별호別號)께 보내 파초를 빌다寄嶽下乞芭蕉」 라는 시에서 이렇게 파초 기르던 모습을 묘사해 놓고 있다.

매양 심는 것 사랑하여 해 거듭 가니, 동서로 열 지어 우뚝우뚝 서 있었네.

줄기는 동주銅柱 같고 높이는 집과 가지런, 잎새는 푸른 구름 한 뜰 다 덮다.

더운 날 양산을랑 걱정을 말게, 비오는 날 다소곳이 빗방울 소리 듣기 마침맞다네.

원컨대 미끈한 금방망이 나눠 주시어, 내 집 앞에 심어서 대와 함께 푸르게 하소서.

每愛所栽年屢經, 東西成列立亭亭. 莖如銅柱齊高屋, 葉似蒼雲覆一廷.

署日不復愁火傘, 雨天端合聽霖鈴. 願分磊洛金椎大, 種我堂前伴竹靑.

趙榮祐, 『觀我齋稿』 卷一, 寄嶽下乞芭蕉

이 시에 묘사한 정황이 바로 척재댁 분위기와 방불하다.

겸재는 그 대경對境의 형세에 따라 이렇듯 화법畫法을 자유자재로 변화變化시켜 그에 대응할 수 있는 능력을 가진 천재화가였던 것이다. 정녕 화성다운 면모이다. 이 화첩이야말로 겸재가 화성의 경지를 보여 준 지보至寶 중의 지보라 해야 할 것이다.

어초문답漁樵問答^{도판78}

북송北宋의 강절康節선생 소옹邵雍(1011~1077)은 『어초문답漁樵問答』이라는 책을 지어, 어부漁夫와 초부樵夫가 문답하는 형식을 빌려 자신의 학설을 피력했는데, 여기에서 의리義理를 발명發明[◆]한 것이 허다하므로 후대 성리학자性理學者들이 매우 중요하게 여긴다. 그래서 이 '어초문답漁樵問答'이란 낭만적인 소재는 화제畵題로도 많은 사랑을 받게 되었으니 북송 이래로 이를 소재로 한 화적畵蹟이 많이 남겨지고 있다.

물론 우리나라에서도 고려 이래로 이런 화제의 그림이 많이 그려졌던 듯 당시 문인들의 제화시題畵詩 속에 흔히 보이고 있다. 그러니 성리학을 국시國是로 한 조선왕조에서 이 화제의 애용이 어떠했을지 가히 짐작할 만하다. 간송미술관 소장으로 널리 알려진 것만도 이명욱李明郁의 〈어초문답〉^{삽도69}과 홍득구洪得龜(1653~1703)의 〈어초문답〉^{삽도70}이 있다.

이 그림 역시 이런 전통적인 고사도故事圖로 그려진 그림이다. 겸재 자신이 성리학적 교양을 철저하게 바탕에 깔고 있던 사대부로 특히 『주역周易』에 밝았다 하니 소강절의 『어초문답』에 대해서도 상세하게 잘 알고 있었을 것이다. 그러므로 이런 그림을 그려서 성리性理의 발명을 선양하고 공감하려 했을 것은 당연하다.

나무지게를 받쳐 놓은 초부와 낚싯대와 고기 망태를 앞에 놓고 삿갓을 벗어 놓은 어부가 시냇물이 여울져 큰물로 흘러드는 산자락 나무 그늘에서 만나 고담준론高談峻論을 펴고 있는 장면이다. 의복은 당시 산림처사山林處士들이 즐겨 입던 고풍古風스런 학창의鶴氅衣지만 얼굴은 그대로 겸재 주변에 있던 조선 사람이고 나무지게도 우리 것인데, 작대기를 지겟발 쪽에서 받쳐 놓은 것이 조금 이상하다. 화면 구성상 그런 표현이 초부의 뒷배경으로 적당했기 때문에 이런 묘수를 부렸던 모양이다. 작대기가 초부 뒤로 받쳐졌더라면 얼마나 화면이 산만해졌겠는가.

어부와 초부의 옷을 청홍靑紅으로 대비시키고 그 위에 모두 흰빛을 가채加彩[◆]했다. 나무는 겸재 특유의 몰골훈염법沒骨暈染法[◆]으로 처리하여 우람하고 울창

◆ **발명**發明
경전과 역사의 뜻을 깨달아 밝힘

◆ **가채**加彩
덧칠

◆ **몰골훈염법**沒骨暈染法
윤곽 없는 우림법

어초문답漁樵問答도판78

1741년 신유辛酉, 견본채색絹本彩色, 33.0×23.5cm,《경교명승첩京郊名勝帖》하, 간송미술관 소장.

어초문답漁樵問答^{삽도69}

이명욱李明郁, 지본담채紙本淡彩, 94.0×173.0cm, 간송미술관 소장.

어초문답漁樵問答 삽도70

홍득구洪得龜,
지본담채紙本淡彩,
29.0×37.0cm,
간송미술관 소장.

◆ **첨두점**尖頭點
머리끝이 송곳처럼 뾰족한 점. 짧고
억센 풀밭 모양을 그릴 때 주로 사용한다.

◆ **초상**草狀
풀밭 모양

◆ **낭화**浪花
물보라

하게 표현했고, 토파土坡와 암석은 선묘線描를 자제하고 묵찰墨擦과 중윤重潤으
로 단순화시켰는데 성글게 찍힌 미점米點이 단조로움을 막아 주고 있다. 나무 밑
으로는 첨두점尖頭點◆과 태점苔點을 찍어 초상草狀◆을 상징했고 물결에 낭화浪
花◆를 일으켜 적막을 깨뜨리고 있다. 연분鉛粉이 산화酸化해 변색을 보이고 있
으니 겸재가 연분을 사용한 사실은 확실하다.

225

고산상매孤山賞梅도판79

〈고산방학孤山放鶴〉과 한 쌍을 이루는 화제畵題다. 북송시대의 대표적인 은일隱逸이자 서화가인 화정和靖선생 임포林逋(967~1028)가 학鶴과 매梅와 더불어 생활하는 고고孤高한 생활장면을 표현한 그림이다. 다만 〈고산방학〉에서는 방학放鶴이 주제主題이던 것이 이 그림에서는 상매賞梅가 주제가 되어, 고산孤山선생이 학을 데리고 한야寒夜에 방향芳香을 토해 내는 묵은 매화 등걸을 즐기고 있는 모습을 그렸을 뿐이다.

속이 빌 정도로 해묵은 등치에 새 가지가 돋아서 가지마다 흰 매화꽃을 달고 있는 고매古梅의 품격도 그것이려니와, 고산의 곁을 바짝 따르는 학두루미의 표현은 과연 매처학자梅妻鶴子란 비유가 어울릴 만하다고 하겠다. 월색月色이 조요照耀하는 야경夜景을 상징하느라 그런지 대기와 대지에 청靑·묵墨의 훈염暈染이 거듭되었고, 특히 매화가지 주변으로는 더 짙게 우려져 있다.

엷은 먹선으로 윤곽만 표시하여 바탕색을 그대로 드러내 놓고 있는 바위와 토파土坡에는 태점苔點이 군데군데 찍히고 나무 주변과 바위 주변에는 묵죽墨竹이 쳐져 있다. 묵죽은 농담 이중二重으로 죽엽竹葉을 쳐 내어 꼭 탄은灘隱 이정李霆(1554~1626)의 풍죽風竹을 보는 듯한 느낌이다.

담박한 화면 처리가 오히려 고산의 고고한 인품을 돋보이게 하는 효과를 가져왔다. 복건幞巾과 학창의鶴氅衣 차림에 긴 지팡이를 짚어 당시 조선 산림山林◆의 모습을 형용하고 있는데, 다만 띠와 단을 푸른빛으로 하고 옷에 분홍빛을 띄워 고격古格을 상징했다.

◆산림山林
덕망과 학식이 높으나 벼슬길에 나가지 않고 산림에 묻혀 학문 연구와 제자 양성에만 몰두하는 선비

고산상매孤山賞梅^{도판79}

1741년 신유辛酉, 견본채색絹本彩色, 33.0×23.3cm,《경교명승첩京郊名勝帖》하, 간송미술관 소장.

장안연월長安烟月^{도판80}

〈장안연우〉와 같은 시각으로 육상궁 뒤의 북악산 남쪽 기슭에서 서울 장안의 안개 낀 밤풍경을 내려다보고 그린 그림이다. 보름달이 남산 위로 휘영청 밝게 떠 있는데 밤안개가 낮게 드리워 어둠과 함께 만호장안의 수많은 인가를 모두 삼켜 버리고 말았다. 그래서 키 높은 나무숲만 거뭇거뭇 보일 뿐, 도시다운 모습은 짐작할 수도 없다. 그러니 아무리 휘영청 밝은 달이라 해도 밑에서 올려다보면 달무리가 나타날 수밖에 없다.

이런 서울의 안개 낀 보름밤 풍경을 겸재는 다만 담묵淡墨으로만 그려 내고 있다. 발묵潑墨, 파묵破墨법과 수윤법을 섞어 써서 아련하고 그윽한 밤의 정취를 나타낸 것이다. 아마 모란이 피는 늦봄의 어느 보름밤이었을 터이니 3월 보름날이나 그 다음 날 밤이 아니었던지 모르겠다. 그래도 달빛이 밝은 탓에 저 멀리 관악산, 우면산 등의 먼 산은 아득하게 보이고 있다.

미가운산법米家雲山法을 능가하는 묵조墨調의 운치라 하겠다. 이런 격조 높은 묵기墨技는 조선 중기에 이루어진 조선 전통 묵묘墨妙의 계승에서 도출導出될 수 있었을 것이다. 이렇게 겸재가 경신년 세밑에 양천현령으로 부임하여 바로 그해 겨울부터 다음 해 겨울에 걸치는 사이에 사천과 맺은 시화환상간의 약속대로 한강 주변의 명승지와 서울 백악동부白岳洞府 일대의 명승지를 계속 그려서《경교명승첩》을 이루어 놓고 나자 겸재의 화명은 더욱 높아져 누구나 겸재를 화성으로 부르는 데 주저하지 않게 되었다.

그 중 겸재에 대한 영조의 관심은 매우 커서 수시로 그 안부를 묻는다. 2월 3일 희정당熙政堂 친정시親政時에 '정선은 나이가 많지鄭敾年多乎'라고 묻자 도승지 신만申晩(1703~1765)이 '시방 양천현감이 되어 있습니다方爲陽川縣監'라는 보고성 대답을 하기도 하고(『승정원일기』 928책), 7월 1일에는 '양천현감에 대한 경기 감사의 서계書啓로는 삼가고 꾸밈없이 벼슬을 지낸다 했는데 정선이 과연 이와 같은가上日 陽川縣監書啓, 以爲謹拙居官, 鄭敾果如是耶'하고 묻자 우의정 조현명이 '삼가하고 꾸밈없는 사람입니다顯命曰 謹拙之人'라고 대답하기도 하는 것(『승정원일기』 933책) 등이 그것이다.

장안연월長安烟月 ^{도판80}

1741년 신유辛酉, 지본수묵紙本水墨, 41.0×28.2cm,《경교명승첩京郊名勝帖》하, 간송미술관 소장.

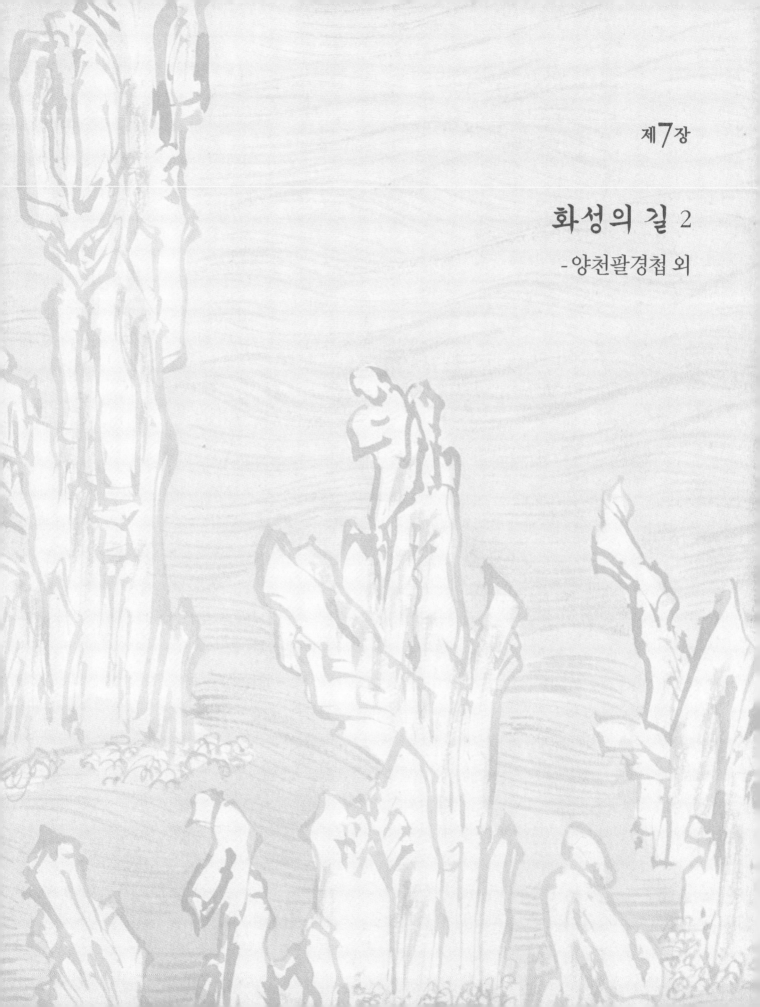

제7장

화성의 길 2
- 양천팔경첩 외

23

화훼초충花卉草蟲 및 영모翎毛

이렇듯 겸재는 국왕 영조의 권우眷遇와 공경대신公卿大臣을 비롯한 사우師友들의
애호 속에서 그들의 감상안을 충족시키기 위해 또 다른 화과畵科에서 찬란한 업적
을 남겨 놓았으니 간송미술관에 소장된《화훼초충花卉草蟲》쌍폭과《화훼영모花
卉翎毛》8폭이 그것이다.

우리 주변에 산재해 있는 풀꽃들과 채소 및 곤충, 개구리, 두꺼비, 고슴도치, 고
양이, 쥐, 닭 등이 어우러져 살아가는 모습을 세밀하게 관찰하고 정확하게 사생해
낸 그림이다. 형사形似의 핍진逼眞뿐만 아니라 생동감生動感의 현란한 표출로 역
대 어느 화훼영모초충도에서 볼 수 없었던 완성도를 보여 주고 있다.

이 중 〈자위부과刺蝟負瓜〉^{도판81}와 〈초전용서草田舂黍〉^{도판82}에는 겸재 65세시 여
름에 그린 〈삼승정〉^{도판43}과 〈삼승조망〉^{도판44}에서 찍었던 「겸재謙齋」라는 방형方形
백문白文 인장이 찍혀 있어 늦어도 겸재 66세 때인 신유년(1741)을 넘지 않는 시기
에 그려졌음을 시사한다.

《화훼영모》8폭에는《경교명승첩》에 찍혀 있는 '정鄭·선敾' 이라는 두 방짜리
인장이 찍혀 있어《경교명승첩》을 그려 가는 사이에 함께 그렸을 수도 있으니 역
시 신유년 작作일 가능성부터 배제할 수는 없다. 어떻든 인장 사용의 선후관계와
연결 지어 볼 때《화훼초충》쌍폭이《화훼영모》8폭보다 앞서 그려진 것은 틀림없
는 사실이라 하겠다. 이제 이 그림들을 차례로 살펴 나가겠다.

삼승정三勝亭 ^{도판}43

1740년 경신庚申 6월, 견본담채絹本淡彩, 66.7×40.0cm, 개인 소장.

삼승정三勝亭 **부분**

삼승조망三勝眺望 ^{도판}44

1740년 경신庚申 6월, 견본담채絹本淡彩, 66.7×39.7cm, 개인 소장.

삼승조망三勝眺望 **부분**

자위부과刺蝟負瓜 도판81

초전용서草田舂黍 도판82

자위부과刺蝟負瓜 **부분**

초전용서草田舂黍 **부분**

자위부과 刺蝟負瓜 ^{도판81}

외밭에서 고슴도치가 먹음직스런 외 하나를 따서 짊어지고 달아나는 정경을 묘사
한 그림이다. 밤송이처럼 사나운 가시로 뒤덮인 고슴도치가 거의 제 몸통 비슷한
크기의 외를 등가시로 찔러 메고 있는 힘을 다해 힘겹게 외덩굴에서 벗어나고 있
는데 얼마나 힘든지 두 눈이 튕겨 나올 지경이다. 힘차게 벋어 나간 외덩굴은 허공
을 향해 솟구쳤는데 밑으로부터 잎새와 외가 차례로 커 나가고 있다.

　뿌리 부근에는 개미취紫菀 한 포기가 자라나서 남색 꽃을 피웠고 바랭이인지 강
아지풀인지 모를 잡초가 난초 잎새처럼 군데군데 솟구쳐서 넓은 외잎새와 조화를
이루고 있다. 외꼭지 부분이나 외잎새 밑 부분 및 잎맥에 하엽록荷葉綠을 짙게 써서
사실성을 강조한 것은 화리畵理에 통달通達한 사실을 보여 주는 노련한 기법이다.

자위부과刺蝟負瓜 ^{도판81}

1741년 신유辛酉경, 지본채색紙本彩色, 20.0×28.8cm, 《화훼영모화첩花卉翎毛畫帖》, 간송미술관 소장.

초전용서 草田春黍 도판82

초가을 풀밭의 방아깨비 春黍를 그린 그림이다. 알을 슬기 위해 자줏빛으로 붉어진 배통을 가진 다 자란 암컷 방아깨비가 풀밭에서 어디로 날아갈까 망설이고 있는 모습이다. 수컷을 유인하는 몸동작이기도 하리라. 두 쌍의 작은 앞발과 한 쌍의 큰 뒷발을 잔 터럭까지 모두 표현하고 우맥 羽脈이 선명한 날개와 살아 있는 두 눈과 움직이는 듯한 더듬이를 정확하게 사생해 놓아 생물도감 生物圖鑑용으로도 손색이 없겠는데 생동감이 넘쳐나서 회화미가 화면을 압도한다.

오른쪽 아래 지면은 뱀딸기와 바랭이풀로 장식했으나 벌써 단풍색이 물들어 가고 있다. 왼쪽 화면은 키 큰 강아지풀과 오이풀로 풀밭을 상징했는데 방아깨비 주변 풀밭의 초상 草狀은 초록과 연둣빛 태점 苔點으로 처리했다. 벌써 단풍이 물들어 가는 강아지풀의 자줏빛 덧칠과 초록이 엉글어 하엽색이 된 오이풀의 설채 設彩에서 그 노련미를 감지할 수 있다.

다음은 《화훼영모》 8폭이다.

초전용서草田舂黍^{도판82}

1741년 신유辛酉경, 지본채색紙本彩色, 20.0×28.8cm,《화훼영모화첩花卉翎毛畵帖》, 간송미술관 소장.

석죽호접 石竹胡蝶 도판83

1에서 8에 걸치는 8폭의 화훼영모초충도는 이런 유類의 그림으로는 세상에 처음 알려지는 겸재 그림이다. 겸재 그림은 어느 것 하나 허술한 그림이 없고, 구도와 색감 및 사생기법寫生技法에서 탁월한 기량을 보여 가위可謂 조선회화사상朝鮮繪畵史上 최고봉을 이루는 대가大家의 작품답다. 그 중에서도 초충도草蟲圖는 뛰어난 사생력과 화려한 색채, 완벽한 구도 등으로 단연 발군의 경지에 이르고 있는데, 특히 기운생동氣韻生動하는 박진迫眞한 생태生態의 표출에는 타他의 추종을 불허한다고 하겠다.

그래서 전기前期의 신사임당申師任堂(1504~1551)이나 후기後期의 심사정沈師正(1707~1767) 등이 초충草蟲으로 이름을 얻고 있으나, 겸재에 비하면 팔면八面 생동하는 기운이 부족하고, 사생寫生의 정밀도精密度가 떨어지며, 색채의 조화와 구도의 짜임새에서도 허점虛點을 보이고 있어 겸재 초충도가 단연 으뜸이라 해야 하니 겸재는 조선회화사상 초충도로도 제일인자第一人者라 해야 할 것이다.

이 그림도 분홍과 주홍빛 패랭이꽃이 갈대꽃과 어우러져 피어 있고, 그 위로 호랑나비가 날아 내리며, 갈대꽃 위에는 풀무치 한 마리가 올라앉아 꽃을 갉아 먹는 장면을 화폭에 올린 초충도이다. 날아 내리는 호랑나비의 정세한 표현은 뒷날 '남南나비'로 불리던 남계우南啓宇(1811~1888)의 나비 그림보다 더욱 박진한 생동감이 있으며, 풀무치의 탐식貪食 장면도 순간 동작이 정확히 포착되었다.

꽃과 잎새들의 표현에서는 여성적인 섬세함이 곱게 배어나는 바, 금강산金剛山을 휘갈겨 내리던 골선骨線의 예리함이나, 인왕仁王과 북악北岳의 암벽을 문질러 내던 장쾌한 쇄찰법刷擦法✦과 비교하면 하늘과 땅 차이가 나는 필법의 변화라 해야 할 것이다.

섬세纖細와 조방粗放, 정밀精密과 소략疏略, 화사華奢와 창울蒼鬱 등 기법 상의 양극단을 자유롭게 왕래하며 소재의 성격에 따라 마음대로 그에 맞는 필법을 구사한 겸재는 가히 화성畵聖의 칭호를 받아 마땅한 대가大家라 할 수 있다.

겸재가 60대 이후 몰년沒年에 이르기까지 가장 많이 사용한 사방 7밀리미터의 '정鄭'·'선敾'이란 두 방의 백문白文✦ 인장이 찍혀 있고, '겸재'라는 관서款書가

✦**쇄찰법**刷擦法
붓을 뉘어 쓸어내리는 먹칠법.
주로 벼랑바위의 매끄러운 표면이나
수직 단면의 표현에 쓴다.

✦**백문**白文
흰 글씨

석죽호접 石竹胡蝶 ^{도판83}

1742년 임술壬戌경, 견본채색絹本彩色, 20.8×30.5cm, 《화훼영모화첩花卉翎毛畵帖》, 간송미술관 소장.

242　석죽호접石竹胡蝶 부분

노필老筆인 것은, 8폭의 그림이 기법이나 화면구성에서 완숙完熟의 경지에 이르고 있는 것과 함께, 이 그림들이 겸재 70대 전후한 시기의 작품임을 말해 주는 증거가 되는 것이라 하겠다.

과전전계 瓜田田鷄 ^{도판84}

패랭이꽃石竹花이 섞여 피고 참개구리와 나비가 있는 한여름 외밭 풍경이다. 외덩굴이 받침대도 없이 위로 솟아오르면서 휘어져 오른 것은 외덩굴에 회화성繪畫性을 부여하려는 겸재의 의도적意圖的 구도감각構圖感覺의 소산일 터인데, 덩굴손이 제 덩굴을 감아 오르거나 허공을 감고 있어 마치 외덩굴이 제 힘으로 솟아오른 듯한 느낌이 든다. 겸재가 보인 회화적繪畫的 처리의 합리성이다.

우변右邊 중심부에 넓은 외잎과 큰 외 및 참개구리를 집중 배치하여 화면畫面의 중추中樞를 이룬 다음, 외덩굴을 활처럼 휘어 올려 화면의 중심부를 꺾고 지나게 함으로써 외덩굴로 화면이 가득 차는 듯한 느낌을 가지게 하였다. 그리고 외덩굴의 아래위로는 진홍색眞紅色 패랭이꽃 한 포기가 그려져서 초록일색草綠一色의 외덩굴이 보인 색채의 단조로움을 깨뜨리는데, 이것이 샛노란 외꽃과 남빛 나비 그리고 밭두둑에 돋아난 차조기의 붉은 빛깔과 서로 어우러져 대칭對稱·대조對照·대비對比 등 신묘한 조화를 이루면서 다양한 색감을 자아내게 한다.

몇 가지 안 되는 요소들로 이렇게 다채롭게 화면을 꾸밀 수 있다는 것이 곧 겸재의 탁월한 기량技倆이라 할 수 있을 것이다. 적재적소適材適所에 안배된 구성요소의 빈틈없는 짜임새에서 겸재의 치밀한 구도감각構圖感覺을 실감할 수 있으며, 모든 소재들의 적확的確한 묘사에서 박진迫眞한 생동감을 공감하게 된다. 실로 겸재는 화훼영모초충도에 있어서도 육법六法을 겸비한 최고봉의 대가大家라 할 수 있다.

과전전계瓜田田鷄^{도판84}

1742년 임술壬戌경, 견본채색絹本彩色, 20.8×30.5cm,《화훼영모화첩花卉翎毛畵帖》, 간송미술관 소장.

서과투서 西瓜偸鼠 도판85

잘 익은 수박을 들쥐 한 쌍이 훔쳐 먹는 장면의 묘사다. 외모가 징그럽고 행동이 가증可憎스러워 쥐를 회화의 소재로 다룬 예는 그리 흔치 않다. 그런데 겸재는 수박을 훔치는 이 도둑쥐들의 가증스런 도둑질을 쥐도 모르게 관찰하고 그 현장을 실감나게 묘사해 고발하고 있다.

한 덩굴에 하나밖에 달리지 않아서 쥐가 열 마리도 더 넘게 들어감 직한 큰 청수박 밑을 파고 들어가, 잘 익은 속을 정신없이 파먹는 쥐와 들킬까 봐 머리를 쳐들고 밖에서 망봐 주는 쥐의 순간동작이 생생하게 묘사되었는데, 몰골법으로 처리한 쥐의 모습이 징그럽게 잘 표현되고 있다. 수박 속에는 여러 날 들락거린 듯 쥐가 파 놓은 자리가 연분홍빛으로 곯아 있고, 긁어내 먹고 있는 조각들은 주홍朱紅빛으로 잘 익어 있다. 수박을 화면의 중앙에 크게 배치했는데, 그 위로 수박 덩굴이 휘어져 올라갔으며, 오른쪽 곁에는 바랭이풀 한 줄기가 단풍이 들어 붉은빛을 띠고 있다.

호초점胡椒點*과 앙두점仰頭點* 등으로 수박밭의 초상草狀*을 상징하고 하단下段에는 달개비의 남빛 꽃을 무더기로 피워서 대형 수박의 무게를 지탱케 했다. 짙게 문질러 나간 청靑의 대담한 설채設彩나 무성한 수박잎과 줄기의 호방豪放한 묘법描法 등이 〈석죽호접石竹胡蝶〉의 여성적인 섬세함과는 대조적인 남성적인 웅혼미雄渾味를 드러내어 겸재 화법의 다양성을 강조하고 있다.

◆호초점胡椒點
호초 모양의 둥근 점

◆앙두점仰頭點
붓끝을 옆으로 끌되 머리 부분이 위로 들리도록 엇비슷하게 쳐 낸 점

◆초상草狀
풀밭 모양

서과투서西瓜偸鼠^{도판85}

1742년 임술壬戌경, 견본채색絹本彩色, 20.8×30.5cm,《화훼영모화첩花卉翎毛畵帖》, 간송미술관 소장.

하마가자蝦蟆茄子·도판86

늘여름 햇살 퍼지는 가지밭 풍경의 실감나는 점묘點描*이다. 아직 순 오르며 꽃 피우는 한 그루의 가지나무에 두 개의 크고 작은 가지가 아래위로 잎새 사이에 열려 있는데, 몰골법沒骨法으로 처리한 가지의 표현에서 터질 듯한 부피감이 팽팽하게 강조되어 부쩍부쩍 자라나는 여름가지의 생동生動을 실감할 수 있다. 진자주의 가지 빛깔이나 가지 잎새의 잎맥을 타고 오른 가짓빛의 훈염暈染*, 연자줏빛 꽃과 꽃받침의 가지색 등 어느 것 하나 박진迫眞*한 색채감色彩感이 넘치지 않는 것이 없다.

　그 아래로 우둘투둘 돌기가 돋아난 징그러운 등판을 가진 두꺼비 한 마리가 붉게 튀어나온 눈을 번득거리며 엉금엉금 기어 나오고 있다. 흑갈색黑褐色의 몸빛과 둔중鈍重하게 생긴 몸매가 너푼너푼한 가지 잎새와 썩 잘 어울린다. 이런 사이로 쪽빛 도라지꽃 한 줄기가 솟아나, 별처럼 깜찍한 꽃과 봉오리를 잔약孱弱한 꽃대로 힘겹게 지탱시켜 화면에 독특한 색채色彩의 조화調和를 이루어 놓는다. 참으로 설채設彩의 묘妙에 성공한 작품이라 할 만하다.

　쇠똥구리의 힘겨운 쇠똥 굴리기 장면의 정세精細한 묘사와 두꺼비가 노리는 파리의 정밀한 표현에서 겸재의 세밀화細密畵 기량이 남김없이 드러나는데, 이런 빈틈없는 화면 구성법에서 겸재의 철저한 자연관조自然觀照 태도를 확인할 수 있다.

　바랭이 종류의 풀이라고 생각되는 잡초를 난蘭을 치듯이 삼전법三轉法으로 쳐내고 있어 겸재가 난법蘭法에도 정통精通했던 것을 헤아릴 수 있다.

◆점묘點描
부분 묘사

◆훈염暈染
햇무리나 달무리 지듯 물에 먹이나 채색을 약간 섞어 우려내는 설채법. 주로 안개나 달빛 등 은은한 분위기 표현에 사용하는 기법이다.

◆박진迫眞
진실에 가까움

하마가자蝦蟆茄子 ^{도판86}

1742년 임술壬戌경, 견본채색絹本彩色, 20.8×30.5cm, 《화훼영모화첩花卉翎毛畫帖》, 간송미술관 소장.

홍료추선紅蓼秋蟬 도판87

여뀌꽃紅蓼花 한 포기가 무성하게 자라나서 마치 벼이삭 같이 생긴 붉은 꽃타래를 목이 휘도록 줄기줄기 매달고 있는 위에, 가을 매미 한 마리가 깃든 문기文氣* 있는 초충도草蟲圖이다. 여뀌는 물가에 풀밭을 이루는 흔한 잡초로되, 폭염暴炎이 물러가고 산들바람이 일기 시작하면, 야하지 않은 꽃자줏빛으로 호저강반湖渚江畔*을 붉게 물들여서, 청원淸遠해 가는 가을의 물빛·하늘빛·모래빛과 어우러져 일가경一佳景*을 만들어 내는 풀꽃이다.

그래서 고래古來로 문인묵객文人墨客들은 이의 격조格調를 인정하여 시화詩畵의 소재로 많이 다루어 왔다. 겸재도 이를 겸재 특유의 몰골기법沒骨技法으로 사생해 내면서, 청아淸雅한 소리와 품위 있는 몸매, 그리고 깨끗한 생활태도로 말미암아 역시 시화詩畵의 소재가 되어 온 매미를 서양화 기법에 가까울 만큼 음영陰影을 붙여 자세하게 묘사해 놓고 있다.

그래서 여뀌와 매미, 바랭이풀과 땅 위를 기는 두 마리의 개미 등 평범한 소재들이 이루는 이 그림에서는, 마치 서양화법西洋畵法에 능한 능력 있는 생물학자生物學者의 손으로 이루어진 잘된 생물도감生物圖鑑을 보는 것 같은 느낌이 드는 바, 이는 몰골묘에 정통한 겸재가 대상을 정밀하게 관찰하여 그 특징을 놓치지 않고 묘사해 냈기 때문일 것이다.

◆문기文氣
문사의 기풍

◆호저강반湖渚江畔
호숫가나 강둑

◆일가경一佳景
하나의 아름다운 경치

홍료추선紅蓼秋蟬 도판87

1742년 임술壬戌경, 견본채색絹本彩色, 20.8×30.5cm,《화훼영모화첩花卉翎毛畵帖》, 간송미술관 소장.

계관만추鷄冠晩雛 도판88

맨드라미꽃鷄冠花 밑에서 어미닭이 세 마리밖에 까지 못한 늦병아리를 데리고 노는 모습을 화폭畫幅에 올린 그림이다. 연지臙脂빛으로 꽃과 줄기 그리고 잎맥까지도 붉게 그려 낸 맨드라미의 무성한 포기가 화면을 가로지르고, 초록빛 바랭이풀한 포기도 이를 따라 휘어져 있어 화면에 계절감을 부여하는데, 꽃 위를 나는 고추 잠자리가 더욱 분위기를 고조시킨다.

첨두점尖頭點*이나 수조점水藻點* 등이 어지럽게 배열되어 풀밭을 상징한 꽃 아래에는 어미닭과 병아리가 몰골묘沒骨描로 묘사돼 있다. 세밀한 터럭 묘사에 묘기妙技를 보이던 당시 화원화가畫員畫家인 변상벽卞相璧(1730~?)의 닭 그림과는 대조적인 필법인데, 날개깃을 내려뜨리고 새끼 보호에 신경을 쓰는 어미닭의 자태와 마음 놓고 뛰어노는 병아리의 모습이 생생하게 표현돼 있다.

대상의 정밀한 관찰로 본질을 명확히 파악한 다음, 대담한 용필법用筆法*으로 그 특성을 강조하는 겸재 특유의 추상적抽象的 감필법減筆法*이 영모화翎毛畫에 적용된 좋은 예라 하겠다.

◆ **첨두점**尖頭點
머리끝이 송곳처럼 뾰족한 점.
짧고 억센 풀밭 모양을 그릴 때
주로 사용한다.

◆ **수조점**水藻點
물속의 말처럼 솔가지 형태로
표현한 점

◆ **용필법**用筆法
붓 쓰는 법

◆ **감필법**減筆法
감필減筆로 그리는 추상화법.
선종禪宗의 발전으로 당말唐末
오대五代경부터 발전해 온
그림 기법이다.

계관만추鷄冠晩雛^{도판88}

1742년 임술壬戌경, 견본채색絹本彩色, 20.8×30.5cm,《화훼영모화첩花卉翎毛畵帖》, 간송미술관 소장.

등롱웅계 燈籠雄鷄 도판89

등롱초燈籠草◆ 열매가 빨갛게 익고 개미취紫菀가 벽색碧色◆의 꽃잎과 노란 화심
花心◆의 청초한 모습을 보이는 뜨락에, 붉은 깃털이 화려한 장닭 한 마리가 벌레를
쪼으려는 듯 살기등등하여 공격자세를 가다듬고 있는 장면의 그림이다. 길고 튼
튼한 다리의 생김으로 보아 싸움에는 자못 자신 있는 수탉인 듯한데, 부리를 굳게
다물고 주황색 눈빛을 번득이며 목깃을 불꽃처럼 긴장시켜 곧 달려들 자세다.

겸재댁謙齋宅 뜨락에 기르던 장닭의 사생寫生이라고 생각된다. 터럭 하나하나
를 세밀하게 표현한 것이 아닌 몰골기법沒骨技法인데도 닭의 동작을 짐작케 하는
기운氣韻을 깃털 주위에서 읽어낼 수 있다.

주홍색 꽈리와 장닭의 깃털이 연결되어 이룩한 강렬한 색감이 화면을 지배하
고, 아직도 청청靑靑한 잎새들의 푸르름이 이와 어우러져 색채의 조화를 이룬다.

◆ **등롱초**燈籠草
꽈리

◆ **벽색**碧色
물빛처럼 투명하게 푸른 빛

◆ **화심**花心
꽃술

등롱웅계燈籠雄鷄^{도판89}

1742년 임술壬戌경, 견본채색絹本彩色, 20.8×30.5cm, 《화훼영모화첩花卉翎毛畵帖》, 간송미술관 소장.

추일한묘秋日閑猫 도판90

겸재謙齋 그림으로는 희귀한 영모화翎毛畵이다. 가을볕이 따사로운 어느 날, 한 그루 연보랏빛 겹국화가 화사하게 피어 있는 뜨락에 금빛 눈의 검은 고양이 한 마리가, 멋모르고 날아 내려앉은 방아깨비의 동작에 주의를 집중하고 있는 장면을 묘사한 그림이다.

가을 방아깨비답게 진보랏빛 배통이 날개 아래로 보이고, 고양이를 의식한 듯 더듬이를 날카롭게 세우면서 언제라도 다시 날아갈 수 있는 준비 태세를 갖춘 순간동작이 정확하게 포착되어 있으며, 금빛 눈에 초점을 좁게 모으고 가당찮은 미물微物의 당돌한 내침來侵◆에 장난기를 발동하려는 듯 호기심 어린 눈매로 예의銳意 주시注視하고 있는 하얀 배털을 가진 귀티 나는 고양이의 동작도 여지없이 간파看破되고 있다. 겸재의 세심한 관찰력과 실사實寫◆ 능력을 유감없이 드러낸 작품이라 하겠다.

굵고 거친 대담한 필묘筆描◆와 먹물이 줄줄 흐를 듯 임리淋漓◆한 묵법墨法◆을 호방하게 구사하는 겸재가 어떻게 꽃잎과 고양이 터럭 하나는 고사하고, 벌과 방아깨비 다리에 난 잔 터럭까지 세밀하게 묘사해 낼 수 있었는지 얼른 상상이 미치지 않는다.

그러나 주경임리遒勁淋漓◆한 진경산수眞景山水 속에 작게 표현되는 인마人馬의 경우, 확대경으로 비춰 보면 어느 그림에서나 적확的確한 묘사를 하고 있었던 것으로 미루어 보면, 이런 세밀細密한 표현법이 겸재가 바탕에 깔고 있었던 기량이었다고 생각된다. 즉 겸재의 장쾌한 운필運筆◆은 이러한 세밀화법細密畵法의 숙달熟達을 전제로 하여 이루어질 수 있었다고도 볼 수 있는 것이다.

꽃잎의 줄기와 터럭 하나의 묘사에도 세심한 주의를 기울인 것에 반하여 국화의 줄기와 잎은 몰골묘沒骨描◆로 신속하게 처리하였고, 고양이의 몸도 윤곽 부분 이외에는 모두 흑백黑白의 도색塗色◆으로 일관하여 조밀粗密◆의 극단적인 대조對照를 보이고 있다. 이 모두가 겸재다운 화면구성畵面構成의 묘리라 할 수 있겠다.

고양이 등 뒤로 천연하게 한 줄기 벋어 나간 강아지풀이나 방아깨비 뒤에 난 방동사니의 정확한 표현은 겸재의 주변 관찰이 얼마나 정세精細하였던가를 새삼 확

◆**내침**來侵
쳐들어 옴

◆**실사**實寫
실물을 그려 냄

◆**필묘**筆描
붓질이 만들어 내는 선으로
그려 내는 방법

◆**임리**淋漓
물이 뚝뚝 떨어질 듯 흥건함

◆**묵법**墨法
먹칠하는 법

◆**주경임리**遒勁淋漓
선은 굳세고 먹은 흥건하게 배어듦

◆**운필**運筆
붓놀림

◆**몰골묘**沒骨描
윤곽선을 그리지 않고 수묵이나
채색으로 직접 대상을 그려 내는
묘사법

◆**도색**塗色
색칠

◆**조밀**粗密
거칢과 세밀함

추일한묘秋日閑猫^{도판90}

1742년 임술壬戌경, 견본채색絹本彩色, 20.8×30.5cm,《화훼영모화첩花卉翎毛畵帖》, 간송미술관 소장.

추일한묘秋日閑猫 부분

인시켜 주는 것이며, 흔한 잡초라도 겸재의 손끝에 오르면 훌륭한 회화의 소재가 되었던 사실을 실감나게 한다.

〈송림한선松林寒蟬〉도 이 시기에 그려졌으리라 여겨진다. 살펴보면 다음과 같다.

송림한선松林寒蟬^{도판91}

『예기禮記』의 「월령月令」 편을 보면 '초가을 달(음력 7월)에 선들바람이 부니, 이슬이 내리고, 한선寒蟬이 운다孟秋之月, 凉風至, 白露降, 寒蟬鳴'라는 구절이 있다. 이렇게 '한선寒蟬'이란 가을 매미를 일컫는 한자어인데, 중국 진晉나라의 문사文士였던 육운陸雲은 「한선부寒蟬賦」의 서序에서 다음과 같이 매미의 오덕五德을 이야기하고 있다.

◆〈송림한선松林寒蟬〉과 뒤에 설명할 〈노송대설老松戴雪〉은 『간송문화』 66호에 수록한 탁현규卓賢奎 교수의 해설을 인용했다.

　　머리 위에 갓끈 무늬가 있으니 곧 그 문이고,

　　기를 머금고 이슬을 마시니 곧 그 맑음이며,

　　기장과 피[◆]를 먹지 않으니 곧 그 청렴이고,

　　거처함에 집지어 살지 않으니 곧 그 검소며,

　　기후에 응해 절개를 지키니 곧 그 믿음이다.

　　頭上有緌則其文也, 含氣飲露則其清也, 黍稷不食則其廉也, 處不巢居則其儉也, 應候守

　　節則其信也.

◆ **피**
곡식

　　이후 매미는 많은 문인묵객文人墨客들의 시화詩畵의 소재로 사랑받았는데 겸재의 이 매미 그림도 그 중 하나다.

　　화면 왼쪽 위에서 오른쪽 아래로 소나무 가지 하나가 자연스레 휘어져 있고 그 가운데에 매미 한 마리가 나뭇가지와 일자로 미동도 없이 딱 붙어 있다. 매미의 묘사는 어느 부분 하나 소홀함 없이 그려 냈는데, 특히 커다란 투명 앞날개 안에 작은 뒷날개의 모습까지 분명히 그려 넣어 뛰어난 관찰력을 보여 주었다. 가지 끝에는 솔잎들이 무성히 뻗어 있는데 먼저 엷은 녹색으로 약간 번지게 하여 새로 난 솔잎 떨기를 겹치게 그렸고, 그 위에는 짙은 녹색으로 묵은 솔잎들 하나하나를 무수한 붓질로 아주 가늘게 그려 냈다. 결과적으로 새로 난 솔잎의 생기를 돋보이게 하는 효과를 내었다.

　　화면 왼쪽 솔가지는 거의 생략하고 솔잎 떨기만 강조함으로써 매미가 붙어 있는 가지로 시선을 모으는 동시에 화면 왼쪽을 충실히 채워 주는 역할을 하게 했다.

송림한선松林寒蟬 도판91
1742년 임술壬戌경, 견본담채絹本淡彩, 21.3×29.5cm, 간송미술관 소장.

송림한선松林寒蟬 부분

향긋한 솔잎 향기와 맑은 매미 울음소리가 가을바람에 실려와 보는 이의 코와 귀를 부드럽게 건드릴 것 같은 청아淸雅하면서 운치韻致 있는 그림으로, 겸재 초충의 놀라운 경지를 보여 주는 수작秀作이 아닐 수 없다.

'겸재謙齋'라는 관서款書가 있고, '정鄭'·'선敾'이란 두 방의 백문白文 인장이 찍혀 있다.

이해 어름에 〈기려심매騎驢尋梅〉^{도판92}와 〈노송대설老松戴雪〉^{도판93}도 그려 내는 듯하다. 〈기려심매〉와 〈노송대설〉의 '정鄭'·'선敾'이란 방형백문인장은《경교명승첩》에 주로 사용했던 것이기 때문이다.

그림을 조금 더 살펴보도록 하겠다.

기려심매騎驢尋梅^{도판92}

겸재가 즐겨 그리던 기려도騎驢圖 형식이다. 눈 또는 빗속을 우장雨裝 갖추어 나귀 타고 나서는 겸재의 화가다운 여심旅心을 충분히 짐작하게 하는 작품들인데, 이런 그림의 범본範本은 이미 16세기 후반기에 활약하던 함윤덕咸允德의 〈기려도〉에서 그 조형祖型을 찾을 수 있다.

눈이 펑펑 쏟아지는 날, 그리운 정情을 이기지 못해 설구雪具를 갖추고 나귀를 몰아 반겨 줄 사람이 있는 곳을 찾아 나섰다. 그러나 어느덧 눈은 그치고 사방에 눈빛만 가득하다. 어둑어둑 저물어 가는 눈길을, 만남의 기대와 청랭淸冷한 눈빛으로 한껏 상쾌爽快한 마음이 되어, 느긋하게 나귀를 몰아가는 정경情景을 화폭에 담은 것이다.

대담하고 간결한 필치가 화면을 지배하고 담묵훈염淡墨暈染이 저무는 설경雪景을 상징하는데, 유난히 돋보이는 설색雪色은 깁바탕을 그대로 두어 이를 나타냈다. 나귀는 몰골묵훈법沒骨墨暈法으로 처리하여 어둠에 잠겨 드는 회색빛 당나귀의 빈약한 체구를 동감動感 있게 표현했으며, 그 위에 타고 있는 인물은 강력한 선묘線描로 강건한 체구와 정력을 암시하였다.

화면의 단조로움을 깨뜨리는 왼쪽 거목巨木이 보여 주는 굴경屈勁한 필묘筆描와 대적할 만한 힘이라 할 수 있겠다. 그러나 이러한 강렬한 힘들이 모두 부드러운 운필運筆 속에 내재되어 조금도 모나게 느껴지지 않으니, 이 그림도 겸재 65세 전후한 시기의 작품에 속하리라고 생각된다.

기려심매騎驢尋梅^{도판92}

1742년 임술壬戌경, 견본담채絹本淡彩, 22.7×30.4cm, 간송미술관 소장.

노송대설 老松戴雪 도판93

매죽헌梅竹軒 성삼문成三問(1418~1456)은 단종 복위 계획이 발각된 후 형장에서 죽음을 당하기 전에 다음과 같은 시조를 읊었다 한다.

> 이 몸이 죽어 가서 무엇이 될고 하니, 봉래산蓬萊山 제일봉에 낙락장송落落長松
>
> 되었다가, 백설白雪이 만건곤滿乾坤할 제 독야청청獨也青青하리라.

겸재의 이 눈 덮인 소나무 그림은 성삼문의 시조와 그 주제가 잘 일치한다. 소나무는 사철 푸르름으로 선비의 변치 않는 지조와 절개를 상징한다. 이 눈 덮인 소나무도 잎새와 가지와 둥치에 눈이 하얗게 내려앉았건만 아랑곳하지 않고 청청한 푸르름을 자랑하고 있다. 얼마나 묵었는지 우람한 둥치에 몇 가닥 남지 않은 가지도 늘어지고 거기 달린 솔잎도 엉성한데 눈만은 수북이 내려앉았다. 짙은 먹으로 둥치를 과감하게 후려쳐 내고 솔잎은 국화점법菊花點法으로 난타해서 싱싱한 생기를 표출해 내고 있다. 그 위에 호분胡粉을 덧칠해 눈 덮인 모습을 형용했다.

굵은 둥치가 사선으로 솟구치다 중앙에서 팔 벌리듯 가지를 양쪽으로 벌어 내어 한 그루 소나무만으로 화면이 가득 채워졌다. 솔잎은 먼저 청묵青墨으로 바탕을 엷게 우리고 나서 그 위에 진한 먹으로 잎의 형상을 쳐 낸 다음 호분을 덧칠해 눈 쌓인 모습을 상징했다. 둥치 위쪽 검은 윤곽선에도 호분이 칠해져 눈 덮인 모습이다.

오랜 세월을 견뎌 온 장송의 웅장함과 함박눈을 가득 이고서도 푸르름을 잃지 않는 의연한 자세를 드러내 보이고자 이 그림을 그린 듯하다.

'정鄭'·'선敾'이란 두 방의 백문白文 인장은 겸재가 양천현감 시절 이후에 즐겨 쓰던 것이다.

그런데 이 신유년(1741)은 정국이 또 한 고비를 넘기는 해였다. 영조가 지난해부터 시도하기 시작한 자신의 왕위 계승 정통성 문제를 확실하게 매듭지어 놓았기 때문이다. 그러기 위해서는 신임사화가 꾸며 낸 거짓 옥사라는 사실이 밝혀져야 하고 자신의 왕위 계승을 위해 목숨을 바친 당시 영의정 김창집과 영부사 이이명

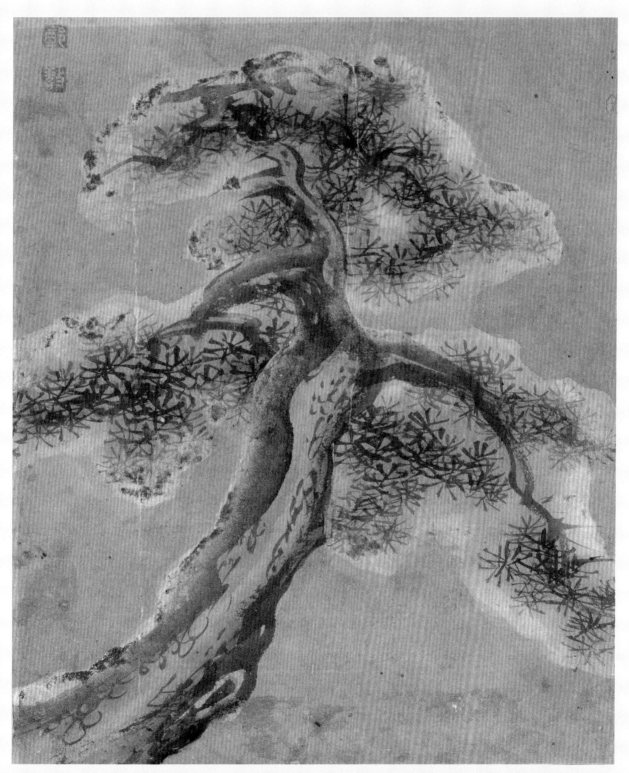

노송대설老松戴雪^{도판93}

1742년 임술壬戌경, 지본담채紙本淡彩, 18.6×23.6cm, 간송미술관 소장.

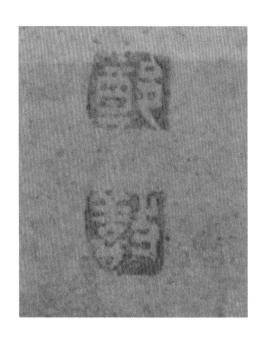

노송대설老松戴雪 부분

이 충신임을 인정해야 했다.

이에 9월 25일에는 신임사화를 일으킨 장본인인 목호룡睦虎龍의 무고誣告 옥안獄案을 소각하게 하고, 9월 27일에는 김창집과 이이명의 충절을 기리기 위해 각기 충헌忠獻과 충문忠文의 시호를 회복시켰다.

영조 원년(1725) 을사 4월 4일 을사처분에 의해 받았다가 영조 3년(1727) 정미 7월 1일에 단행된 정미환국으로 10월 6일 당시 영의정 이광좌의 청에 의해 노론4대신의 관작이 추탈되면서 빼앗겼던 시호였다. 양 대신의 시호만을 회복시킨 것이 아니라 신임사화에 연루되어 원통하게 죽은 수많은 노론 인사들의 관작도 회복시켰다.

그 다음 10일 1일에는 자신의 왕위 계승 정통성에 하자가 없음을 밝히는 「대훈大訓」을 짓고 거짓옥사의 처리문서獄案를 불태운 사실을 종묘에 고하고 천하에 교지로 반포한다. 이때 고묘문告廟文과 반교문頒敎文을 모두 영조가 직접 지었다. 이를 신유대훈辛酉大訓이라 하는데 이로부터 14년간 유지된 완소탕평당 집권은 서서히 막을 내리게 된다.

이 일을 위해 영조는 2월 14일에는 농암과 삼연의 문하제자인 홍봉조洪鳳祚(1680~1760)를 승지로 삼고 3월 12일에는 남인 중진인 창애蒼崖 홍경보洪景輔(1692~1744)를 도승지로 삼아 승정원을 대탕평 색채로 강화한 다음 6월 5일에는

『속오례의續五禮儀』 편찬을 명하고 9월 6일에는 대보단大報壇 아악기雅樂器를 완성한다.

속속 새로운 통치기준을 마련해 간 것이다. 이 과정에서 천재 조각가 최천약의 조각 솜씨는 더욱 빛을 발하게 되니 아악기를 조성할 때나 전의감典醫監에서 침구鍼灸 교습용 동인銅人을 조성할 때 모두 이를 감동조성했기 때문이다(『승정원일기』 928책, 931책, 933책, 937책, 938책 참조).

3월 27일 평안감사로 나가 있던 백하白下 윤순尹淳(1680~1741)이 관내 순찰 중 벽당碧潼에서 객사한 것이나 8월 17일 후계后溪 조유수趙裕壽(1663~1741)가 타계한 것은 겸재에게 그의 그림 애호자를 잃게 한 슬픈 일이었다. 그러나 7월 25일에 차세대 겸재 그림 애호자의 대표격인 원경하元景夏(1689~1761)가 대사헌이 되고 이천보李天輔(1698~1761)가 헌납이 되어 더욱 영조의 측근으로 다가선 것은 매우 기쁜 일이었다.

그런데 12월 7일에는 도승지로 있던 홍경보가 경기감사로 임명되어 12월 10일에 도임해 간다. 겸재는 다행으로 여겼을 것이다. 그의 그림을 애호하는 풍류문사였기 때문이다.

24

연강임술첩漣江壬戌帖

마침 다음 해인 영조 18년(1742)은 임술년壬戌年이라서 소동파蘇東坡가 중국 호북 성湖北省 황강현黃岡縣(황주黃州) 동파東坡 적벽강에서 주유舟遊하고 「전후前後 적 벽부赤壁賦」를 짓던 임술년(1082)과 동갑년同甲年이 되었다. 이에 경기감사 창애 蒼崖 홍경보洪景輔(1692~1744)는 「후적벽부後赤壁賦」가 지어지던 10월 보름날 밤 을 택해 임진강臨津江 적벽赤壁에서 「후적벽부」를 재현해 내는 선유놀이를 계획 한다. 관내 순찰을 빙자하여 경기도 최북단인 삭녕朔寧을 순시하고 임진강 상류 인 금강錦江 우화정羽化亭에서 배를 타고 그 다음 고을인 연천漣川으로 내려오면 서 선유船遊를 즐기기로 한 것이다.

일찍이 동파東坡 소식蘇軾(1036~1101)은 황주黃州 동파東坡 적벽강赤壁江변으로 유배와 살다가 송宋 신종神宗 원풍元豊 5년(1082) 임술壬戌 10월 보름날 밤에 그 적 벽강변에서 노닐고 나서 「후적벽부後赤壁賦」를 지었다. 마침 이해가 임술년壬戌 年으로 꼭 11갑자甲子가 지난 660년 되는 해인지라 그 11갑자 갑주일周甲日인 10 월 보름날을 택해 창애 홍경보는 그 「후적벽부」의 아취雅趣를 재현하고자 이런 순 행길을 주선했던 모양이다.

우화등선 羽化登船 도판94

그래서 당세 대문장가로 소문나 있던 연천군수 청천靑泉 신유한申維翰(1681~1752)
과 진경산수화의 대가인 양천현령陽川縣令 겸재謙齋 정선鄭敾(1676~1759)을 초빙
하여 동유同遊하며 각각 부부를 짓고 그림을 그려 이 성사盛事를 기념하도록 하였
다. 그때 그려진 그림이 발선發船 장면인 이〈우화등선羽化登船〉도판94과 하선下船
장면인〈웅연계람熊淵繫纜〉도판95인데 이 그림이 그려지게 되는 당시 정황을 창애
홍경보는「연강임술첩서漣江壬戌帖叙」삽도71에서 송설체松雪體의 달필로 이렇게
기록해 놓고 있다.

내가 순찰하여 살피는 길에 우도右道 산협山峽의 연천과 삭녕 사이에 다다르니 실
은 임술년 10월 보름이었다. 양천 정사군鄭使君 원백元伯 및 연천 신사군申使君 주
백周伯과 우화정羽化亭에서 만나기를 약속하고 배를 타고 흐름에 따라 내려와 횡
강橫江과 문석文石을 지나 해질녘에 웅연熊淵에 정박碇泊하여 달을 얻고서야 파
했으니 대개 소자蘇子(소식蘇軾)의 황강黃岡놀이를 모방함이었다.

이 행로行路가 물길 40리인데 좌우가 모두 깎아지른 절벽이고 또 빈객賓客과 주
효酒肴의 아름다움이 있으니 그 황강놀이에 비교해 봄에 거의 같지 않음이 없는
데, 나와 소자는 만난 바가 같지 않은 것이 있다.

소자는 멀리 강호江湖 사이로 귀향 가서 재차 적벽 아래에서 노닐며 하늘 한쪽
에 있는 미인美人(임금)을 바라보고 부인에게 말술로 의논했으며 퉁소 소리를 듣
고 즐거워하지 않았으며 긴 휘파람 소리에 따라 슬픔을 일으켰고 더불어 노닌 바
의 사람도 역시 시골 모임 중의 이객二客에 불과했을 뿐이다. 그 배회하며 감개에
잠기던 뜻과 외로운 타관살이로 밀려난 형상은 이부二賦(적후양적벽부前後兩赤壁
賦)에서 보면 가히 알 수 있다.

나는 곧 그렇지 않아서 밝은 때를 만나 외람되게도 번방 맡기심을 받았고 경기
땅 밖으로 나가지 않았으며 또 깃대 세우고 수레와 말을 모는 곁에서(순행길 곁에
서) 이런 강산의 빼어남을 얻었고 정·신 이사군二使君의 문장文章과 묵묘墨妙가
모두 속현屬縣에 있어 더불어 함께 노닐 수 있으니 이것이 모두 소자의 할 수 없었

271

우화등선羽化登船 도판94

홍경보본, 1742년 임술壬戌 10월 16일, 견본담채絹本淡彩, 94.2×33.5cm,《연강임술첩漣江壬戌帖》, 개인 소장.

之金又畫以绍之各藏一本于家是為漣江壬戌帖去
陽川縣令鄭敾書
羽化亭下盂用雪堂故事也周伯以觀察公命作賦記
是歲十月之望同漣倅申周伯陪觀察洪公游於

웅연계람熊淵繫纜 ^{도판95}

홍경보본, 1742년 임술壬戌 10월 16일, 견본담채絹本淡彩, 93.8×33.1cm,《연강임술첩漣江壬戌帖》, 개인 소장.

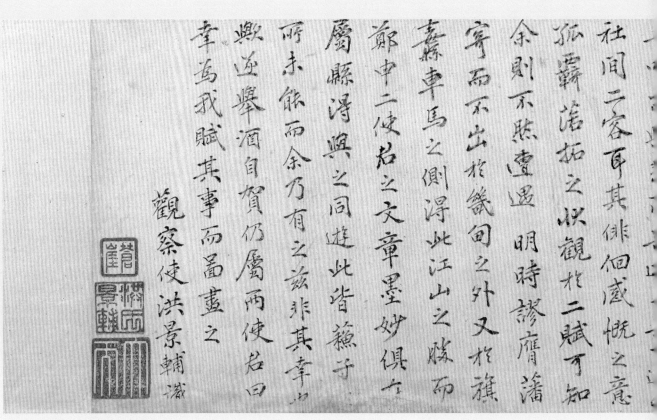

연강임술첩서漣江壬戌帖叙 ^{삽도71}

홍경보 찬서撰書, 1742년 임술壬戌 10월 16일, 지본묵서紙本墨書, 85.0×43.5cm, 개인 소장.

던 바인데 나는 이에 그것을 소유했다.

이 그 다행이 아니겠는가. 드디어 술을 들어 스스로 축하하고 이어 양사군에게 부탁하기를 '나를 위해 그 일을 부부賦로 짓고 그것을 그림으로 그려 주었으면 다행하겠다' 했다.

관찰사 홍경보가 쓴다.

余於巡審之路, 抵右峽之漣朔間, 實壬戌十月之望也. 與陽川 鄭使君 元伯 漣川 申使君 周伯, 約會于羽化亭, 乘舟順流而下, 歷橫江 文石, 薄暮泊熊淵, 得月而罷, 盖倣蘇子, 黃 岡之遊也.

是行也, 沿洄四十里, 左右皆峭壁, 又有賓客酒肴之美, 其視黃岡之遊, 殆無不同, 而余 與蘇子, 所遇不同者. 蘇子遠謫江湖之間, 再遊赤壁之下, 望美人兮一方, 謀諸婦以斗酒,

276

余於巡審之路抵太峽之漣州
間實壬戌十月之望也與陽川
鄭使君元伯漣川中使君周伯
約會于羽化亭乘舟順流而下
歷橫江文石薄暮泊熊淵得
月而羅衆薪藉子黃岡之遊也
是行也松㶙四十里左右皆峭壁
又有賓客酒肴之美其視黃岡
之遊殆無不同而余與蘇子所遇
有不同者蘇子遠謫江湖之間
再遊赤壁之下望美人于一方謀

聞洞簫而不樂, 倚長嘯而興悲, 所與遊者, 亦不過村社間, 二客耳. 其徘徊感慨之意, 孤羈
落拓之狀, 觀於二賦可知.

　余則不然, 遭于明時, 謬膺藩寄, 而不出於畿甸之外, 又旗纛車馬之側, 得此江山之勝,
而鄭申二使君之文章墨妙, 俱在屬縣, 得與之同遊, 此皆蘇子之所未能, 余乃有之, 玆非其
幸也歟. 遂擧酒自賀, 仍屬兩使君曰, 幸爲我賦其事, 而圖畵之. 觀察使 洪景輔識.

　홍경보는 선조 때 대사헌을 지낸 모당慕堂 홍이상洪履祥(1549~1615)의 제육자第
六子 탁𩆸(1597~1651)의 현손玄孫으로 그의 재종증조再從曾祖는 선조부마 영안위永
安尉 홍주원洪柱元(1606~1672)이며 그 조부 홍만종洪萬鍾(1637~1688)은 도승지都承
旨를 지내고 그 부친 두담杜潭 홍중하洪重夏(1658~1716)는 전라감사全羅監司를 지

277

낸 경화거족京華巨族의 후예였다.

그런데 이 홍경보 가계는 서인西人 중추가문이던 영안위 가계와는 달리 일찍부터 동인東人 색목色目을 띠다가 홍만종 단계에 와서는 남인南人을 표방하여 노소론갑족老少論甲族이 되는 영안위 후손들과는 당색을 달리한다. 그래서 홍경보도 남인의 골수로 서인 공격에 앞장섰던 이조판서 심재沈梓(1624~1693)의 손녀사위가 되는데 이 심재는 미수眉叟 허목許穆(1595~1682)을 추종하던 청남淸南 계열이었다.

이에 홍경보는 경기감사가 되자 허미수許眉叟 일파의 근거지로 그들의 유적遺蹟이 많이 남겨져 있는 임진강 상류의 삭녕과 연천 일대를 순행하며 이들의 유훈遺薰을 체감體感하고자 한다. 마침 영남嶺南 남인南人 계열의 명문장인 청천靑泉 신유한申維翰이 연천군수로 있는 것이 절호의 기회였다. 거기에다 소동파의 적벽부가 지어지던 임술년에 해당함에랴! 추수가 끝난 시기인 10월 보름을 택해〈후적벽부〉가 지어지던 적벽주유赤壁舟遊 장면을 바로 삭녕의 우화정으로부터 재현해 내기 시작해 연천 웅연熊淵에서 마무리 지었다.

위 서문에서 지적했듯이 명화가인 양천현령 겸재 정선과 명문장인 연천군수 청천 신유한이 배행한 경기감사의 선유놀이였으니 그 호사스러움이 어떠했었겠는가. 귀양살이에서 술 한 말 구하기가 어려운 처지에 있었던 소동파의 적벽주유와는 비교도 할 수 없는 것이었을 터이다.

그러나 시문서화詩文書畵에 능통한 당대 일류 문사들의 풍류 있는 아회雅會요, 소동파의「적벽부」장면을 재현하는 놀이인지라 범속한 관유官遊의 질탕한 면모와는 거리가 멀었다. 그래서 겸재가 선유 중에 이와 같은 그림도 그려 낼 수 있었다.

우화정에서 배를 띄우며 선유를 시작해〈우화등선羽化登船(날개 돋쳐 배에 오르다)〉이란 화제畵題로 그림을 그려 내는 것부터가 소동파 풍류를 남김없이 재현하고자 하는 의지의 발로發露다. 본래 우화정은「전적벽부前赤壁賦」의 '펄펄 바람에 나부끼어 세상을 버리고 홀로 서 있듯 하니 날개가 돋혀 신선으로 오름이라飄飄乎如遺世獨立, 羽化而登仙'는 구절에서 따온 정자 이름이다. 『삭녕지朔寧誌』에 의하면 이 정자는 현종 8년(1667) 정미丁未에 미수의 제자로 삭녕군수를 지내던 화곡華

谷 이산뢰李山賚(1603~1671)가 창건했다 한다. 그 내용은 다음과 같다.

우화정은 군의 남쪽 8리에 있다. 강과 시내의 만나는 곳 오른쪽에 대臺가 있는데 정자가 없었다. 현종 정미(1667)에 군수 이산뢰가 비로소 정자를 짓고 숙종 기미己未 45년(1679)에 군수 민정백閔珽栢(1636~1710)이 중건했으며, 영종 경술庚戌 6년(1730)에 군수 홍정보洪鼎輔(1685~1760)가 중수했다.

羽化亭, 在郡南八里. 江川之交, 右有臺, 無亭. 顯宗丁未, 郡守李山賚始作亭, 肅宗己未, 郡守閔珽栢重建, 英宗庚戌, 郡守洪鼎輔重修.

『朔寧誌』樓亭, 羽化亭條.

이 우화정을 짓고 나서 삭녕군수 이산뢰는 연천에 낙향해 있는 그 스승 허미수와 동문인 장단군수 및 이미강李湄江이란 이를 초빙하여 함께 즐기며 이미강에게는 「우화정기羽化亭記」를 짓게 하고 미수에게는 그 기문記文의 서序를 지어 달라했던 모양이다. 그래서 미수는 「유우화정서遊羽化亭序」를 지었으니 그 대강을 옮겨 보면 다음과 같다.

◆**안삭**安朔
삭녕 별호

우화정이란 것은 안삭安朔◆ 읍치의 동쪽 강상江上 정자다. 임진 장단으로부터 상류 몇 군의 지경에서 안삭만을 홀로 강산江山의 명승으로 일컫는다. 이곳은 끊어진 언덕바위 벼랑 위로 강 위에 사는 사람들은 대臺라고 말하며 백 년百年을 절경으로 일컬어 왔었는데 지금의 태수 이후李侯가 무사無事함으로써 산수山水와 고사古事를 찾다가 이 언덕을 얻고 즐거워하며 대상臺上 정자를 짓고 와 앉으니 넓게 트이고 높고 밝다. 노닐며 쉬는 도구도 대개 역시 때가 있어서 이루어지는 것인가 보다.

앞뒤로는 숲이 무성한 산봉우리들이 있고 강안江岸은 모두 흰모래이며 그 위는 잡초 무성한 평평한 들인데 강물이 휘돌아서 아래위가 아득하다. 동쪽에 큰 내가 있어 남쪽으로 흘러 깎아지른 절벽을 지나 정자 아래에서 합치는데 오래된 나루가 있고 긴 다리도 있다. 산골 풍속은 사람 사는 모습이 매우 드물어서 길에 사람이 없는데 모래 위에 도롱이 입고 그물 가진 이 몇 사람이 있어 서로 부르며 이야기한다.

279

나는 연천에서 늙다가 장단, 삭녕 2군 태수와 미강湄江 이군李君과 함께 이곳에서 노닐며 서로 즐긴다. 정월正月에 크게 춥고 눈이 와서 고목古木이 많이 말라 죽어서 3월에 꽃이 없었으나 그러나 때가 이미 초여름이라 강 위에 수풀이 많아져서 그늘이 깊어졌고 마침 비가 새로 개니 아름다운 정취가 저절로 많아진다. 이에 이군이 우화정기羽化亭記를 짓고 내게 서序를 짓도록 부탁한다. 금상今上 8년 4월 갑술일甲戌日에 공암孔巖 허목許穆 미수眉叟가 서序하노라.……후侯의 이름은 산뢰山賚고 자字는 중이重而며 연릉인延陵人이다. 목穆이 쓴다.

羽化亭者, 安朔邑治之東 江上亭也. 自臨湍, 上流數郡之界, 安朔 獨稱江山之勝. 此也絶岸巖壁上, 江上人 指言臺, 且百年稱絶景, 今太守李侯, 以無事, 訪山水古事, 得斯丘樂之, 作臺上亭, 以臨, 寥廓高明. 遊息之具, 蓋亦有時而成 者也.

前後有茂林岡巒, 江岸皆白礫, 其上平蕪, 江流灣洄, 上下渺茫. 東有大川, 南流過峭壁, 合於亭下, 有古渡, 有長橋, 峽俗人事絶稀, 道無人, 沙上有被蓑持網者數人, 相呼語. 余老於漣上, 與湍朔二郡太守 湄江李君, 遊相樂於此. 正月大寒雪, 古木多枯死, 三月無花, 然時已孟夏, 江上多樹林深陰, 適雨新晴, 佳趣自多. 於是李君作羽化亭記, 屬余爲序. 上之八年四月甲戌, 孔巖許穆眉叟序.…… 侯諱山賚, 字重而, 延陵人. 穆識.

겸재가 경기감사 창애 홍경보를 배행하기 위해 이 우화정에 갔을 때는 창애의 10촌형인 영안위 증손 홍정보洪鼎輔(1685~1760)가 12년 전인 영조 6년(1730)에 중수해 놓은 그 모습을 간직하고 있었을 것이다.

그래서 층암절벽으로 이루어진 강안 절벽의 고대상高臺上에 굉장한 규모의 정자가 날아갈 듯이 서 있는데 그 주변으로는 키 큰 소나무가 늙은 가지를 드리운 채 강바람에 시달리고 있으며 해묵은 잡수雜樹들도 앙상한 가지를 바람결에 내맡겨 육지를 향해 쏠리고 있다. 사방이 탁 트인 정자는 벼랑 끝에 위태롭게 지어져서 절벽 밑을 휘돌아가는 강물을 정자에 앉아 바로 내려다볼 수 있지만 정자 앞마당은 큰집 타작마당만큼이나 넓고 평평하다.

그 마당 저쪽 끝에는 정자를 수호하거나 나루터를 지키는 백성들의 집인 듯한 초가집들이 두어 채 보이는데 모두 섶울타리로 둘러져 있다. 고대를 이루는 강안 절벽은 대부벽준大斧壁皴을 과감하게 사용하여 층층이 찍어 내고 있어서 임리淋

漓한 부흔斧痕이 처참하도록 살벌한 분위기를 자아낸다.

묵즙墨汁이 주르륵 흘러내리듯 장쾌하게 쓸어내린 농묵준찰법濃墨皴擦法이나 담묵淡墨으로 그 위를 몇 번씩 엷게 우려내어 깊이를 더해 가는 알담법斡淡法을 조화롭게 사용하여 층암절벽의 험준한 자태를 이렇게 실감나게 표현해 낼 수 있다니, 이는 이제 67세의 노경에 이르러 화도畵道수련이 가경佳境에 접어든 겸재 아니고서는 이루어내기 힘든 기법이라 하지 않을 수 없다.

그 깎아지른 절벽의 험준함을 강조하기 위해 오르는 길을 가파르게 내어 마치 절벽에 틈이라도 생긴 듯 보이게 하는 것도 겸재 특유의 절벽길 표현법이다. 미수가 「유우화정서」에서 기록한 것처럼 정자 아래에는 나루터와 긴 다리長橋가 있어, 감사 일행이 등선登船하는 곳으로 나룻배가 오가며 사람들을 실어 나르고 다리로도 사람들이 내왕하며 부지런히 무슨 일들을 주선하고 있다.

긴 다리가 놓인 곳은 북천北川이라고도 하고 손청탄孫廳灘이라고도 하는 대천大川이 합강合江되는 지점인데 미수의 기록대로 그 대천물이 깎아지른 절벽 밑을 흘러 임진강 상류의 금강錦江에 합류하고 있다. 그 절벽들은 마치 총석정叢石亭 사선봉四仙峯처럼 모두 방주형方柱形의 독립 암봉岩峯으로 표현되고 있다. 아마 총석정을 많이 그려 본 겸재가 그 기법을 원용援用한 모양이다. 총석정 그림에 사용하던 장부벽준법長斧壁皴法이나 봉상송법峯上松法을 그대로 쓰고 있는 것에서 이를 확인할 수 있다.

그러나 그 다음 강안 절벽은 도끼 자국만 깊고 넓게 내는 단소부벽준短小斧壁皴을 어지럽게 사용하여 석벽石壁의 난적상亂積狀을 표시하고 있다. 이는 아마 실제 석벽의 모양이 그렇기 때문에 이런 준법을 구사했을 것이다. 그 배경으로 둘러쳐진 토산중봉土山衆峯은 아주 부드러운 피마준披麻皴과 미점米點 및 미가송수米家松樹로 단아하게 처리되어 있다. 모진 석벽과 음양대비陰陽對比를 이루게 하기 위해 의도적으로 강조한 기법이기도 하겠으나 사실 이 지역 산세가 이와 같기도 하다.

강안 석벽 뒤 토산 기슭에 널려 있는 바위들을 윤곽만 그려 내어 마치 백석군白石群이 있는 것처럼 표현해서 절벽의 험상궂게 검은 바위 빛과 대조를 이루게 한 것도 음양조화를 꾀하려는 겸재의 숨은 의도일 듯하다. 수파문水波文을 거의 그려 넣지 않아 고요한 강물임을 강조하고 있는데 그 위로 감사 일행이 탔을 대형大形 관선官船은 많은 사람을 싣고 앞서 저어 나가고 있다.

모두 사복을 한 듯 쪽빛 푸른 도포 차림으로 혹은 뱃머리에 나와 서서 손으로 앞을 가리키기도 하고 혹은 뱃전에 서 있기도 하며 뜸집 안에 좌정해 앉아 있기도 한다. 뜸집 안에 병풍을 두르고 좌정해 있는 이는 놀이의 주역인 홍경보 감사일 것이다. 뒤로는 뱃놀이를 돕기 위해 동원했을 찬수선饌羞船과 가무기歌舞妓들이 타고 있음 직한 채선彩船이 따르고 있다.

그림의 우측右側 끝에 〈우화등선羽化登船〉이란 겸재 자필 화제畵題가 쓰여 있고, 65세 이후에 주로 사용하던 '정鄭'·'선敾'이라는 사방 7밀리미터의 방형백문인장方形白文印章이 찍혀 있다. 그 위로는 강변 산자락 끝에 원촌遠村의 모습이 숲에 쌓인 채 아득하게 표현되어 산협인사山峽人事가 희미한 것을 나타내 주기도 한다.

웅연계람熊淵繫纜^{도판95}

경기도관찰사 창애 홍경보를 수행한 당대 제일 명화가 겸재 정선과 명문장가 청천 신유한은 삭녕 우화정에서 배를 타고 40여 리 물길을 따라 선유하며 내려와 연천 웅연熊淵에 배를 대고 밤새워 놀았던 모양이다. 이는 소동파가 〈후적벽부〉에서 밝힌 설당고사雪堂故事를 재현하려는 의도에서 벌린 놀이였다.

그래서 창애는 마침 관내 수령으로 있는 진경산수화의 대가 양천현령 겸재 정선과 연천군수 청천 신유한을 초빙해 함께 놀며 그 놀이 장면을 부賦로 지어 남길 뿐 아니라 진경산수화로 그려 남기게 함으로써 동파 풍류를 압도하려 했다. 이에 청천은 〈의적벽부擬赤壁賦〉를 짓고 겸재는 진경산수화법眞景山水畫法으로 그 선유 장면을 사생해 기록화記錄畫로 남기게 된다.

여기 소개하는 〈웅연계람熊淵繫纜(웅연에 닻줄을 매다)〉^{도판95}은 그 중에서 웅연에 배를 대는 장면을 그린 그림이다. 현재 이 그림은 〈우화등선〉과 함께 남겨져 있는데 본래는 화첩畫帖으로 꾸며져 있던 것을 파첩破帖하여 각각 유리 액자에 넣어 놓고 있어서 그 원형을 짐작하기 어려운데 아마 표지에 《연강임술첩漣江壬戌帖》이라 써 있었을 것이고 표지를 열면 홍경보의 「연강임술첩서漣江壬戌帖叙」가 맨 처음에 실리고 그 다음에 겸재의 두 그림이 있으며 청천의 〈의적벽부擬赤壁賦〉가 마지막에 실려 있었을 것이다.

지금은 홍창애의 「연강임술첩서」와 〈우화등선〉이 함께 표구되어 한 액자에 들어 있고 〈웅연계람〉과 신청천의 〈의적벽부〉가 같이 표구되어 한 액자에 들어 있다. 그런데 이 〈웅연계람〉도 뒤에는 다음과 같은 겸재 친필의 발문^{삽도72}이 붙어 있다.

이해 10월 보름에 연천군수 신주백申周伯과 함께 관찰사 홍공洪公을 배행하여 우화정 아래에서 노니 모두 설당고사雪堂故事를 이끌어 쓴 것이다. 주백은 관찰사 공 명령으로 부賦를 지어 그것을 기록하고 나는 또 그려서 그것을 이었다. 각각 일 본一本씩 집에 수장하기로 했으니 이것이 《연강임술첩漣江壬戌帖》이라 하는 것이 다. 양천현령陽川縣令 정선鄭敾이 쓴다.

是歲十月之望, 同漣倅申周伯, 陪觀察洪公, 遊於羽化亭下, 盖用雪堂故事也. 周伯 以觀

是歲十月之望同漣倅申周伯陪觀察洪公游於

羽化亭下盖用雪堂故事也周伯以觀察公命作賦記

之余又畫以綴之各藏一本于家是為漣江壬戌帖云

陽川縣令鄭敾書

웅연계람熊淵繫纜^{도판95}

홍경보본, 1742년 임술壬戌 10월 16일, 견본담채絹本淡彩, 93.8×33.1cm,《연강임술첩漣江壬戌帖》, 개인 소장.

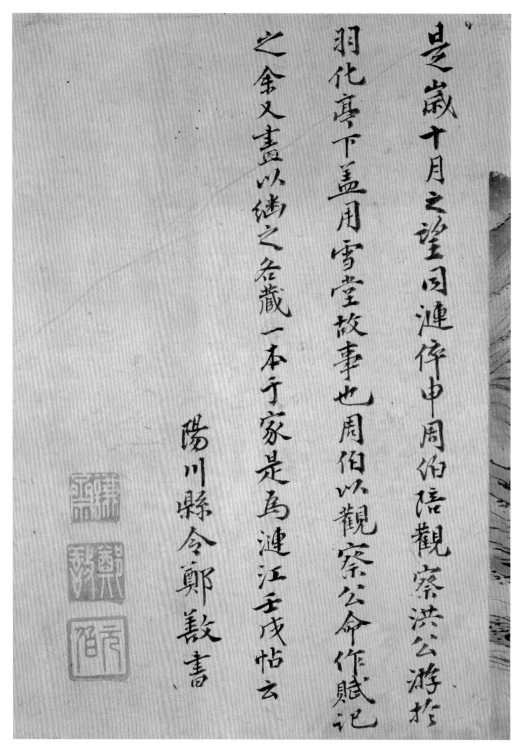

是歲十月之望同漣倅申周伯陪觀察洪公游於
羽化亭下盂用雪堂故事也周伯以觀察公命作賦記
之余又畫以綃之各藏一本于家是爲漣江壬戌帖云
陽川縣令鄭敾書

연강임술첩발문漣江壬戌帖跋文 1 삽도72

정선鄭敾 찬서撰書, 1742년 임술壬戌 10월 16일, 지본묵서紙本墨書, 25.0×43.5cm, 개인 소장.

察公命, 作賦記之, 余又畵以繼之. 各藏一本于家, 是爲漣江壬戌帖云. 陽川縣令 鄭敾書.

이로 보면 이와 같은《연강임술첩》을 세 벌 만들어 각각 나누어 가졌던 모양이다. 홍창애의 서문이나 신청천의 〈의적벽부〉야 세 벌을 그대로 베끼면 되었겠으나 정겸재의 그림이야 어찌 그럴 수 있었겠는가. 혹시 배 띄우는 장면에서부터 40리 뱃길을 계속 그려 내려와 배 타는 장면까지 6폭의 그림을 그린 것을 두 폭씩 배분했던 것은 아닐지 모르겠다.

그 중에서 처음과 끝을 합쳐 한 화첩으로 꾸민 것이 여기 소개하는《연강임술첩》이었다고 생각된다. 그렇다면 다른 두 벌의《연강임술첩》에는 다른 장면의 그림이 들어 있을 가능성이 높다. 이것들이 어느 곳에 비장돼 있다가 세상에 나와 주었으면 좋겠다. 파첩되지 않은 상태라면 그 가치는 더욱 높아진다. 어떻든 이 그림을 보면 달이 서편으로 기울어 떨어지기 직전에 놀잇배를 웅연나루에 대는 모습이다. 그래서 〈웅연계람熊淵繫纜(웅연에 닻줄을 매다)〉는 화제畵題를 달았을 것이다.

보름달이 강 상류인 서쪽 산마루 아래로 기울어져 있고 밤안개가 곰소熊淵 절벽의 허리 아래를 휘감고 있으며 강 이쪽저쪽 나루터에는 무수한 홰꾼들이 횃불을 들고 감사를 비롯한 선유객들을 인도하고 있으니 밤새워 강상에서 선유히며 놀다가 이제 달이 기우는 새벽이 되자 연천군아를 향해 상륙해 가는 모양이다.

이미 대선大船이 연천 쪽 웅연나루로 대어 갔으니 경기감사 홍창애와 양천현령 정겸재 및 연천군수 신청천 등도 그 배에 타고 있다가 상륙 차비를 차리고 있었을 것이다. 그래서 무수한 인마人馬가 나루터 백사장에 등대等待해 있고 진리津吏들이라고 생각되는 4명의 관리들이 배를 향해 백사장 땅바닥에 엎드려 절하며 감사 일행을 맞고 있다.

아직도 이편에서는 덜 건넌 수행원들을 작은 배로 계속 실어 나르고 있으며 부근의 어부들이 선유船遊의 대미大尾를 장식하기 위해 어가漁歌로 흥을 돋우려는 듯, 한 배에 가득 타고 삿대를 함께 높이 쳐들어 합창으로 노래하는 시늉을 하며 강 상류로부터 나루터를 향해 노 저어 오고 있다.

강 양안에 우뚝 솟은 절벽은 난부벽준亂斧劈皴을 어지럽게 써서 험준한 벼랑 바위임을 강조하고 있는데 곁이나 뒤로 이어지는 토산연봉土山連峯은 부드럽기 그

從...

庖而陳饋傾霞酌而半酣間毫墨以

言志古琴泠泠曰寫興洞簫嫋嫋

揚聲清雄水儒之操怨和明月

章繽江妃之闌愀悅河伯之顛狂

夜厭厭而橫參霜露湆而侵裳

相公騙馬舉酒屬客曰今日之遊

坡翁與相公之所共得即吾漢北江

山奚遜於吳江赤壁遂鼓舷而少歌

曰赤壁之儠兮渺雲天赤壁之賦半

落塵土不如熊江今夜月婆娑照

踏舡尾兮滄浪歌竟相公引盡更

酌陶然而喜益二客之不能飲半

勺亦醉余曰興闌樂不可窮夜歸

縣齋琴清月籠

連川縣監申維翰稿

의적벽부擬赤壁賦 삽도73

신유한申維翰 찬서撰書, 1742년 임술壬戌 10월 16일, 지본수묵紙本水墨, 100.0×43.5cm, 개인 소장.

伊季壬戌十月之望畿輔觀察
洪相公肅　命句宣攬彎原曙
馳車彭蠡晶發寧峽陽連兩
尉薄言追蹕翩其嚴邁度
亭坂之嶢兀木落山清江鳴
石出相公曰嘻今夕何夕緬紉
翁之豪遊我誦其辭寤寐
風流二客既同歲月惟倖睇
茲江壁昌異黃州豈不可以再
得盍追今而丞謀於是飭津
吏整蘭舟威儀孔燕帳御咸
修翼異小舲曰先後齋玉鱒與華
警古渡廣而容筏茚汝隱於薈蔚
漁火雜於樵聒仰栖鷀之危巢倚
潛蛟之幽窟剔神文於崇髓隨義
如邈其靡質明沙鋪練斷霞成綺

지없다. 유연한 피마준披麻皴과 미점米點으로만 이루어진 낮은 구릉 형태의 봉우리들이 멀고 가깝게 중첩되면서 강을 따라 이어지고 있다.

조용한 초겨울 새벽이라 그런지 물결은 조금도 일지 않고 달빛 어린 강안이 어둠에 싸여 무겁게 느껴진다. 지금 이곳은 군사분계선상의 민통선 안에 들어 있다. 그래서 민간인의 출입이 금지되어 있는 곳이다. 그러나 이 그림의 해설을 위해 관계기관의 허가를 얻어 이곳을 현장 확인할 수 있었다.

유일한 공인 어부인 최기중崔基重 씨의 안내를 받아 이곳을 찾고 보니 그림에서 대선大船이 대어진 연천 쪽 나루터는 모두 모래사장이 되어 갈대숲만 키 넘게 우거져 있고 강물은 그 대안의 배가 출발하는 쪽으로 몰려 있으나 다른 경치는 모두 거의 방불하다. 다만 절벽의 표현이 조금 과장되고 있을 뿐이다.

이쪽 산등성이의 반듯한 기와집도 저 건너의 울타리 친 초가집들도 모두 전쟁 중에 파괴되어 흔적 없이 사라져 있고 배 한 척, 사람 하나 구경할 수 없는 적막寂寞 강산이 되었지만 백구는 무심히 강물 위를 맴돌고 강바람은 갈대숲을 가르고 지나느라 끊임없이 수런거린다. 앞뒤 산들의 능선도 바로 그림 속의 그 모습 그대로다.

미수 허목이 지은 「이처사무경묘표李處士茂卿墓表」(『기언記言』 권20)에 의하면 미수 당시에는 효령대군孝寧大君 후손으로 관설觀雪 허후許厚(1588~1661)와 미수 허목의 문인이 된 이진무李晉茂(1608~1677)가 이 웅연 일대를 차지하고 있었다 하는데 허목의 제삼자第三子 허함許䤴(1628~1688)이 이 이진무의 맏사위長婿가 되었던 관계로 미수는 이 웅연에서 자주 놀았던 모양이다. 그래서 「연강조주기煙江釣舟記」, 「횡산기橫山記」, 「웅연석문기熊淵石文記」, 「웅연범주기熊淵泛舟記」, 「웅연범주도기熊淵泛舟圖記」, 「웅연범주제명熊淵泛舟題名」(이상 『기언記言』 별집別集 권9에 수록) 등을 지었었다. 그 중에 이 그림과 관련된 기록들을 몇 부분 옮겨 보겠다.

횡강橫山은 연천漣川 북쪽 강 위의 아름다운 마을인데 송림松林과 사저沙渚가 있어 위아래에 가득하고 남안南岸은 모두 층진 돌과 높은 바위 및 늘비한 바위산과 우거진 수풀이다. 앞에는 오래된 나루가 있고 강 속에는 돌이 많아 배를 강돌 사이로 끌어당겨서 가야 하므로 물이 급해서 힘을 잃으면 배는 돌 위에 가로놓여 건널 수 없다.

서쪽으로 장경석벽長景石壁을 바라보고 동남은 석저협구石渚峽口가 되는데 암벽 위에 승사僧舍가 있어 도영암倒影庵이라 한다.……그 아래가 망제탄望諸灘이고 또 그 아래가 장군탄將軍灘이며 장군탄 아래가 웅연熊淵이다.

橫山 漣川北江上佳村, 有松林沙渚, 上下瀰漫, 南岸 皆層石高巖, 列峀茂林. 前有古渡, 江中多石, 挐舟江石而過之, 水急失勢, 則舟橫石上, 不可渡. 西望長景石壁, 東南爲石渚峽口, 巖壁上 有僧舍曰, 倒影庵.—其下望諸灘, 又其下將軍灘, 將軍灘下熊淵.

許穆, 『記言』 別集 卷九, 橫山記

8월 14일 밤에 웅연에 배를 띄워 달을 감상하니 강월江月은 정중正中에 있고 모래는 밝으며 물은 멀다. 밤이 되니 강마을 사람 소리는 점점 드물어지고 포구浦口의 고기잡이 불이 깜박거린다. 이에 물결을 타고 즐기면서 이어 고기잡이와 나무꾼의 한가로움을 제명題名으로 삼아 배 위에서 더불어 이야기하니 또한 즐거움을 알겠다.

완산完山 이진무李晋茂 무경茂卿, 동래東萊 정유린鄭有隣 덕보德甫, 무경茂卿의 두 아들 정기鼎紀·현기玄紀, 덕보德甫의 조카 관주觀周로 5, 6인이 되었는데, 내가 이군二君보다 늙고 세 아들들이 모두 가장 어린 소년少年이다. 공암孔巖 허목許穆 문보文父가 쓴다.

八月十四夜, 泛舟熊淵賞月, 江月正中, 沙明水遠. 入夜, 江村人語漸稀, 浦口漁火明滅. 於是 乘流娛樂, 仍與語漁樵閒暇 題名船上, 亦識樂也. 完山 李晋茂 茂卿, 東萊 鄭有隣 德甫, 茂卿二子 鼎紀 玄紀, 德甫從子 觀周爲五六人, 僕老於二君, 而三子者 皆寂少年也. 孔巖 許穆 文父 書.

許穆, 『記言』 別集 卷九, 熊淵泛舟記

그런데 영조 15년(1739) 기미己未에 59세로 연천군수로 부임하여 영조 19년(1743) 계해癸亥에 63세로 이임하는 청천 신유한이 부임 첫 해인 영조 15년 기미 6월 9일 갑신甲申에 이곳 웅연으로 피서避署 가서 놀고 와 지은「유웅연기遊熊淵記」에서는 바로 이진무의 손자 이동성李棟成과 증손 이세응李世膺이 각각 70여 세와 40세로 이곳 주인 노릇을 하고 있었다 했다.(신유한申維翰,『청천집靑泉集』권4 참조)

그러니 겸재가 이 〈웅연계람〉을 그릴 때도 이 웅연 일대를 차지하고 있던 지주地主는 이들 부자였을 것이다.

이 〈웅연계람〉 아래에 신청천의 「의적벽부」삽도73가 함께 표구돼 있는데 『청천집靑泉集』 권3에 수록된 내용과 비교해 보니 가운데 상당 부분이 탈락돼 있다. 아마 그림 크기와 맞추기 위해 유리 액자에 넣으면서 제거했던 모양이다. 부의 내용이 상당히 난삽難澁해 알기 어려웠기 때문에 이런 일이 거침없이 자행되었을지도 모른다.

당대 명문장으로 이름난 신청천이 어찌 이렇게 껄끄러운 문장을 지었던지 알 수 없는 일이다. 감사의 특청이라는 사실을 지나치게 의식하고 소동파의 전후적벽부보다 명문장을 지어야겠다는 강박관념이 앞서서 그런 결과를 가져왔을 수도 있다. 글자를 골라 쓰는 데도 기벽奇僻한 자의字義를 취하여 소동파의 전후적벽부에서 보이는 유려 전아典雅한 풍미는 찾아볼 수 없다. 그렇더라도 장황하고 긴 그 내용을 다음에 옮겨 보겠다.

저해 임술 10월 보름에 경기관찰사 홍상공洪相公이 왕명을 받들어 두루 살피고 그 것을 널리 펴 나가려고 진펄에 고삐를 잡으니 네 마리가 끄는 수레가 우렁차게 달린다. 아침에 삭녕산골을 출발함에 양천과 연천 두 골 원이 가까이 모시고 뒤따른다. 나는 듯 그 많은 사람들이 치달려 정자 있는 언덕의 험준한 곳을 건너니 나뭇잎 떨어져 산은 맑고 강이 울며 돌이 드러난다.

상공相公이 가로되 '아아 오늘 저녁이 어떤 저녁인가. 동파옹이 호쾌한 놀이를 생각하며 내가 그 글을 외우니 자나 깨나 풍류로구나. 두 손이 이미 같이 했고 연월이 이와 같은데 이 강벽江壁을 돌아보니 어찌 황주黃州와 다르리오.' 하신다.

이에 나루터 관리들을 신칙하여 난주위의蘭舟威儀를 정비하고 연회장비를 모두 갖춰서 작은 배를 앞뒤로 날개 삼아 좋은 술과 [빛나는 음식을 실어 오게 하며 병장기와 깃발을 길 따라 언덕을 향해 구불구불 가게 하고 배들은 뒤따라 포구를 나와 연주漣州를 지향해 기약을 삼으니 산은 높아 언덕을 끼고 물은 급하나 길게 뻗어 나간다.

높은 암벽 성벽처럼 가팔라서 구름을 꿰뚫었고 고목 나뭇가지는 서리를 맞았구

나. 조용히 출렁대며 머뭇머뭇 나아가니 문득 재빨리 바라보아야 굽이친 경치 구경하겠다. 까치 여울에 그 바위 구덩이 모이니 돌부리의 벼락 치듯 물 부딪는 소리를 듣겠다.

횡산橫山을 지나 왼쪽으로 돌면 누운 소나무와 기울어진 절벽이 서로 나와 오르내린다. 고요한 숲 속 동네의 어두운 저녁, 그윽한 흥취가 피어나 끝이 없구나. 숯화로 살라서 술 데울 그릇 부르고 강쏘가리 회치며 산노루 통째로 구우니 뱃노래 함께 일고 물새들 떼로 나른다.

조금 있다 부드러운 산들바람 홀연히 불어와서 엷은 구름 폈다 말아 가고 어름바퀴(달)가 산마루로 솟아오르자 비단 무늬는 거울 바닥에 열려 퍼지고 여울물 소리 홀연히 저녁으로 사나워져 노 젓는 소리와 함께 번개 치듯 달려 나간다. 드디어 웅연에서 노를 멈추고 달빛 물결 올라타 이리저리 노닐매, 뭇 봉우리 모여 들에 상투를 틀고 묵은 나루 광활하여 뗏배를 받아들인다.

띠풀집은 무성한 숲 속에 숨고 고기잡이 불은 나무꾼들 떠드는 소리에 섞인다. 소리개 깃드는 높은 둥지 쳐다보고 교룡이 숨는 깊은 굴 내려다보며 바위 속에서 신문神文을 파내니, 복희씨 우禹임금 그 아름다운 바탕 아득하구나. 밝은 모래 마전하듯 덮여 있고 가린 안개 비단 장막 이루는데, 말 타고 악기 불며 강기슭 돌고 기다리는 횃불은 도시와 같다. 참으로 특별히 그것을 실컷 보았으니 다시 어디로 가서 아름다운 배를 구하랴.

구불구불 이어지며 나아가지 않고 주방에 명해서 음식을 차리라 하니 안개 술잔 기울여 반쯤 취하고 사이사이 필묵筆墨으로 뜻을 말하네. 고금古琴은 맑디맑게 흥을 베끼고 통소는 자지러지게 소리 날려서, 맑게 수선조水仙操◆를 타면 원한 맺혀 명월지장明月之章(『시경詩經』 진풍陳風)으로 화답하니, 강비江妃◆의 암울한 흐느낌이 어지럽고 하백河伯◆의 미친 짓이 어슴푸레 드러난다.

밤이 고요하여 가로 걸리고, 서리와 이슬이 내려 치마를 적시니 상공相公이 기뻐하며 술을 들어 객客에게 권하며 가로되, '오늘의 놀이를 동파옹東坡翁과 비교해 보면 누가 더 현명한가' 객이 웃으며 이렇게 대답했다. '저 이는 쫓겨난 신하로 근심을 풀어냈고, 공공은 영화로운 길로 천의天意를 펼쳤습니다. 근심을 풀어내는 사람은 그 말이 방종하고 천의를 펼치는 사람은 그 즐거움이 온전합니다.

◆**수선조**水仙操
춘추시대春秋時代
백아伯牙가 지었다는 금곡琴曲

◆**강비**江妃
순舜임금의 이비二妃인 아황娥皇과 여영女英. 순임금이 돌아가자 슬피 울다가 상강湘江에 투신하여 아황은 상군湘君이 되고 여영은 상부인湘夫人이 되었다 한다.

◆**하백**河伯
수신水神

293

나는 공이 그 문사文辭가 절륜絶倫함으로 백세百世토록 멀리 우러르게 될 분임을 압니다. 만약 놀고 본 흔적만을 든다면 또한 어찌 이기고 짐으로 논할 수 있겠습니까. 또 대저 하늘과 땅은 넓고 넓으며 팔방은 끝이 없고 강산풍월江山風月은 본래 나누어 맡은 구역이 없으니, 이는 조물자造物者가 만들어 내는 묘리妙理이며 동파옹과 상공이 함께 얻는 바입니다. 곧 우리 한강漢江 이북 강산이 어찌 오강吳江 적벽赤壁보다 못하다 하겠습니까.'

드디어 뱃전을 두드리며 짧게 노래를 불렀다. '적벽赤壁의 신선이여, 구름 긴 하늘 밖에 아득하구나. 적벽의 부賦여, 진토塵土에 떨어졌구나. 웅강熊江 오늘밤 달빛 출렁이는 것만도 못해. 배 끝에 올라탔으니 물결 노래 부르세.'

노래를 마치자 상공相公은 항아리를 이끌어 다시 술잔을 치고 취하여 기뻐하나 대개 이객二客은 술을 못 마시는지라 반 잔을 마시고 역시 취했다. 모두 말하기를 흥이 한창 오르니 즐거움 다할 수 없다고 한다. 밤에 현재縣齋에 돌아오니 거문고 소리 맑고 달은 무리 지었다.

伊年壬戌十月之望, 畿輔觀察洪相公, 肅 命旬宣, 攬轡原隰, 駟車彭彭. 轟發寧峽, 陽漣兩尉, 薄言追躍, 翩其鬷邁, 度亭坂之嶢兀, 木落山淸, 江鳴石出. 相公曰, 嘻. 今夕何夕. 緬坡翁之豪遊, 我誦其辭, 寤寐風流. 二客旣同, 歲月惟侔, 晤兹江壁, 曷異黃州. 時不可以再得, 盖追今而亟謀.

於是, 飭津吏, 整蘭舟威儀. 孔燕帳御咸修, 翼小舲以先後, 齋玉罇與華[羞, 戎旌蠢使, 遵路傝坡陀而委蛇, 舟容裔而出浦, 指漣州以爲期, 山嶻嶭而夾峙, 水泊減而逦長. 危礨戌削, 以穿雲, 古木杈枒, 以被霜. 澹偃塞而僵回, 聊騁眺而相羊. 鵲瀨埊其品砑, 聽石齒之雷硪. 歷橫山以左轉, 攲松側壁, 互出而低仰. 悄林洞之曛莫, 幽興紆而央央, 爇炭爐呼酒鎗, 膾江鱖, 炰山獐, 櫂謳齊發, 沙鳥群翔.

少焉, 柔颸翕忽, 薄雲舒卷, 氷輪聳於岜頂, 縠紋開於鏡面, 灘聲忽以夕厲, 與鳴柁而奔電. 遂息櫓於熊淵, 乘月浪而膠葛, 叢彎集而攢䯻, 古渡廣而容筏, 茆茨隱於薈蔚, 漁火雜於樵蚳. 仰栖鶻之危巢, 俯潛蛟之幽窟, 剔神文於巖髓, 義以邀其靡質. 明沙鋪練, 斷霞成綺, 騎吹遠岸, 候火如市. 亮殊觀之已飫, 復焉往而求美船.

連蜷而不進, 命廚庖而陳饈, 傾霞酌而半酣, 間毫墨以言志. 古琴泠泠 以寫興, 洞簫嫋嫋 以揚聲, 淸彈水仙之操, 怨和明月之章, 繡江妃之闇歆, 怳河伯之顚狂. 夜厭厭而橫參,

霜露湆而侵裳, 相公, 驪焉 擧酒屬客曰, 今日之遊, 視坡翁孰賢. 客笑而應曰, 彼以逐臣而舒憂, 公以榮塗而信天. 舒憂者, 其辭放, 信天者, 其樂全.

吾知公百世, 而緬仰者, 獨以其文辭絶倫. 若擧游觀之跡, 又何輸贏之可論. 且夫乾坤莽曠, 八荒寥廓, 江山風月, 本無分域, 是造物者, 化成之妙, 而坡翁與相公之所共得. 卽吾漢北江山, 奚遜於吳江赤壁. 遂鼓舷而少歌曰, 赤壁之仙兮, 眇雲天, 赤壁之賦兮, 落塵土. 不如熊江今夜 月婆娑, 脚踏船尾兮, 滄浪歌. 歌竟, 相公引壺更酌, 陶然而喜, 盖二客之不能飲, 飮半勺亦醉. 僉曰 興闌 樂不可窮. 夜歸縣齋, 琴淸月籠.

『靑泉集』卷三 擬赤壁賦.

[ ]는 단절된 부분임

우화등선 羽化登船^{도판96}

그런데 겸재의 발문에 의하면 이《연강임술첩》은 홍경보감사 소장본과 겸재 소장본 및 신유한 군수 소장본 등 3본本이 존재해야 한다. 이제까지 살펴본 본이 누구 소장본이었던지 확실치 않았으나 홍감사 서문과 겸재의 발문 및 신군수의 의적벽부가 완벽하게 갖춰져 있는 완전본이라서 기준첩일 것이라는 짐작은 하고 있었다.

그런데 2005년경에 이본異本《연강임술첩》이 세상에 나타나 필자가 배관拜觀할 기회를 얻게 되었다. 일견해서 출현을 고대하던 2본 중 1본임을 직감할 수 있었다. 서로 다른 장면의 그림일 수 있다는 예상과는 달리〈우화등선〉과〈웅연계람〉이 그대로 그려져 있다. 그러나 겸재의 발문^{삽도74}만 있고 홍감사 서문이나 신군수의 의적벽부가 모두 빠져 있었다. 겸재 그림인〈우화등선羽化登船〉^{도판96}과〈웅연계람熊淵繫纜〉^{도판97}은 기존본과 서로 방불하여 구분이 안 되는 듯했으나 막상 두 그림을 한자리에 놓고 비교하니 상당한 차이가 있다.

대동소이大同小異란 말이 이런 경우를 두고 하는 말임을 실감하겠다. 총체적으로 보아 기존본이 정리본이라면 신출현본은 미정리본에 해당한다. 신출현본에 홍감사 서문과 신군수 의적벽부가 합장되지 않은 사실과 그림의 미정리성을 연계시켜 생각해 볼 때 이는 겸재 소장의 현장사생본이라고 보는 것이 타당하리라는 결론에 도달했다.

그에 반해 기존의 정리본은 화법과 서법이 모두 극도로 정중하게 정리정돈돼 있으니 홍감사에게 진상된 홍경보감사 소장본이었으리라는 추측도 가능했다. 이에 기존본을 홍감사본, 신출본을 겸재본으로 이름 짓고 그 차이점을 서로 비교해 보겠다.

우선〈우화등선〉에서 우화정 아래 석축과 바위 절벽이 겸재본에서는 깎아지른 듯한 초삭감稍削感이 부족하다. 석축도 경사가 완만하고 석벽의 소부벽준小斧劈皴도 유연柔然하며, 절벽 위로 통하는 길도 평면적이기 때문이다. 그에 비해 홍감사본은 석축의 경사도 촉급促急하고 석벽의 부벽준이 마아준馬牙皴과 방불할 정도로 직각으로 찍어 내렸으며, 절벽 위로 통하는 길은 강변에서 절벽을 타고 거의

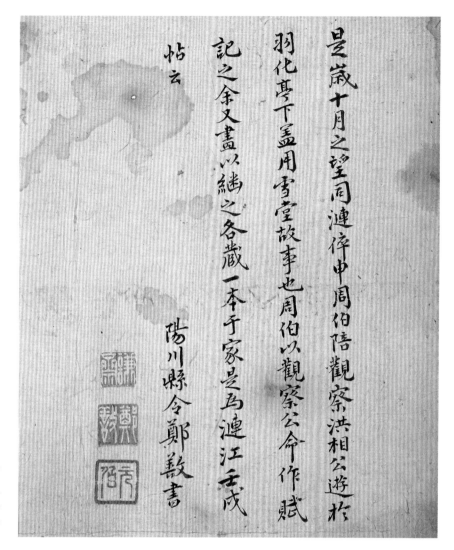

연강임술첩발문涟江壬戌帖跋文 2 삽도74
정선鄭敾 찬서撰書,
1742년 임술壬戌 10월 16일,
지본묵서紙本墨書,
49.8×43.5cm, 개인 소장.

수직으로 올라가서 우화정의 위치를 자못 고절孤絶하게 만들어 놓았다.

장교長橋를 지나 북천北川을 건너면 강변을 따라 입석立石형形의 암봉군巖峯群
이 토산土山 아래 죽 늘어서는데 겸재본에서는 사생인 듯 대소大小 고저高低와 그
형상 간격을 대강 있는 대로 표현해 놓았다. 그래서 자못 산만하고 조화롭지 못한
느낌이다. 그에 비해 홍감사본은 석봉의 형상을 석주石柱, 석봉石峯 및 석벽石壁
형태로 정리해 나누고 그들에게 다시 대소大小, 주종主從의 질서를 부여해 산만성
을 일소시켰다.

겸재본의 남쪽 대안對岸에서는 중앙의 토산과 오른쪽 토산 봉두峯頭에 석봉과

우화등선羽化登船^{도판96}

겸재본, 1742년 임술壬戌 10월 16일, 견본담채絹本淡彩, 95.3×34.4cm,《연강임술첩漣江壬戌帖》, 개인 소장.

웅연계람熊淵繫纜^{도판97}
겸재본, 1742년 임술壬戌 10월 16일, 견본담채絹本淡彩, 95.3×34.6cm,《연강임술첩漣江壬戌帖》, 개인 소장.

석벽이 솟구쳐 나왔는데 홍감사본의 대안 토산은 다만 왼쪽 토산 봉두에만 석봉을 표현하는 상반된 화면구성을 보이고 있다. 북쪽 대안의 석봉, 석벽과의 음양조화를 위한 의도적 변형이었을 것이다.

인물도 그 숫자를 홍감사본에서는 대폭 축소하고 있다. 최소한의 인물로도 그 정황을 충분히 표현해 낼 수 있다고 생각했기 때문이었을 것이다. 이것이 바로 겸재본이 사생본이고 홍감사본이 정리본이 되어야 하는 이유다. 홍감사본은 필선도 예리하고 먹빛과 채색도 맑고 투명하다. 충분히 말리고 기다리며 그렸기 때문이다. 그에 반해 겸재본은 필선이 둔탁하고 먹빛과 채색이 물크러져 있다. 충분히 기다리며 그릴 시간이 없는 유람사생본에서 보이는 특징이다.

겸재본에서 홍감사와 겸재 및 청천 등 3수령이 동승한 감사선 앞에 이를 인도해 가는 선도선先導船이 앞서고 있는데 홍감사본에서는 적벽선유의 풍취를 해치는 것이라 생각했는지 감사선 1척만 훨씬 앞서 띄워 놓고 시종선 3척은 뒤에 한데 모아 놓았다. 감사선에는 이영으로 지붕을 덮은 사모정四茅亭 형태의 뜸집이 중앙에 설치되고 그 안에 홍감사가 좌정해 앉아 있는데 뒤로는 병풍이 둘러쳐졌다. 그 오른편으로 장막이 네모 번듯하게 둘러쳐졌고 그 안에 정현령과 신군수가 차례대로 좌정해 앉아 있다. 모두 쪽빛 도포에 큰 갓을 쓴 모습이다.

겸재본에서 뒤따르는 시종선 두 척 중 앞선 작은 배가 겸재가 타고 온 것인 듯 쪽빛 장막으로 뜸집 지붕을 덮었고 그 뒤 조금 큰 배는 신군수가 타고 온 것인 듯 이영으로 지붕을 덮은 뜸집이 설치돼 있다.

북쪽 대안에서 전송하는 인마人馬 중에 연지臙脂물 들인 붉은 옷을 입은 사람들이 있는데, 나발을 멘 듯한 표현이 있으니 아마 이들은 길군악패들로 대취타大吹打를 연주하며 감사를 전도前導해 왔던 모양이다. 검푸른 옷을 입은 자들은 군노 사령들일 것이다. 석봉 맨 오른쪽 끝 백사장에도 구경하는 일군의 백성들이 옹기종기 모여 서 있다.

겸재본에서는 남쪽 강안의 오른쪽 석봉을 너무 크게 그려 낙관할 자리가 마땅치 않자 「우화등선羽化登船」이라는 관서를 석봉 봉두 강상으로 끌고 들어와 쓰고 '정鄭'·'선敾'이란 백문방형인장을 찍었다. 홍감사본에서는 북쪽 강안 석벽 오른쪽 구경꾼들은 모두 삭제하고 남쪽 강안 오른쪽 봉우리도 석봉을 제거하여 자리

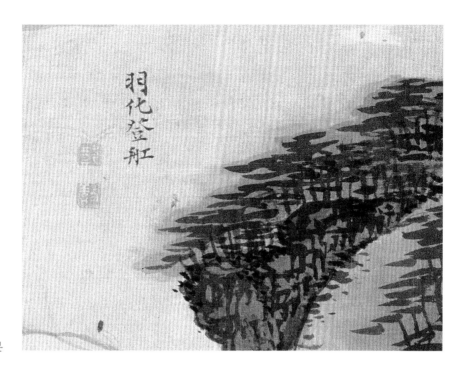

우화등선羽化登船 **부분**

를 낸 다음 그 봉두에 낙관하여 낙관이 제자리를 찾는다.

〈웅연계람熊淵繫纜〉^{도판97}도 겸재본이 사생본임을 드러내 보인다. 홍감사 일행
이 배를 대는 북쪽 강안 곰소熊淵 바위 절벽을 서릿발준霜鍔皴에 가까운 난부벽준
亂斧劈皴으로 사납게 쌓아 올려 간 것이나 그 대안의 곰소 바위 절벽을 장부벽준長
斧劈皴을 자잘하게 중첩시킨 것은 모두 그 모습 그대로 사생한 것일 터이다.

그런데 홍감사본에서는 굵은 피마준披麻皴을 수직으로 중첩시켜 굴곡 있는 수
직 암벽을 상징하는 세련도를 추가한다. 대안의 곰소 바위 절벽은 물안개로 허리
를 감게 하여 보름달 넘어가는 늦가을 새벽 강변의 환상적인 정취를 한껏 고조시
켜 놓고 있다. 겸재본이 보여 주는 삭막한 사생풍과는 천양지차라 하겠다.

25

폭포瀑布 장관壯觀

이미 이해 3월 17일에는 현재玄齋 심사정沈師正의 6촌 형인 한송재寒松齋 심사주沈師周(1691~1757)의 청으로 〈필운상화弼雲賞花〉를 그려《금오계첩》속에 첩마다 담게 했었다. 그리고 이와 비슷한 시기에 개성 대흥산성大興山城을 찾아가 〈박생연朴生淵〉도 그려 낸다. 영조가 겸재를 양천현령에 제수한 것은 바로 이와 같은 업적을 남기라는 소리 없는 명령이었을 것이다.

〈박생연〉을 살펴보아야겠다.

박생연朴生淵 도판98

조선왕조 오백 년 왕도王都였고 현재도 수도인 한양漢陽 서울의 지세가 국중 제일 명당일 뿐만 아니라 천하명당天下明堂으로 유명하지만 고려왕조 오백 년 도읍터이던 송도松都 개성開城도 그에 버금가는 명당터다.

예남임북정맥禮南臨北正脈이 함경남도 문천文川 두류산頭流山 아래 흘내령訖乃嶺에서 백두대간白頭大幹으로부터 갈라져 나와 안변安邊의 속현인 영풍永豊 구곡령九曲嶺을 거쳐 황해도 곡산谷山 고원산高遠山으로 해서 강원도 이천伊川 개련산開蓮山과 황해도 신계新溪 천개산天蓋山 및 토산兎山의 학봉산鶴峯山·관문산觀門山을 거쳐 개성부 수룡산首龍山과 백치白峙 용호산龍虎山·성거산聖居山·대흥산성大興山城 천마산天磨山으로 해서 송악산松岳山으로 뻗어 내려와 개성의 터를 만들었기 때문이다.

그래서 임진강이 남쪽으로 사십 리, 예성강이 서쪽으로 삼십 리밖에 떨어져 있

박생연朴生淵^{도판98}
1743년 계해癸亥경, 견본담채絹本淡彩,
35.8×98.2cm, 간송미술관 소장.

지 않아 양강兩江 수운水運의 편리는 물론 남북방비의 천혜天惠를 겸비하게 되니 이것만으로도 지리地利를 얻었다 할 것인데 송악산을 진산鎭山으로 하여 자남산 子男山, 오송산蜈蚣山이 동서로 뻗어 나가 청룡青龍과 백호白虎를 이루고 오송산 줄기가 그대로 남쪽으로 휘돌아 안산案山인 용수산龍岫山이 되어 천험天險의 요 새를 만들어 놓았음에랴!

이도 부족한 듯 송악산 북쪽으로 천마산天磨山·대흥산大興山·오관산五冠山·성 거산聖居山이 중첩해 이어지면서 요해처要害處를 만들어 나가는데 그 중에서도 대흥산 분지盆地는 천작天作의 산성山城이라 할 만큼 모든 조건을 완벽하게 갖추 고 있다. 북쪽으로부터 규봉圭峯·개성봉開聖峯·백련봉白蓮峯·원효봉元曉峯이 동 쪽을 향해 울타리처럼 연속 이어지고 동쪽에서 남쪽으로는 의상봉義相峯·인달봉 仁達峯·내원봉內院峯이 에워싸며 남쪽에서 서쪽으로는 청량봉清凉峯·만경대萬景 臺 문수봉文殊峯·보현봉普賢峯이 이어지고 서쪽에서 북쪽으로는 미륵봉彌勒峯· 정광봉定光峯·일출봉日出峯이 둘러싼다. 이에 일찍부터 이들 산봉우리들을 연결 하는 산성을 쌓아 일단 유사시에 대비했으니 대흥산성大興山城이 바로 그것이다.

고려왕조에서야 왕도의 지척이니 그곳 경영이 어땠을지 묻지 않아도 알 수 있 는 일이지만 조선왕조에서도 이곳 경영을 소홀히 하지 않았으니 숙종 2년(1676) 병진丙辰, 즉 겸재가 탄생하던 해에 이곳 산성을 모두 석축으로 보수하고 있다. 이 때 개수된 석성의 둘레가 5,997보라 하고 무반武班 종3품 벼슬인 중군中軍으로 이 곳 책임을 맡게 했다 하니 그 규모와 중요성을 대강 짐작할 만하다.

그런데 이 대흥산성은 천험의 요새답게 거의 원형으로 둘러쳐진 여러 봉우리 들에서 발원한 물줄기를 오직 서북쪽으로만 뚫려 있는 외길 수로를 통해서만 외 부로 흘려보내게 된다. 이 물은 서북쪽으로 흘러 금천金川을 지나 예성강에 합류 하게 되는데 이 물이 성 밖을 빠져나가는 방법이 폭포로 떨어져 내리는 것이다. 그 폭포가 바로 박연朴淵폭포다.

어째서 박연폭포라 했는지는 『중경지中京誌』에서 이렇게 밝히고 있다.

박연朴淵은 대흥동大興洞에 있다. 형상이 돌항아리와 같은데 들여다보면 시꺼멓 다. 너럭바위가 중심에서 솟구쳐 올라온 것이 있으니 도암島巖이라 한다. 물이 절벽 아래에 이르러 노해서 떨어지는데 30길이나 아래로 드리워 내리니 완연히 흰 무지개가 허공에 비치는 듯하고 나는 눈이 벽에 뿌려 대는 듯하며 우뢰가 날고 번개가 치는 듯하여 소리가 천지를 진동한다.

　얘기로 전해 오기를 예전에 박진사朴進士라는 이가 있어 못 위에서 젓대를 불었더니 용녀龍女가 그것에 감동해 끌어들여 남편을 삼았기 때문에 박연朴淵이라 이름 했다고 한다.……그 어머니가 와서 울다가 하담下潭에 떨어져 죽으니 드디어 고모담姑姆潭이라 했다.

朴淵大興洞在. 狀若石甕, 窺之正黑. 有盤石, 湧出中心, 曰 島巖. 水赴絶壁, 怒瀑下垂

三十丈, 宛如白虹映空, 飛雪灑壁, 霆奔雷激, 聲震天地. 諺傳昔有朴進士者, 吹笛淵上,

龍女感之, 引以爲夫, 故名朴淵.……其母來哭, 墜死下潭, 遂名姑姆潭.

『中京誌』卷三, 名勝, 朴淵

따라서 외부로부터 이 대흥산성을 들어가고자 하면 이 박연폭포 쪽 길을 좇아 들어가는 것이 가장 순탄한데 그것이 폭포로 차단되었으니 대흥산성이 얼마나 천험의 요새이겠는가. 그래서 사천槎川은 박연폭포를 이렇게 읊고 있다.

아래 못 시끄럽게 솟구치는데 위 못은 물이 고이고, 높은 절벽 겹겹인데 쏟아 붓기 그치지 않네.

나라를 제패하기 천 년 동안 갑마甲馬가 치달리니, 외로운 성 한쪽에선 바람과 천둥과 싸운다.

예부터 다만 여산廬山의 경치만 대적했는데, 하늘이 설치한 것 누가 농협隴峽의 형태를 거론하겠나.

위급한 때 정녕 천 길 폭포 있으니, 환니丸泥로 대체해도 서쪽나라 일에 대비하겠지.

下淵喧沸上淵渟, 峭壁重重瀉不停. 霸國千年奔甲馬, 危城一面鬪風霆.

古來但敵廬山勝, 天設誰論隴峽形. 緩急丁寧千尺瀑, 丸泥可替備西庭.

李秉淵, 『槎川詩抄』卷上, 朴淵瀑布

이〈박생연朴生淵〉은 바로 이 박연폭포를 그린 진경산수화다. 과연 거대한 암석

307

이 층층이 쌓여서 천 길 벼랑을 이룬 절벽 아래로 비류飛流가 직하直下해 내리고 있다. 폭포 좌우에 기암괴석奇岩怪石이 웅위雄威한 자태로 웅크리고 있어 폭포는 더욱 유수幽邃한 정취를 드러내는데 특히 폭포 우측에 솟구쳐 오른 암봉은 마치 독수리가 날갯짓하며 차고 오를 듯한 박진감 넘치는 자태라서 화면을 아연 긴장시킨다.

아무리 바위봉우리가 그렇게 생겼다 하더라도 어떻게 저렇게 농묵쇄찰법濃墨刷擦法을 장쾌무비하게 구사하여 시꺼먼 먹물이 줄줄 흐를 듯 대담하게 바위를 쳐낼 수 있더란 말인가. 겸재의 대담성 앞에는 역대의 전 세계 어느 화가라도 자리를 양보하지 않을 수 없을 것이다. 특히 아득하게 보였을 봉두峯頭에 이르러서는 창윤蒼潤한 묵색墨色을 있는 대로 다 드러내 울창한 수림과 연계시킴으로써 고절차아高絶嵯峩한 폭상瀑上의 습윤경濕潤景을 강조해 놓고 있다.

그 곁으로는 대흥산성의 북문인 성거관聖居關 문루를 높이 그려 놓고 그곳으로 오르는 길을 암봉 곁으로 거의 수직에 가깝도록 몇 번 구불거려 표시해 놓음으로써 대흥산성으로 오르는 길이 얼마나 가파른가를 암시했다.

겸재는 가을 단풍철에 이곳을 찾았던 듯 폭포 좌우의 암벽을 따라 형성된 잡수림은 풍색楓色이 난만하고 범사정泛槎亭 주변 및 성거관 주변에도 단풍색이 엿보인다. 범사정 주변의 근경近景 소나무 표현은 겸재가 70세 전후해서 그려 내던 기품 있고 깊이 있는 쇄락灑落한 송법松法이라서 이것만으로도 이 그림이 양천현령 시기인 65세에서 70세 사이에 그려진 그림일 것이라는 추정이 가능하다.

더구나 거침없이 후려쳐 낸 필세筆勢나 대담한 적묵법積墨法에 이르면 겸재가 그 화력畵歷의 절정기인 이 시기 아니고서는 이렇게 해 내기 어렵다는 확신을 가질 수밖에 없다. 하물며 '겸재謙齋'라는 사방 17밀리미터의 방형백문方形白文 인장이 겸재가 65세 때에 그린 〈서원소정西園小亭〉에 찍힌 바로 그것임에랴!

상담上潭인 박연과 하담下潭인 고모담姑姆潭에 모두 도암島巖이 있는데 마치 검은 달이 수면水面으로 솟아오르듯 둥글게 표현돼 있다. 박연폭포의 신비감을 더욱 고조시켜 놓는 소재다. 폭포는 바탕색을 그대로 두면서 그 위에 호분胡粉을 덧칠해 가을 물의 흰빛을 강조해 놓았다. 흰 무지개가 걸린 듯 표현해 내기 위해서인가 보다.

폭포 아래쪽에 범사정이 있고 그곳에서 갓 쓴 선비 세 사람이 두 명의 시동侍童을 거느리고 폭포를 감상하고 있는데 이는 심원법深遠法으로 처리해 아득히 내려다보이게 표현해 놓았다. 성거관과 봉두峯頭를 고원법高遠法으로 명료하게 표현한 것과는 대조적이니 이런 삼원법三遠法의 자재로운 구사가 산수화의 묘미妙味라는 사실을 겸재는 숙지하고 있었던 것이다.

범사정은 겸재에게 특별한 의미가 있는 곳이었다. 바로 겸재를 벼슬길에 나가도록 추천해 준 몽와夢窩 김창집金昌集(1648~1722)이 개성유수開城留守로 있을 때인 숙종 26년(1700), 곧 겸재 25세 나던 해에 창건했기 때문이다. 몽와는 이 범사정을 짓고 그 창건 내력을 「범사정창건기泛槎亭刱建記」로 지어 남기고 있으니 그 내용을 옮겨 보겠다.

박연朴淵의 동남東南쪽에 소위 범사정泛槎亭이란 것이 있으니 곧 여산廬山의 향로정香爐亭이다. 폭포를 구경하는 이는 반드시 이에 올라앉는데 간혹 소나기를 만나거나 뜨거운 햇빛을 만나도 피할 수가 없다. 사람들이 이로써 병통을 삼은 지 오래였다.

금년 한여름에 큰비가 잠깐 걷혀 폭포물이 심히 장쾌한지라 내가 가서 보다가 중군中軍 이정李錠을 돌아보고 이르기를, "한 작은 정자를 지어서 노는 사람들을 가려 주고자 하는데 자네가 능히 도모할 수 있겠는가." 이李가 흔연히 그것을 허락하고 드디어 재목과 기와를 모아 다만 집 한 채를 세우고 사면에 난간을 설치하며 하방에는 전돌을 깔았는데 며칠 안 되어 공사를 끝마치고 대략 단청을 베풀고 그대로 옛 이름을 걸었다. 어떤 이가 말하기를 범사泛槎라는 명칭은 전혀 뜻이 없으니 어찌 고치지 않으시렵니까 하거늘 나는 이렇게 대답했다.

"이청련李靑蓮(백白)의 여산시廬山詩에 이르기를 '날아 곧장 내려온 것 3천자니, 은하수가 구천九天에서 떨어졌나 의심된다' 했고 고인古人은 또 뗏목을 타고 은하수를 침범한 일이 있었으니 정자의 이름 얻은 것이 아마 이에서 나온 것 같다. 전혀 뜻이 없다고 할 수 없는데 어찌 반드시 고치려 하겠는가. 드디어 정자 지은 전말顚末을 기록하여 후래인後來人에게 알리노라." 김창집金昌集 기記.

朴淵之西北, 有所謂泛槎亭者, 卽廬山之香爐也. 玩瀑者, 必於是登臨, 而間或値急雨, 當

亢陽, 無得以避焉. 人以此病之久矣. 今年仲夏, 大雨乍收, 瀑泉甚壯, 余往觀焉, 顧謂中

軍李鋌曰, 欲刱一小亭, 以庇遊者, 君能圖之否.

　李欣然諾之, 遂鳩材瓦, 只立一架, 四面設欄楯, 下方鋪磚石, 不數日而工告訖, 略施

丹雘, 仍揭舊名. 或曰泛槎之稱, 全無意義, 盖改諸. 余應曰, 李靑蓮廬山詩曰, 飛流直下

三千尺, 疑是銀河落九天. 古人又有乘槎犯銀漢之事. 亭之得名似出於此. 不可謂全無

意義. 何必改爲. 遂記作亭顚末, 以詒來人云爾.

金昌集記.『中京誌』卷四, 宮殿 附樓亭院閣, 泛槎亭

몽와는 이 정자를 짓고 나자 바로 풍류문사로 진경문화眞景文化를 주도해 가는
숙씨叔氏 삼연三淵 김창흡金昌翕(1653~1722)을 초청해 이 새로 지은 범사정에서 박
연폭포를 함께 감상하며 즐기는데 이때가 9월이었다 한다. 여기서 삼연은 이런 시
를 짓는다.

긴 시내 절벽에 이르니, 뿜어서 아래 위 못을 이룬다.

성거산과 천마산은, 맡은 지역 뭇 봉우리 묶고.

성채가 잇지 못하는 곳, 비류飛流가 백운白雲을 뚫네.

돌길 따라 오르자 처음부터 다리 떨리어, 소나무 얼싸안고 주춤거려 되내려온다.

용은 천년 옛적부터 잠기어 있고, 폭포는 만인萬人 앞에 떨어져 내린다.

나부껴 흩뿌리다 멀리 모이니, 바르고 곧게 높이 걸리네.

범사대泛槎臺에서 지팡이 버리고, 좋다고 소리치며 한참 앉는다.

조화造化는 한 번 감탄으로 감당하겠지만, 좋아서 즐기는 것 족히 백년 가겠네.

산 저녁 남은 빛 있어, 붉고 푸른 빛 빈 안개 속에 번득이고.

머리 돌리니 여름비 쌓였는데, 정신을 둥근달 뜬 하늘로 보낸다.

아깝게도 소나무 사이 젓대 소리 없지만, 높은 바람 물소리를 격동시킨다.

長溪到絶壁, 噴作上下淵. 聖居與天磨, 分野萬峰纏.

粉堞所不續, 飛流白雲穿. 緣磴始凌兢, 抱松復徊邅.

龍潛千歲舊, 瀑落萬人前. 飄洒或遠漈, 端直自高懸.

委策泛槎臺, 叫奇又坐遷. 造化堪一歎, 賞玩足百年.

山夕有餘照, 紫翠閃虛煙. 回頭積雨夏, 送神圓月天.

惜無松間笛, 高吹激潺湲.

金昌翕, 『三淵集』卷七, 朴淵

겸재는 그 당시 48세이던 스승 삼연이 53세의 그 백씨伯氏 몽와夢窩와 함께 이 정자에 와서 노닐며 시詩로 이 장관을 사생하던 그 당시의 정경을 이 시를 통해 회상공감回想共感하며 이〈박생연〉을 그려 냈던 듯하다. 그러니 그림 속의 선비들은 그 스승의 일행도 될 수 있고 그 자신의 일행도 될 수 있을 것이다.

그래서 뒷날 농암農岩 김창협金昌協(1651~1708)의 사위인 일헌逸軒 유수기兪受基(1681~1741)의 외손자로 겸재의 역제자易弟子가 됐던 근재近齋 박윤원朴胤源(1734~1799)은 박연을 두고 이렇게 읊고 있다.

땅 위에서 뜬 뗏목 은하수로 통하니, 두 못의 용들은 흰 구름 속에서 늙는다.

뿜는 소리 천 길 절벽으로 곧추 떨어지고, 나는 물방울 길게 불어 숲 속 바람이 된다.

정녕 어산廬山과 천하에서 맞설 만하니, 다시 다른 폭포 우리 동쪽엔 없네.

못에 임해 문득 띠풀 집 짓고 싶은데, 예부터 산 사람은 내 성姓과 같다.

地上浮槎銀漢通, 二潭龍老白雲中. 噴聲直落千尋壁, 飛沫長吹萬木風.

定與廬山對天下, 更無他瀑在吾東. 臨淵便欲營茅舍, 從古居人我姓同.

朴胤源, 『近齋集』卷一 朴淵

비슷한 시기에 간송미술관 수장의 대폭 정형산수화인〈고사관폭高士觀瀑〉^{도판99}과〈운송정금雲松停琴〉^{도판100}도 그려 내는 듯하다.〈고사관폭〉에 날인한 방형백문의 '정선鄭敾'과 방형주문의 '원백元伯'이《연강임술첩》겸재 발문에 날인한 인장과 동일하기 때문이다.〈운송정금〉의 '정선鄭敾'이라는 방형백문 인장 역시 동일하다. 그림을 살펴보면 다음과 같다.

고사관폭高士觀瀑 _{도판99}

일금일서一琴一書로 폭포를 찾아 납량納涼의 지락至樂을 즐기는 고사高士의 한유閑遊를 소재로 그린 그림이다. 아마 주인공이 겸재 자신인지도 모르겠다. 두 턱져 쏟아지는 폭포의 수량水量도 대단해 한여름 비 온 뒤의 정경인 듯한데 산색도 맞추어 짙푸르다. 어느 곳의 진경眞景도 아니건만 마치 삼부연三釜淵이나 내연산內延山 폭포 아래인 듯한 착각이 드는 것은 겸재가 진경화법眞景畵法을 가지고 이념산수理念山水를 그렸기 때문이라 하겠다.

피마준법披麻皴法을 대담하게 구사하고 편점扁點에 가까운 태점苔點을 가하여 차아嵯峨한 산봉山峰을 일으키며, 두 봉우리 사이로 한 줄기 큰 시냇물을 흘려보내 폭포를 이루어 놓은 다음, 그 아래에 짙은 수림樹林을 양쪽으로 배치함으로써 박진迫眞한 산세와 울창한 기운을 동시에 살려 내고 있다.

수목은 대담하고 굵은 붓질로 둥치를 그려 내고 서족점鼠足點이나 정두점釘頭點, 수두점垂頭點 및 오엽점梧葉點, 편점扁點 등을 자유롭게 변형시키며 각종 나무의 잎새들을 형상하였다. 토파土坡 역시 피마준을 난타亂打하듯이 중복하면서 둥글게 휘어 내리는 겸재 진경화법 특유의 토파법이 명쾌하게 드러나 있고, 물결은 부드러운 낭화浪華가 부딪치는 바위 아래에서 일어나 유장流長한 수파문水波文으로 연결된다. 임리淋漓한 묵법墨法과 강렬한 필묘筆描가 혼연일치되어 화면에 괴량감塊量感과 박진감迫眞感을 넘쳐흐르게 하고 있다.

두 산봉우리 사이 정중正中에 해당하는 자리에 낙관落款을 크게 하고 있는 것도 겸재다운 큰 배포의 표현이라 할 수 있겠는데, 이러한 파격이 오히려 겸재 그림을 돋보이게 하는 요소로 작용하니 조화調和의 묘妙란 신비한 것이라고 하겠다.

고사관폭高士觀瀑 도판99
1743년 계해癸亥경, 지본수묵紙本水墨,
59.5×107.8cm, 간송미술관 소장.

운송정금雲松停琴도판100

16세기 후반기에 화단畵壇을 주도하던 사대부화가士大夫畵家 김시金禔(1524~1593)에 이르면 남송원체화풍南宋院體畵風의 영향을 받은 강희안姜希顔(1418~1465)류의 사인풍士人風 산수화 전통이 북송원체화풍北宋院體畵風을 계승한 안견安堅(1418~?)류의 화원풍畵員風 산수화 전통을 흡수하여 새로운 양식의 산수화풍을 만들어 낸다.

이 화풍은 산수의 이념을 추상화抽象化하여 되도록 간결하게 표현하려는 사대부화가의 의지가 작용한 것으로 화면구성에서 일체의 기교技巧가 배제되고 산수와 수석樹石 등 산수화의 여러 요소들이 그 본질 표현만을 강조함으로써 화면에서 심오감深奧感이 결여된 듯한 느낌이 강하게 풍겨오는 그런 화풍이었다. 소림疏林이나 고목古木의 단조롭고 거친 표현이나, 피어나지도 않고 윤기 없는 먹빛 등은 더욱 이 화풍의 그림들을 황량하게 만드는데, 이것은 조선적인 기후 풍토와 당시 사대부들의 정신세계를 대변하는 기법이었다고 생각된다.

이러한 화풍은 거의 동시대에 명明의 화원畵院을 주도하던 절파양식浙派樣式과 흡사하여 절파풍浙派風으로 불려 왔으나 절파浙派의 영향을 받아 이루어진 것은 아니었다. 김시로부터 비롯된 이 조선 중기 산수화풍은 이경윤李慶胤(1545~1611), 함윤덕咸允德, 윤의립尹毅立(1568~1643), 김명국金明國(1600~?) 등으로 이어지면서 특색 있는 전통화법으로 자리를 굳히게 된다. 겸재도 이런 전통산수화기법의 수련을 철저하게 거치는 듯하다. 그래서 진경산수화법眞景山水畵法의 창안에 이 전통기법을 바탕으로 삼았던 것인데, 이 그림으로 보면 진경화법眞景畵法의 대성大成 이후에도 이런 전통기법에 의한 이념산수理念山水를 가끔 그렸던 모양이다.

겸재는 다음과 같은 제화시를 그림 왼쪽 상단에 자필로 써 놓았다.

구름 싸인 두 그루 소나무, 사이에 물 마시는 사슴 있네.
바람은 멀리서 불어오고, 여운餘韻은 벼랑 끝에 감돈다.
거문고 내려놓고 머리를 드니, 산마루에 구름만 가득하다.

雲松兩株, 間有飮鹿. 風來自遠, 韻動崖谷. 停琴矯首, 隴雲來矚.

운송정금雲松停琴도판100
1743년 계해癸亥경, 지본수묵紙本水墨,
57.0×125.8cm, 간송미술관 소장.

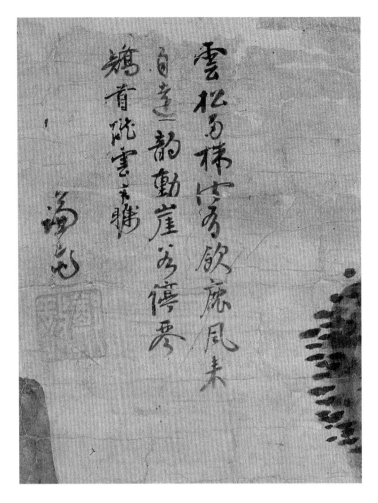

운송정금雲松停琴 **부분**

67세 시 그림인《연강임술첩漣江壬戌帖》과 76세 작作인 〈인왕제색仁王霽色〉에서 보이는 '정선鄭敾'이라는 사방 26밀리미터의 방형백문方形白文 인장이 찍혀 있는 것으로 보아 이 그림도 60대 후반에서 70대 중반에 걸치는 시기의 작품인 듯하다. 제화시 글씨도 노필이다.

도현세倒懸勢의 우람한 산봉山峯의 단순한 표현이나 직설적直說的인 폭포의 배치, 홀미끈하게 키 큰 장송長松 아래 앉은 탄금彈琴의 주인공, 폭포져 내리는 물을 마시는 맞은편의 사슴 등이 마치 동화 속의 이야기처럼 소박하고 꾸밈없이 화폭 속에서 서로 조화를 이루며 박진迫眞한 회화감각으로 승화되고 있다.

26

양천팔경첩 陽川八景帖

이해 어름에 겸재는 또 일중一中 김충현金忠顯(1921~2006) 소장의《양천팔경첩陽
川八景帖》을 그려 남긴다. 한강변 승경 중 양천현아 부근에서 바라다볼 수 있고 당
일 주유舟遊가 가능한 8대 명승지를 선별해서 이를 소재로 집중적으로 사생해 낸
것이다.

《경교명승첩》의 총도摠圖 형식에서 각 부분을 분리 확대하는 방법으로 8경을
뽑아냈다. 이《양천팔경첩》은 겸재 그림을 열광적으로 애호하던 상고당尚古堂 김
광수金光遂(1699~1770)의 특청에 의해 그려졌을 가능성이 크다. 상고당은 사천의
이종당질이라서 사천 소장의《경교명승첩》을 반드시 감상했을 것이고 거기서《양
천팔경첩》의 조성을 계획했을 것이다. 그는 당대 최대 감상안鑑賞眼이자 최대 수
장가收藏家였다.

그래서 이《양천팔경첩》속에는 그 부친이 지은 정자인 행주幸洲 낙건정樂健亭
을 비롯해서 그 이웃의 귀래정歸來亭 그림도 포함돼 있다.《양천팔경첩》의 내용을
열거하면 다음과 같다. 〈양화진楊花津〉^{도판101}, 〈신유봉仙遊峯〉^{도판102}, 〈이수정二水
亭〉^{도판103}, 〈소요정逍遙亭〉^{도판105}, 〈소악루小岳樓〉^{도판106}, 〈귀래정歸來亭〉^{도판107}, 〈낙건
정樂健亭〉^{도판108}, 〈개화사開花寺〉^{도판109} 등이 그것이다.

이 그림들을 좀 더 자세히 살펴보도록 하겠다.

양화진楊花津^{도판101}

선유봉仙遊峯^{도판102}

이수정二水亭^{도판103}

이수정二水亭도판104

소요정逍遙亭도판105

소악루小岳樓도판106

귀래정歸來亭^{도판107}

낙건정樂健亭^{도판108}

개화사開花寺^{도판109}

양화진楊花津^{도판101}

지금 마포구 합정동 145번지 외국인 묘지 부근 절두산 일대의 옛 모습이다. 지금은 절두산切頭山이라 부르지만 그 시절에는 잠두봉蠶頭峯 혹은 용두봉龍頭峯이라 했다. 강가에 절벽을 이루며 솟구쳐 나온 산봉우리가 누에머리나 용머리 같다고 해서 생긴 이름이다.

절두는 머리를 자른다는 뜻이다. 고종 3년(1866) 병인 1월에 대원군이 천주교도들을 이곳에서 가혹하게 처형하면서 절두산이란 이름을 얻었다. 그래서 지금 이 일대가 천주교 성지로 변모돼 있지만 본래는 양화나루가 들어서 있어 서울과 양천 사이에 물길을 이어주던 곳이다.

이곳에 나루가 설치되는 것이 언제부터인지는 분명치 않다. 다만 김포 인천 쪽에서 한양 서울로 들어오자면 이 나루를 건너는 것이 가장 지름길이므로 서울을 한양으로 옮기는 조선 태조 3년(1394) 이후에는 이 나루의 효용성이 매우 커졌으리라 생각된다.

그래서 세종 32년(1450)에 명나라 사신으로 왔던 한림학사 예겸倪謙이 한강에서 뱃놀이 대접을 받던 중 이곳 잠두봉 양화나루에 들러 이런 시를 남겨 놓았다.

> 한강의 묵은 나루 양화라 하네, 좋은 경치 찾아 정자 지으니 곁에는 물가.
> 떠가 닿는 돛단배 아득히 멀고, 기러기 울음소리 모래밭에서 인다.

이 시로 보면 분명히 세종 대에 이미 이 잠두봉 아래에 양화나루가 들어서 있음을 알 수 있다. 그래서 이즈음에 벌써 경치 좋은 이 잠두봉 일대는 태종의 제7왕자인 온녕군溫寧君 정裎(1397~1453)이 차지하고 있었던 모양이다. 예겸이 올라가 쉬었던 정자도 온녕군 집 정자였을 것이다.

이런 사실은 온녕군의 손자인 무풍정茂豊正 이총李摠(?~1504)이 이곳 잠두봉 아래에 별장을 짓고 은거했다거나 스스로 서호주인西湖主人, 또는 구로주인鷗鷺主人이라 일컬으며 고기잡이배를 손수 젓고 다녔다는 등의 기록에서 확인할 수 있다.

이총은 점필재佔畢齋 김종직金宗直(1431~1492)의 문인으로 김일손金馹孫(1464~

양화진楊花津^{도판101}

1743년 계해癸亥경, 견본담채絹本淡彩, 24.7×33.3cm,《양천팔경첩陽川八景帖》, 김충현金忠顯 소장.

1498)과 친분이 두터웠으므로 연산군 무오사화(1498)에 거제도로 귀양 가 있다가 연산군 12년(1506) 6월 5일에 단천역端川驛 벽서壁書◆ 사건의 주범으로 몰려 처형된 청류사림의 거두였다. 그로 말미암아 그의 부친과 형제 5인도 6월 24일에 동시 처형됐다.

◆벽서壁書 벽보

이해 9월에 중종반정이 일어나 연산군이 폐위됐으니 이들의 죽음은 결코 헛된 것이 아니었다. 그래서 중종반정 후에는 이들 부자에게 작위가 추증되는 은전이 베풀어졌다. 당연히 몰수된 재산도 되돌려져서 조선 말기까지 이 양화나루 별장은 이총 후손이 소유하고 있었던 모양이다. 고종 때 편찬된 『동국여지비고東國輿地備攷』에 무풍정 별서別墅◆가 양화나루에 있다고 한 사실에서 이를 확인할 수 있다.

◆별서別墅 별장

이 그림에서 잠두봉 아래에 큰 규모로 지어진 기와집이 그 무풍정 별서라고 생각된다. 겸재는 아마 무풍정의 은거 생활 장면을 떠올렸던 듯하다. 그래서 홀로 낚싯배를 저어 나가 잠두봉 아래에서 낚싯대를 담근 선비 하나를 그려 놓았다.

지금은 이 부근으로 양화대교와 당산철교가 지나고 있어 밤낮으로 소란스럽기 그지없으니 무풍정이 다시 온다 해도 이곳에 은거하지 않을 것이다.

선유봉仙遊峯 도판102

지금 영등포구 양화동 양화선착장 일대의 267년 전 모습이다. 이곳에는 선유봉仙遊峯이라는 매혹적인 산이 있었다. 신선이 와서 놀다간 봉우리라는 뜻을 담은 이름이다. 관악산과 청계산의 서쪽 물과 광교산, 수리산, 소래산의 북쪽 물을 몰고 온 안양천이 산자락을 휘감으며 한강에 합류되는 지점에 붓끝처럼 솟아난 산봉우리였다.

그래서 이 산자락 강변에는 서울로 가는 큰 나루와 안양천을 건너 양천으로 가는 작은 나루가 있었는데 모두 양화楊花나루라 불렀다. 이곳의 지명이 당시에도 양천현 남면南面 양화리였기 때문이다. 지금 이 그림은 안양천 건너 염창리塩倉里 쪽에서 본 시각으로 그려져 있다. 작은 양화나루 쪽 모습을 그린 것이다.

안양천 하구를 건너는 작은 양화나루에는 나룻배 세 척이 준비돼 있었던 모양이다. 두 척은 강가에 매여 있고 한 척이 막 길손들을 염창리 쪽에 내려놓은 듯 말 탄 선비 일행이 모래사장을 가로지르고 있다.

사공이 긴 삿대를 강변 모래펄에 꽂아 나룻배를 물가에 고정시키고 서 있는 것은 아마 이쪽에서 건너갈 길손들을 기다리기 위해서인 듯하다. 한나절이라도 기다릴 태세다. 지금 이곳을 지나는 성산대교 위에서는 물밀 듯이 이어지는 차량행렬이 분초를 다투며 서로 앞서가려 초조해 하지 않는가. 이 손님 기다리는 사공의 여유와 비교할 때 행복의 기준이 어디에 있을지 다시 한 번 생각하게 한다.

선유봉 아래 큰 양화나루 쪽과 작은 양화나루 쪽 모두 큰 마을이 들어서 있었던 모양인데 여기 보이는 것은 작은 양화나루 마을이다. 초가집들은 나루터를 삶의 터전으로 삼고 살아가는 평민들의 집일 것이나 규모가 큰 기와집은 이곳에 은거해 살았다는 연봉蓮峯 이기설李基卨(1558~1622)이 살던 집일 듯하다.

이기설은 임진왜란을 겪으면서 군량을 조달하는 실무를 담당하다 상관의 부정을 목도하고 벼슬을 버린 뒤에 종로구 삼청동 백련봉 아래에 연봉정蓮峯亭을 짓고 은거해 학문연구에만 몰두한 인물이다. 그의 학문은 매우 넓고 깊어서 경전과 역사는 물론 천문·지리·술수·병법에까지 두루 통달했었다.

그는 광해군이 즉위하자(1608) 장차 정치가 어지러워질 것을 짐작하고 전 가족

선유봉仙遊峯 도판102

1743년 계해癸亥경, 견본담채絹本淡彩, 24.7×33.3cm,《양천팔경첩陽川八景帖》, 김충현金忠顯 소장.

을 이끌고 이 선유봉 아래로 이사 왔다. 그리고 광해군이 부호군, 승지 등의 높은 벼슬로 아무리 불러도 나가지 않았다. 광해군 9년(1617)에 폐모론廢母論이 일어나자 이기설은 다시 선유봉 아래 양화리를 떠나 더 멀리 김포로 은거해 버렸다. 그래서 그가 돌아가고 난 다음 해(1623)에 인조반정이 일어나자 그에게는 이조참판직이 추증된다.

이기설은 기묘명현인 이언침李彦忱(1507~1547)의 손자이고 효자로 유명한 영응永膺선생 이지남李至男(1529~1577)의 둘째 아들이었다. 이지남은 하서河西 김인후金麟厚(1510~1560)·이소재履素齋 이중호李仲虎(1512~1554)와 같은 대학자 문하에서 배운 인재로 사대부의 첫째 실천 덕목인 효행을 위해 평생을 바친 인물이다.

이지남 때부터 선유봉 아래에 터 잡아 살았던 듯 『양천읍지』에서는 이지남의 두 아들들인 이기직李基稷(1556~1578)과 이기설 형제의 유적이 선유봉에 있다고 했다. 이기직은 송강松江 정철鄭澈(1536~1593)의 맏사위이기도 했으나 부친상을 당하여 지나치게 슬퍼하다 그 다음 해에 불과 23세로 뒤따라 죽었다.

그 뒤 병자호란에 이기설의 아들 형제와 며느리 하나가 다시 순절하니 이 집에 효자·충신·열녀를 기리는 정려문旌閭門이 8개나 세워져서 '팔홍문八紅門 집' 으로 불렸다고 한다. 그러니 이 기와집은 이기설이 은거해 살던 '팔홍문 집' 으로 보아야겠다. 겸재가 이 그림을 그릴 당시에는 그의 후손들이 아직 살고 있었을 것이다.

큰 양화나루 쪽 한강은 먼 경치로 처리됐는데 돛단배 두 척이 아득히 떠가고 강 건너 멀리로 남산이 솟아 있다. 모래사장에 버들숲이 우거지고 마을 뒤편에도 키 큰 버드나무가 서 있어 버들꽃 피는 양화나루를 실감케 한다.

이수정二水亭^{도판103}, 이수정二水亭^{도판104}

이수정은 강서구 염창동 도당산都堂山 상봉에 있던 정자다. 원래 이곳이 양천현에 속해 있었으므로 『양천군읍지』의 누정조에 이런 기록이 있다. '염창탄 서쪽 깎아지른 절벽 위에는 예전에 효령孝寧대군(1396~1486)의 임정林亭이 있었다. 그 후에 한흥군韓興君 이덕연李德演(1555~1636)과 그 아우 찬성贊成(종1품) 이덕형李德泂(1566~1645)이 늙어서 물러 나와 정자를 고쳐 짓고 이수정이라 했다.鹽倉灘西 削壁上, 古有孝寧大君林亭, 其後韓興君李德演 與弟贊成德泂, 退老改亭二水亭.'

한흥군 이덕연 형제가 벼슬에서 물러나 노년을 보내기 위해 이 이수정을 지었다는 얘기다. 그렇다면 이수정은 이덕연이 70대로 접어드는 인조 3년(1625)경에 지었을 가능성이 크다. 이덕연이 스스로 호를 이수옹二水翁이라 했던 사실로 짐작이 가능하다.

사실 이들 형제는 나이와 상관없이 인조반정(1623)이 성공되자 벼슬에서 물러날 준비를 해야 했다. 인조반정은 율곡학파인 서인이 주도하고 퇴계학파인 남인이 묵시적으로 동조해 성공시킨 혁명이다.

그런데 이들 형제는 광해군 조정에서 벼슬한 소북 계열이다. 특히 이덕형은 반정 당시 도승지로 광해군의 측근 심복이었다. 당연히 제거 대상에 들었으나 담대하게 직분을 다하며 옛 임금의 목숨을 보전해 줄 것을 요구하는 충성심이 돋보여 반정주역들이 포섭해 들인 인물이다. 그러니 이들 형제가 서인 조정에서 벼슬살이하는 것은 살얼음판을 걷는 것과 같았을 것이다. 이에 이수정을 짓고 언제라도 물러날 준비를 해 두었으리라 생각된다.

그런데 이들 형제가 어떻게 효령대군의 임정을 차지해 이를 고쳐 짓고 이수정이라 했을까. 이 문제는 이들 형제의 5대 조모인 비인庇仁 현주縣主 전주이씨가 효령대군의 정실 외동딸이었다는 사실에서 모두 풀리고 만다. 효령대군이 따님 몫으로 이 임정 일대를 나눠 줘서 이덕연 형제의 고조부인 좌의정 이유청李惟淸(1459~1531) 때부터 이 일대가 한산이씨 소유가 돼 왔던 것이다. 이유청은 기묘사화(1519)를 일으켜 그 공으로 한원군韓原君에 피봉된 인물이었다.

이수정이란 이름은 당나라 최고 시인인 이태백李太白(701~762)의 「금릉金陵 봉황

327

대鳳凰臺에 올라서登金陵鳳凰臺」라는 시에서 따온 것이다. 그 시를 옮기면 이렇다.

봉황대 위에 봉황이 놀았다더니, 봉황 가고 대 비자 강물만 절로 흐른다.

오궁吳宮 화초花草는 오솔길에 묻히고, 진대晉代 의관衣冠도 옛 무덤 이루었구나.

삼산三山은 반쯤 푸른 하늘 밖으로 떨어져 나갔고, 이수二水는 백로주白鷺洲가 중

간을 갈라놓았다.

모두 뜬 구름 되어 해를 가리니, 장안도 보이지 않아 사람을 근심케 한다.

鳳凰臺上鳳凰遊, 鳳去臺空江自流. 吳宮花草埋幽徑, 晉代衣冠成古丘.

三山半落青天外, 二水中分白鷺洲. 總為浮雲能蔽日, 長安不見使人愁.

실제 이 이수정에 올라서 보면, 삼각산이 눈앞에 우뚝 솟아 늘 삼산의 상봉을 흰
구름이 감싸서 반쯤은 푸른 하늘 밖으로 떨어져 나간 듯 보이게 하고 난지도 모래
펄이 한강물을 항상 두 쪽으로 갈라놓는다. 그래서 이덕연 형제는 바로 이태백의
봉황대 시를 연상하고 이 정자 이름을 이수정이라 지었을 것이다. 뒷날 죽천竹泉
이덕형李德泂은 이 이수정에서 이런 시를 읊었었다.

늙었다 새 정자 근교에 짓고, 옛 서울 문부文簿 상장上章 모두 버렸네.

시골 백성 근심을 바라다보며, 즐겁게 힘써 일해 성교聖敎 따른다.

베개 밖의 먼 종소리 절은 가깝고, 문 앞의 큰 나무엔 물새가 둥지를 튼다.

물결같이 너른 대지 인가人家 많지만, 아득한 천년 세월 그대로일세.

臨老新亭築近郊, 舊都文簿上章抛. 方看田野憂民事, 却喜勤勞下聖敎.

枕外疎鍾雲闕遐, 門前喬樹水禽巢. 平臨漾地閭閻密, 鳳歷千秋占象爻.

죽천 이덕형은 인조반정(1623)이 일어났을 때 도승지都承旨로 있으면서 반정의
주체가 누구인가를 당당하게 힐문한 다음 선조 왕손인 능양군綾陽君이 거의擧義
한 것을 확인하고 나서야 이에 순응했다. 그러고 나서 인조에게 '원컨대 옛 임금
을 죽이지 마소서願無殺舊君'라고 간청하여 광해군의 생명을 보존케 하고 반정을
의심하는 인목대비를 대의로 설득해 어보御寶를 인조에게 무난히 전수하도록 하

는 대공을 세웠다.

이런 기지와 담력을 겸비한 인물이었으므로, 광해군의 총신이었음에도 불구하고 인조반정 이후에 계속 인조와 반정공신들의 신임을 얻어 벼슬이 우찬성右贊成에 이르게 된다. 나이 80세에 돌아갔으니 벼슬을 내놓고서는 바로 이 이수정에서 유유자적하며 노년을 보냈던 모양이다.

광무光武 3년(1899)에 양천군수 박준우朴準禹가 이 『양천군읍지』를 만들 때 이미 정자는 없어지고 터만 남았다고 했다. 지금은 이수정 자리라고 생각되는 곳에 치성단致誠壇이 있어 도당산都堂山이라고 불리는데, 발밑으로 안양천의 공장 폐수가 악취를 풍기며 검게 흘러들고 뒤돌아보면 인가가 빽빽이 들어차 이수옹과 죽천 형제가 누렸던 풍류의 옛 자취는 찾아볼 길이 없다.

이 그림도판103은 배를 타고 양천에서 양화나루 쪽으로 거슬러 오르며 바라본 시각으로 잡은 장면인 듯, 안양천 하구가 한강으로 흘러들며 만드는 염창탄이 왼쪽 산봉우리들 사이로 이어진다. 높이 솟은 절벽 위로 수림이 우거져 있고, 그 사이에 누각 형태의 기와집이 반쯤 자태를 드러내니 이것이 이수정인가 보다. 강가에서 벼랑 위로 까마득하게 뚫려 있는 외줄기 벼랑길이 일각一閣 대문으로 연결되고 있어서 매우 고절孤絶한 느낌을 자아낸다. 벼랑 아래 골짜기에는 몇몇의 초가집들이 모여 마을을 이루고 있다. 동네 앞으로는 논밭의 표현이 있으니 먹고살 걱정은 없을 듯하다.

◆**부흔준**斧痕皴
도끼 자국과 같은 선.
울퉁불퉁한 절벽을 그리는 데
주로 쓴다.

다른 산봉우리의 표현은 피마준披麻皴을 주로 썼으나 이수정 절벽에는 도끼자국을 연상시키는 부흔준斧痕皴◆을 써서 깎아지른 절벽을 강조했다. 이런 준법은 겸재가 전통의 기반 위에 사생을 통해 창안해 낸 독창적인 기법이라 해야 할 것이다. 이는 결국 피마준과 부벽준의 절충에서 고안한 것이라 할 수 있지만 이런 고안이 전통화법에 대한 확실한 이해와 의식 있는 사생활동을 거치지 않고서는 도저히 이룩되지 않는다는 사실은 그림을 공부한 사람이면 대강 짐작하는 바이다.

여기에 겸재가 진경산수화풍眞景山水畵風을 확립해 가는 과정을 외경과 찬탄으로 바라보지 않을 수 없는 이유가 있는 것이다. 과연 사대부화가로서 선구적인 의식과 창조적인 의욕이 넘쳐 나서 장차 늙는다는 사실조차도 알지 못하고 산 사람인 듯하다.

329

이수정二水亭^{도판103}

간송본, 1741년 신유辛酉경, 견본수묵絹本水墨, 28.8×24.0cm, 간송미술관 소장.

이수정二水亭^{도판104}

1743년 계해癸亥경, 견본담채絹本淡彩, 24.7×33.3cm, 《양천팔경첩陽川八景帖》, 김충현金忠顯 소장.

이수정二水亭 부분
간송본

강변의 바위들은 대부벽준大斧劈皴으로 모나게 처리하고, 강안의 토파土坡◆ 역시 부벽법으로 끊어 냈다. 마을 앞의 늙은 버드나무는 겸재가 즐겨 쓰는 고수류법高垂柳法◆으로 표현하되 원근감을 살리기 위해 오른쪽은 둥치와 가지를 농묵으로 짙게 하고 왼쪽은 담묵을 써서 엷게 나타냈다.

산 위의 잡수雜樹들은 붓끝으로 살짝살짝 찍어 낸 첨두점尖頭點을 써서 나뭇잎을 상징했고 풀들 역시 첨두점으로 처리하는 독특한 기법을 보였다. 길은 붓끝을 일자一字로 눌러 만든 평두점平頭點을 연속적으로 찍어 만들어 내고 있다.

일중一中 김충현金忠顯 소장의《양천팔경첩陽川八景帖》속에도〈이수정二水亭〉도판104이 들어 있다. 이 그림도 양천현아 쪽에서 배를 타고 거슬러 오르며 바라본 시각으로 그려 낸 것이다. 도당산 봉우리들이 강가에 급한 경사를 보이며 솟구쳐 있고 그 봉우리 상봉에서 서로 만나며 만들어 낸 평지에 이수정 건물이 들어서 있다.

◆토파土坡
흙무더기

◆고수류법高垂柳法
가지를 높게 드리우는 버드나무 그림법.
가을 버드나무 그림에 쓴다.

332

한강을 내려다보는 동향집으로 강바람을 막기 위해서인지 담장을 높이 쌓았다. 본채 기와집이 동향으로 축대 위에 높이 지어져 있고 사랑채가 남향으로 그 앞에 길게 놓여 있다. 이수정의 현판은 사랑채 동쪽 누마루에 걸려 있었던 듯하다.

강가 모래톱에서 벼랑 위로 까마득하게 뚫려 있는 외줄기 벼랑길이 일각―閣 대문으로 이어지고 있다. 경사 급한 이 오솔길이 이수정을 더욱 외지고 한적하게 만든다. 등 너머 골짜기에는 초가집들이 옹기종기 모여 마을을 이루었다. 마을 앞에 버들숲이 우거진 것도 강변 마을이 가지는 공통성이다. 강바람을 막는 방풍림 역할도 하고 마을의 노출을 막아 주는 운치 있는 차단막이 되기도 하기 때문이다. 버드나무는 물가에서 잘 자라는 수종이 아닌가.

버드나무 앞에서 떠가는 돛단배를 무심히 바라보고 서 있는 사람이 있다. 긴 낚싯대를 둘러메고 있는 것으로 보아 낚시꾼인가 보다. 길이 나 있는 강가 모래톱 아래에는 돛폭을 내린 배 한 척이 정박해 있는데 그 근처에는 큰 바위들이 물속에서 우뚝우뚝 솟아나 운치를 더해 준다.

이수정 주변으로는 전나무나 느티나무 같은 거목들이 하늘을 찌를 듯이 솟아 있어 효령대군 때부터 3백여 년 동안 가꿔 온 터전임을 실감나게 한다. 지금은 이 부근이 모두 아파트 숲으로 뒤덮여 이런 이수정 풍류의 옛 자취는 흔적 없이 사라지고 말았다. 그림 전체에 검푸른 색을 많이 써서 녹음이 짙푸르게 우거진 한여름의 이수정 풍광임을 강조하고 있다. 돛폭에 바람이 실린 것으로 보아 강바람이 매우 시원할 듯하다.

소요정逍遙亭도판105

고종 28년(1891)에 양천현령 이긍주李兢柱가 편찬한『양천현읍지』의 누정樓亭, 누각과 정자조에 다음과 같은 기록이 있다. '공암리孔岩里에 소요정逍遙亭이 있었으니 심정沈貞(1471~1531)이 차지했던 곳으로 지금도 그 터가 있다孔岩里有逍遙亭, 沈貞所占, 今有其址.'

이보다 8년 뒤인 고종 광무 3년(1899)에 양천군수 박준우朴準禹가 다시 펴낸『양천군읍지』누정조에서는 이렇게 수록하고 있다. '소요정은 진산津山 남쪽 기슭에 있었으니 중종 때 재상 심정이 지었던 것이다逍遙亭在津山南麓, 中宗朝相臣沈貞所建.'

진산은 공암진 산이란 뜻으로 공암진 뒷산인 탑산의 다른 이름이다. 따라서 소요정은 공암리 탑산 남쪽 기슭에 세워졌던 정자인 것을 알 수 있다. 이미 고종 28년에도 터만 남아 있었다 했으니 그 이전 어느 때 이 정자는 허물어졌다고 보아야 한다.

그런데 겸재가 영조 18년(1742)경에 그렸으리라 생각되는 이〈소요정〉에도 정자의 모습은 없다. 이때도 터만 남아 있었기 때문에 정자는 그리지 않았던 모양이다. 이때 정자가 남아 있어서 정자를 그림에 나타내고자 했다면 겸재는 한강 하류인 서북방에서 물길을 거슬러 오르며 바라보는 시각으로 탑산과 광주바위를 그려내지도 않았을 것이다. 한강 상류인 동남쪽에서 탑산 남쪽을 바라보는 시각이거나 적어도 강 가운데서 서쪽으로 소요정을 바라보는 시각을 취했을 것이다.

그런데 소요정이 있었다는 탑산 남쪽은 보이지도 않는 시각으로 탑산과 광주바위를 그려 놓고 있다.〈공암층탑孔岩層塔〉에서는 탑산 기슭 남쪽에 세워진 석탑을 보이게 하려고 시점을 허공에 높이 띄웠었는데, 이〈소요정〉에서는 시점을 수면 위로 낮춰서 허가바위 절벽에 가려 석탑조차 보이지 않게 그려 놓고 있다. 그러니 세 덩어리의 광주바위가 더욱 우람하게 앞을 가로막고 허가바위 절벽은 까마득하게 솟아나서 그 위 탑산 뒷봉우리를 압도한다.

강물은 광주바위 밑을 휘감아 돌면서 물살을 일으키는데 허가바위로 이어지면서 소용돌이가 더욱 거세진다. 후미진 동굴과 맞물려 출렁이는 물결은 그 곁을 지

소요정逍遙亭도판105

1743년 계해癸亥경, 견본담채絹本淡彩, 24.7×33.3cm,《양천팔경첩陽川八景帖》, 김충현金忠顯 소장.

나는 이들로 하여금 섬뜩한 느낌이 들게 하고도 남음이 있겠다.

탑산 남쪽으로 공암벌이 강변 모래밭 형태로 넓게 펼쳐져 있고 그 위에는 버드나무가 숲을 이루며 서 있다. 탑산 북쪽 능선을 따라 전개된 솔숲과 대조를 이루는 표현이다. 먼 산으로는 남산이 표현되고 그 너머로 용마산이 아련히 보인다.

허가바위 근처 강물에는 거룻배 한 척이 떠 있는데 삿갓 쓴 어부 두 명이 낚싯줄을 드리우고 태평하게 앉아 있다. 이 그림은 소요정 일대의 아름다운 풍광을 그리는 데 목적이 있었기 때문에 〈소요정〉이라는 그림제목을 붙이면서도 소요정은 그 터마저 보이지 않게 그려 놓았다.

이 소요정을 지은 장본인인 소요정逍遙亭 심정沈貞(1471~1531)은 중종 때 좌의정까지 지낸 인물이다. 심정의 집안은 그 증조부인 심귀령沈龜齡(1349~1413)이 태종이 등극하는 데 공을 세워 좌명佐命공신이 된 이래 그에 이르기까지 4대가 공신으로 군림한 대표적인 훈구공신가문이었다. 그래서 많은 기득권을 가지고 있었으니 양천 공암진 일대와 개화산 일대가 모두 그 집안의 소유였던 것 같다.

그래서 훈구세력을 억제하려는 정암靜庵 조광조趙光祖(1482~1519) 일파의 신진사림세력들은 항상 그를 훈구세력의 표적으로 삼아 공격했다. 심정은 중종반정(1506)에 참여해 정국靖國공신 3등으로 화천군花川君에 봉해져서 이조판서, 형조판서 등 요직을 거치지만 그때마다 조광조 일파는 간사하고 탐욕스러우며 혼탁하고 권세를 부리며 제멋대로 한다는 트집을 잡아 탄핵해서 쫓아냈다. 이에 심정은 중종 12년(1517)경에 이 공암진 탑산 남쪽에 소요정을 짓고 물러 나와 울분을 달래며 지내게 된다.

그러나 심정은 장자莊子의 『남화경南華經』 소요유逍遙遊에서 말한 것처럼 마음을 비우고 소요자적逍遙自適하지 못하고 신진사림을 일망타진할 기책奇策◆을 강구하여 중종 14년(1519) 11월 15일 기묘사화己卯士禍를 일으킨다. 이로써 심정은 청류淸流의 죄인이 되고 끝내 이런 음모가 드러나 중종 25년(1530)에 평안도 강서江西로 귀양 갔다가 그 다음 해(1531) 사사賜死되고 만다.

이렇게 역사의 죄인이 된 심정의 정자가 사회의 보호를 받았을 리 없다. 그래서 심정 사사 이후에 곧 허물어지고 말았던 듯하다. 그 터는 지금 가양동 우체국 뒤편 가양취수장 부근 탑산 남쪽 기슭 중턱에 해당한다.

◆**기책**奇策
기묘한 계책

소악루小岳樓^{도판106}

소악루는 지금 강서구 가양동 4번지의 성산 동쪽 기슭에 있던 누각이다. 이는 전라도 동복同福현감을 지낸 소와笑窩 이유李渘(1675~1753)가 영조 13년(1737)에 그의 집 뒷동산 남쪽 기슭에 지은 것이다. 한강의 강폭이 넓어져 서호西湖 또는 동정호洞庭湖로 불리던 드넓은 강물을 동쪽으로 내려다보는 위치에 세워졌으므로 소악루라는 이름을 얻게 되었다.

소악루는 소악양루小岳陽樓의 준말이니 작은 악양루란 뜻이다. 본디 악양루는 중국 호남성湖南省 상강도湘江道 악양현岳陽縣의 현성縣城 서문西門의 문루門樓 이름이었다. 이곳에 올라서면 동정호洞庭湖가 정면으로 바라다보여 경치가 빼어나게 아름다웠다.

◆**중서령**中書令 재상

그래서 벌써 당 현종 개원開元 4년(716)에 뒷날 중서령中書令◆을 지내는 장열張說이라는 이가 이곳 현령을 지내면서 이 지방 재사才士들로 하여금 악양루에 올라가 시를 지어 재주를 다투게 하니 이때부터 이곳은 천하의 명승지로 이름을 떨치게 됐다. 시성詩聖으로 떠받드는 두보杜甫(712~770)도 「악양루에 올라서登岳陽樓」라는 유명한 시를 남겨 놓고 있다. 그 시는 이렇다.

예전에 동정호 물들었었으나, 이제야 악양루에 올랐구나.

오나라 초나라는 동쪽과 남쪽으로 터져 있고, 하늘과 땅은 밤낮으로 떠 있다.

벗들에게 한 자 소식도 없으니, 늙고 병든 몸 외롭게 배 안에 있네.

◆**융마**戎馬 군마, 군대

융마戎馬◆가 관산關山◆ 북쪽에 있다 함에, 난간에 기대어 흐느껴 운다.

昔聞洞庭水, 今上岳陽樓. 吳楚東南坼, 乾坤日夜浮.

◆**관산**關山 관문이 있는 산, 국경을 이루는 산, 또는 고향 산

親朋無一字, 老病有孤舟. 戎馬關山北, 憑軒涕泗流.

이에 그 증조부인 천지天池 이명운李溟運(1583~?) 때부터 이곳 성산 동쪽 기슭을 차지해 살아온 이유는 그의 집 뒤 산기슭에 악양루와 똑같은 정자를 지어 천하제일 명승지를 만들고자 했다. 이유는 정종定宗의 제4왕자인 선성군宣城君 이무생李茂生의 9대 손인데 그의 5대 조부인 대구부사 이준도李遵道(1532~1584)가 율곡栗谷

이이李珥(1536~1584)와 뜻을 같이하는 절친한 벗이었다. 그래서 이준도의 손자이자 이유의 증조부인 이명운은 광해군이 모후인 인목대비仁穆大妃 연안延安김씨를 폐위하려 하자(1613) 홍문관 교리 벼슬을 버리고 이곳 양천현 현내면 고양리 한강 기슭으로 물러 나와 살게 되었다.

그러니 그의 집안은 율곡계의 조선성리학통을 대대로 계승하고 있는 왕손 사대부 가문이라 생활 안목이 상당히 높을 수밖에 없었다. 뿐만 아니라『전주이씨선성군파보全州李氏宣城君派譜』에 의하면 이유 자신도 진경시대에 진경문화를 이끌던 율곡학파의 중진들인 남당南塘 한원진韓元震(1682~1751), 병계屛溪 윤봉구尹鳳九(1691~1757), 사천槎川 이병연李秉淵(1671~1751)과 친분이 두터웠다 한다.

이는 병계 윤봉구의 사촌형이 포암圃菴 윤봉조尹鳳朝(1680~1761)인데 포암의 향저가 공암 부근에 있어 소와와 친분이 깊었기 때문에 그 인연으로 맺어진 관계였다. 이런 사실을「소악루에서 함께 짓다小岳樓共賦」(『포암집圃菴集』권1)이나「운을 이어 이봉사 유가 양천으로부터 찾아옴을 감사하며次韻李奉事浟自陽川過訪」,「양천에서 돌아오는 길에陽川歸路」(이상『포암집』권4)와 같은 시에서 확인할 수 있다.

그래서 이 그림에서 보이는 것과 같은 주거환경을 꾸며 놓고 이들을 자주 초청하여 시와 술과 거문고와 노래로 함께 즐겼던 모양이다. 성산 동변의 북쪽 끝자락에 해당하는 한강가에 높다랗게 자리 잡은 기와집 안채는 한강을 내려다보게 동향을 했고 또 한 채의 기와집인 사랑채는 남향으로 지어져 있다.

그리고 그 기와집 아래로는 섶울타리를 둘러 별채의 성격을 분명히 한 초가집들이 군데군데 지어져 있다. 딸린 식구들이 사는 협호夾戶일 것이다. 집 주변은 온통 큰 나무 숲으로 둘러싸여 있는데 집 뒤 뒷동산에는 소나무와 잡수림이 우거지고 집 앞 강가에는 버드나무숲이 장관이다. 북쪽 산자락이 강가로 밀고 나와 집터를 명당으로 만들어 주고 있는 북산 기슭에는 소나무 숲이 우거져 북풍을 막아 주게 했다.

협호 아래의 낮은 지대에는 연못을 크게 파고 연꽃을 심었는데 못 가운데에 섬이 있고 섬 위에는 사모정 형태의 초정草亭이 지어져 있다. 사모정 둘레로는 버드나무를 비롯한 각종 꽃나무가 심어져 있고 연못 좌우에도 몇 그루의 키 큰 버드나무가 있어 이 연못의 연륜을 짐작케 한다. 이유의 증조부 때부터 터전을 가꿔 왔다

소악루小岳樓^{도판106}

1743년 계해癸亥경, 견본담채絹本淡彩, 24.7×33.3cm,《양천팔경첩陽川八景帖》, 김충현金忠顯 소장.

면 근 100년 세월을 꾸며 온 집터일 터이니 나무들이 이만큼 높이 자랄 수 있을 것이다.

연못 남쪽 곁으로 버드나무숲에 가려 섶울타리와 사랑채 한 끝만 보이는 큰 규모의 집이 또 한 채 보인다. 아마 살림 난 자손이 사는 별채일 듯하다. 소악루는 바로 그 별채 뒷동산 기슭의 높은 언덕 위에 지어져 있다. 본채로 봐서는 남쪽 산기슭에 해당한다. 이로 보면 버드나무숲에 가려진 연못가의 별채가 소와 이유의 집이었을 듯하다. 본채는 그의 맏형인 양수재養守齋 이강李漮(1670~1734)이 살던 종가집이었을 것이다.

소악루 남쪽으로 초가집들이 보이고 그 너머로 홍살문이 높이 솟아 있어 그곳이 양천 현아임을 짐작케 한다. 홍살문 뒤로 기와집 한 채가 우뚝 솟아나 있으니 아마 가장 동쪽 높은 곳에 있었다던 객사客舍인 파릉관巴陵館 건물일 듯하다. 연못 아래 강가에는 두 척의 돛단배가 돛폭을 내린 채 정박해 있고 한 척의 거룻배는 갓 쓰고 도포 입은 선비 넷을 태운 채 마을로 들어오고 있다. 풍류를 즐기기 위해 소악루를 찾아오는 일군의 선비들인 모양이다.

이 소악루는 1842년에 편찬된 『양천현지』에서 벌써 터만 남아 있다 해서 겸재가 이 그림을 그린 지 100년 미만에 이미 허물어진 사실을 알 수 있다. 서울시는 겸재의 진경산수화인 이 〈소악루〉와 〈소악후월〉이 1993년 세상에 알려지자 이 그림을 토대로 소악루 복원을 계획하여 1994년 6월 25일에 이를 준공했다. 위치는 가양동 8번지의 성산 상봉 부근으로 옮겨 잡았다.

귀래정歸來亭도판107

귀래정은 죽소竹所 김광욱金光煜(1580~1656)이 행주 덕양산 기슭 행호 강변에 세운 정자다. 김광욱은 청음淸陰 김상헌金尙憲(1570~1652)의 당질堂姪◆로 형조참판을 지낸 인물이다. 그는 광해군 5년(1613)에 계축옥사로 폐모론이 일어나자 이를 반대하다가 모친상을 핑계 삼아 병조정랑의 벼슬을 버리고 행주로 물러 나와 10년간 은거해 살았다.

인조 원년(1623) 계해에 인조반정이 성공하자 다시 벼슬에 나오게 되는데 벼슬을 살면서도 늘 기회만 닿으면 행주로 돌아와 살겠다는 생각을 버리지 않았다. 이에 옛날 물러나 살던 집을 고치고 그 정자에 귀래정이란 현판을 달았다. 동진東晉 시대 대표적인 은거시인 도연명陶淵明(365~427)의 귀거래사歸去來辭에서 따온 이름이다.

우연하게도 이 귀래정이 있는 마을 이름이 율리栗里였는데 도연명이 돌아가 살던 동네 이름도 율리였다. 이런 우연이 죽소로 하여금 귀래정을 짓게 하는 동인動因으로 작용했던 듯하다. 그 내용은 김광욱의 증손자인 동포東圃 김시민金時敏(1681~1747)이 지은 「춘유귀래정기春遊歸來亭記」◆에서 자세히 밝히고 있다. 그 일부를 옮기면 다음과 같다.

◆**당질**堂姪
오촌 조카

◆**춘유귀래정기**春遊歸來亭記
봄에 귀래정에서 놀던 기록

국문國門(도성 문)을 나서서 서쪽으로 30리에 정자가 있어 날아갈 듯이 강에 임해 있으니 이것이 우리 증조부 죽소竹所선생께서 지으시고 귀래정이라 이름하신 것이다. 정자를 귀래로 이름 지은 것은 어째서인가. 마을 이름이 율리인데 선생의 만년 나고 듦이 도정절과 서로 부합되는 까닭일 뿐이었다.

대개 정자의 빼어남은 이렇다. 등 뒤로 수풀 우거진 산기슭을 두르고 강과 산을 맞바라다보는데 차지한 땅은 평온하여 안계眼界가 드넓으나 오류五柳◆와 삼경三逕◆이 그윽하게 가려 놓았다.

세월이 오래돼서 꾸밈은 거의 다 사라졌으나 매학당梅鶴堂과 관란정觀瀾亭은 지형에 따라 남아 있어서 각각 그 기이함을 멋대로 드러내니 사계절 아침저녁 풍경이 무궁하다. 세상의 강정江亭◆에서 경치 좋기로 이름난 것으로 우리 정자와 비

◆**오류**五柳
다섯 그루의 버드나무.
도연명이 율리栗里에 은거하면서
집 앞에 오류를 심었다 한다.
그래서 오류선생이라는
별호를 가지게 되었다.

◆**삼경**三逕
은사隱士의 집으로 오르는 세 길.
한나라 은사 장후蔣詡의
집 뜰에는 집으로 오르는
좁은 길이 셋 있었다.

◆**강정**江亭
강가에 세운 정자

341

교한다면 마땅히 다 아랫바람에 들어야 하리라.

出國門, 而西三十里, 有亭翼然臨江, 是我曾王考 竹所先生所築, 而名曰歸來亭者也. 亭
以歸來名 何也. 村之名栗里, 而先生之晩年出處, 與陶靖節相符故爾. 盖亭之勝, 皆環林
麓, 面對江山, 占地平穩, 眼界寬闊, 五柳三逕, 翳然其幽. 歲月浸久, 粧點殆盡, 梅鶴之
堂, 觀瀾之亭, 隨地形而在, 各擅其奇, 四時朝暮, 風景無窮. 世之江亭, 以形勝 名者, 比諸
吾亭, 皆當在下風焉.

겸재가 이 그림을 그릴 당시인 1742년경에는 동포東圃가 이 귀래정의 주인이 되어 서울집을 오가며 살고 있었다. 김시민은 겸재와 인왕산 밑 한동네에서 사는 동네 친구로 농암農巖 김창협金昌協(1651~1708)과 삼연三淵 김창흡金昌翕(1653~1722) 문하에서 함께 동문수학한 사이였다.

뿐만 아니라 김시민은 사천槎川 이병연李秉淵(1671~1751)과 함께 월사月沙 이정구李廷龜(1564~1635)의 외현손이라서 사천과는 서로 8촌형제에 해당하는 인척간이었다. 그러니 겸재와 사천은 어려서부터 김시민과 함께 이 귀래정을 무시로 출입했을 것이다.

어디 그뿐이랴! 낙건정樂健亭 주인 김동필金東弼(1678~1737)은 사천의 이종사촌 아우면서 김시민과도 8촌형제간이었다. 장밀헌藏密軒 송인명宋寅明(1689~1746)까지도 이정구의 외현손이었다. 당연히 송인명은 이병연, 김동필, 김시민과 서로 8촌형제에 해당했다. 겸재와 사천이 행주의 3대 별장인 귀래정과 장밀헌, 낙건정을 제집 별장처럼 드나들 수 있었던 이유가 여기에 있었다. 그래서 겸재와 사천은 진경산수화와 진경시로 이를 기회 닿는 대로 사생해 냈으니 이 〈귀래정〉도 그런 겸재 그림 중의 하나다.

행주산성이 있는 덕양산이 병풍처럼 둘러친 강변 산자락에 큰 규모의 기와집이 지어져 있다. 행랑채, 바깥사랑채, 안사랑채, 안채로 꾸며진 호사스런 대갓집 규모다. 본채 오른쪽 뒤로는 별당이 하나 있고 왼쪽 쪽문 밖으로는 누각형의 정자가 우뚝 솟아 있다. 이것이 귀래정인가 보다. 그 앞에 소나무와 전나무가 쌍으로 서 있고 집 뒤편은 온통 잡목숲으로 뒤덮여 있다.

덕양산은 솔숲으로 가득 찼으며 강변으로 이어지는 앞마당 가에는 오류五柳를

귀래정歸來亭 ^{도판107}
1743년 계해癸亥경, 견본담채絹本淡彩, 24.7×33.3cm,《양천팔경첩陽川八景帖》, 김충현金忠顯 소장.

상징하듯 버드나무가 줄지어 서서 숲을 이루었다. 단촐한 기와집 한 채가 마을을 가려 주는 오른쪽 앞산 기슭에 따로 지어져 있다. 이것이 김시민의 양자인 강재強齋 김면행金勉行(1702~1772)과 그의 생가형인 김현행金顯行(1700~1753)형제가 기거했다는 연체당聯棣堂은 아닌지 모르겠다.

그들의 조부인 지명당知命堂 김성대金成大(1651~1710)와 부친인 김시서金時叙(1681~1724) 부자가 양대에 걸쳐 지었다는 유사정流沙亭 현판도 혹시 이곳에 걸려 있었던 것은 아닌지 모르겠다. 솔숲에 둘러싸인 그 집 아래 강가에는 이 집 전용인 듯한 거룻배 한 척이 매어져 있다. 으리으리한 이 대갓집에 어디서 무엇을 실어다 놓고 나가는지 쌍 돛단배 한 척이 돛폭에 골바람을 받으며 강으로 미끄러져 나가고 있다. 작은 거룻배 한 척까지 달고 가는 것을 보면 그 규모가 어지간한 듯하다.

귀래정 앞에 서 있는 전나무는 기세 좋게 벋어 올라가서 마치 청소년의 기상을 보는 듯하고 소나무는 세월의 무게 때문인지 힘겨운 듯 허리가 휘어져서 백발노인을 만난 듯하다. 마당가에 나무 몇 그루를 심어도 그 기세의 조화까지 배려했던 것이 이 당시 사대부들의 문화의식이었던 것을 이를 통해 확인할 수 있다.

낙건정樂健亭 도판108

낙건정은 현재 행주대교가 지나는 고양시 덕양구 행주외동 덕양산 끝자락 절벽 위에 있던 정자다. 6조판서를 역임한 낙건정 김동필金東弼(1678~1737)이 벼슬에서 물러나 건강하게 즐기며 살기 위해 지은 집이다.

김동필은 삼연三淵 김창흡金昌翕(1653~1722)의 문인으로 노론과 소론으로 갈릴 때 비록 소론이 됐지만 스승 및 벗들과의 관계 때문에 항상 노론적 성향을 잃지 않았던 인물이다. 그래서 소론의 공격으로 신임사화辛壬士禍가 일어나 노론 4대신들이 처형되고 왕세제王世弟로 있던 영조가 환관 박상검朴尚儉과 문유도文有道의 모함으로 위기에 몰렸을 때 과감히 나서서 이들 환관들을 탄핵해 영조를 위기에서 구해 내기도 했다.

이때 그의 벼슬은 세제 시강원 보덕輔德이었다. 그러니 당시 정권을 장악하고 있던 강경파 소론들의 눈 밖에 나서 벼슬자리에서 물러날 각오를 해야 했다. 이에 김동필은 경종 1년(1721) 신축에 이 낙건정을 행호 강변에 짓는다.

낙건정이란 이름은 송나라 때 대학자인 육일거사六一居士 구양수歐陽修(1007~1072)의 「사영시思穎詩」◆에서 따온 것이라 한다. 「몸이 건강해야 비로소 즐겁게 되니, 늙고 병들어 부축하기를 기다리지 말라及身强健始爲樂, 莫待衰病須扶携」는 것이 그 본래의 시구다. 즉 젊고 건강할 때 은거해 삶을 즐기라는 뜻이다. 구양수가 이 시를 지은 때가 44세였는데 마침 김동필이 낙건정을 지을 때도 44세였다.

◆**사영시**思穎詩
은거를 생각하는 시

이런 내용들은 김동필의 동문친구인 서당西堂 이덕수李德壽(1673~1744)가 영조 2년(1726)년 3월에 지은 「낙건정기樂健亭記」에 자세히 밝혀져 있다. 그 일부를 옮겨 보면 다음과 같다.

◆**구양자**歐陽子
구양수歐陽修의 존칭

행호 물가에 정자 지은 것이 뱃사람들 집의 물가 절벽에 붙여 지은 듯한데 낙건정이 가장 빼어났다. 낙건의 뜻은 빼어남에서 취하지 않고 구양자歐陽子◆의 시에서 취했으니 정자의 빼어남은 눈이 있는 사람이면 모두 볼 수 있어서이다. (그러나) 주인이 뜻을 두고 있는 바는 이름 하지 않으면 나타나지 않는다. 이런 까닭으로 빼어남에서 취하지 않고 구양자의 시에서 취했다.

　　주인이 누구인가. 내 벗 김자직金子直(김동필의 자字)이다. 자직은 이렇게 말하고 있다. 구양자는 사영시가 있는데 그 끝 구절에 이르기를 '몸이 건강해야 비로소 즐겁게 되니, 늙고 병들어 부축하기를 기다리지 말라' 고 했다. 대체 이때에 구양자의 나이는 44세였다.

　　내가 이 정자로 돌아옴에 그 나이가 마침 구양자와 같았다. 구양자가 시에서 보인 것은 내가 몸으로 실천한 것만 못함이 있으니, 이것이 내가 내 몸이 건강하여 옛사람이 아직 이루지 못했던 것을 이룰 수 있음을 즐거워하는 까닭이다. 다행히 자네가 글로 써 줄 수 있으리라.

瀕幸湖, 而亭者, 類蝭房之附于碕岸, 而樂健爲最勝. 樂健之義, 不取諸勝, 而取諸歐陽子之詩, 亭之勝, 有目者, 皆得之矣. 主人之志之所存, 則非名不見. 此所以不取諸勝, 而取諸歐陽子之詩也. 主人爲誰. 余友金子直也. 子直之言曰, 歐陽子有思穎詩, 其落句云, 及身强健始爲樂, 莫待衰病須扶携. 盖於是時, 歐陽子之年, 四十有四矣. 余之歸斯亭, 其年與歐陽子同. 歐陽子之見之於詩者, 有不若余踐之於身, 此吾所以樂及吾身之健, 而得成古人之所未成者也. 幸子有以文之.

李德壽,『西堂私載』卷四

　　그런데 겸재 정선과 사천 이병연도 이들과 동문이었다. 더구나 이병연은 김동필의 이종사촌형이었다. 그러니 겸재와 사천이 김동필의 초청으로 이 낙건정에 드나들었을 것은 자명한 이치다. 그래서 겸재는 1740년에 양천현령으로 부임해 가서 이 낙건정이 있는 행주 일대를 익숙한 솜씨로 자주 화폭에 올리게 된다. 이때는 이미 낙건정 주인 김동필이 세상을 뜬 지 3년이 지난 뒤였다.

　　그러나 김동필의 둘째 자제인 상고당尙古堂 김광수金光遂(1699~1770)가 40대 장년으로 이곳을 지키고 있었다. 그는 서화골동 수집과 감식의 제1인자로 겸재 그림을 지극히 애호하던 사람이었다. 따라서 그의 높은 안목이 낙건정을 더욱 운치 있게 꾸며 나갔을 것이다. 이 그림에서 그 격조 높은 생활환경을 확인할 수 있다.

　　행호 강변에 절벽을 이루며 솟구친 덕양산 줄기 끝자락 상봉 가까이에 큰 기와집 두 채가 있다. 이것이 낙건정의 살림집과 정자인가 보다. 산자락 끝 편에 위치한 별채 기와집이 낙건정이라 생각된다. 여기서는 한강의 상류와 하류 쪽이 모두

낙건정 樂健亭^{도판108}

1743년 계해癸亥경, 견본담채絹本淡彩, 24.7×33.3cm,《양천팔경첩陽川八景帖》, 김충현金忠顯 소장.

한눈에 잡히겠다.

집 뒤로는 네모진 담장이 널찍하게 쳐져 있고 그 뒤로는 잡목숲과 솔숲이 자욱하게 우거져 있다. 집 앞의 절벽 비탈에도 수풀이 우거져 있는데 강변으로는 버드나무숲이 장관이다. 절벽 아래 버들숲 속의 초가집은 낙건정에 딸린 협호일 것이고 절벽 너머 즐비한 집들은 강변 마을 집들이리라.

멀리 한강 하구인 조강祖江으로 돛단배들이 무수히 떠가고 있어 드넓은 바다로 이어지는 느낌이 강하다. 그러나 절벽 아래 강가에는 주인 없는 배 한 척이 돛폭을 내린 채 대어져 있고 강변에서 낙건정으로 오르는 길만 두 갈래로 훤히 뚫려 있다. 고요하고 한적한 낙건정의 분위기가 그대로 실감난다. 지금은 이곳을 행주대교가 지나고 있어 이런 운치는 간 곳 없이 사라지고 말았다.

개화사開花寺^{도판109}

일중 김충현 소장의 《양천팔경첩》에도 〈개화사〉가 들어 있다. 간송미술관 소장의 《경교명승첩》 속의 〈개화사〉^{도판75}와 거의 같은 구도인데 조금 시점을 근접시켜 개화사가 주룡산의 중심에 들도록 그리면서 청록의 채색을 입힌 것이 다르다. 간송본이 한강 하류인 동북쪽에서 시점을 허공에 띄워 바라본 것이라면 일중본은 거의 개화사 정면 동쪽에서 시점을 허공에 띄워 바라본 모습이다.

이때는 불사가 조금 더 진행됐던 듯 간송본에서 ㄴ자 평면이던 요사채가 ㄷ자 평면으로 변해 있다. 푸르름을 더해 주기 위해 산등성이마다 솔숲을 첨가해 놓고 있는 것이 간송본과 또 다른 차이점인데 아마 계절의 차이를 드러내려는 의도적인 표현일 듯하다. 채색과 수묵을 쓴 것 자체가 계절을 의식한 표현방식이었다고 보아야 하겠다.

이해 1월 6일부터 영조는 돈의 부족 현상을 해소하기 위해 동銅의 채굴을 계획하여 황해도 수안遂安 언진산彦眞山으로 최천약 등을 보내 채동을 독려한다.(『승정원일기』 940책, 941책 참조) 그리고 5월 2일에는 창경궁 대루각待漏閣을 보수하게 하고 7월 23일에는 보루각報漏閣을 보수하게 하며, 7월 26일에는 흠경각欽敬閣의 선기옥형璇璣玉衡의 차오差誤를 바로잡게 하는 등 각종 기기개수器機改修에 관심을 보인다.

이 과정에서 최천약崔天若의 공로가 더욱 빛나서 9월 21일에는 최천약을 전라도 흥양興陽 사도진蛇渡鎭 첨사로 임명한다.(『승정원일기』 944책, 946책, 951책 참조) 8월 7일에 영조는 『악학궤범樂學軌範』의 서문을 친제親製할 정도로 학문과 예술의 진흥에 힘을 기울이고 있다.

다음 해인 영조 19년(1743) 계해癸亥는 겸재가 68세, 영조가 50세 되는 해였다. 영조는 지천명知天命의 단계에 접어들면서 다시 한 번 자신의 치적을 자성自省하고 미황지사未遑之事를 매듭지으려는 의지를 보인다. 우선 4년 동안이나 강교江郊에 물러나 있으면서 영부사領府事, 판부사判府事 등 중추부中樞府의 중임重任을 맡겼으나 계속 사양하면서 사실상 세도世道를 좌우하고 있는 노론 영수 지수재知守齋 유척기兪拓基(47세)를 6월 16일 조정으로 불러들인다.

개화사開花寺^{도판75}

1741년 신유辛酉, 지본수묵紙本水墨, 24.8×31.0cm,《경교명승첩京郊名勝帖》하, 간송미술관 소장.

개화사開花寺^{도판109}

1743년 계해癸亥경, 건본담채絹本淡彩, 24.7×33.3cm,《양천팔경첩陽川八景帖》, 김충현金忠顯 소장.

그리고 노론 탕평당의 대표인 원경하를 7월 1일 이조참판으로 특제하여 인사권을 맡기고 9월 29일부터 왕세자빈의 초간택을 시작, 11월 13일에 삼간택을 거쳐 정명공주貞明公主의 현손인 세마洗馬 홍봉한洪鳳漢(1713~1778)의 장녀로 세자빈을 결정한다. 세자빈 풍산홍씨(1735~1815)는 세자 선愃(1735~1762)과 동갑인 9세였다. 다음 해인 영조 20년(1744) 갑자甲子 1월 11일에 가례를 치른다.

그 다음 1월 19일에는 원종의 사친인 인빈仁嬪 김씨와 자신의 사친인 숙빈 최씨의 친가親家 삼대를 정승으로 추증하여 외가의 가격家格을 상승시킨다. 그리고 3월 7일에는 숙빈 최씨의 묘호廟號를 육상毓祥이라 하고 묘호墓號를 소령원昭寧園이라 추상한다. 즉위 이래 늘 실행하고 싶었던 일이었으나 여러 가지 사정으로 가슴속에만 품고 있으면서 아직 결행하지 못했던 일을 이제야 이루어 낸 것이다.

뒤이어 8월 4일에는 서소문西小門인 소덕문昭德門의 문루門樓를 해 세우고 8월 6일에는 동소문인 혜화문惠化門의 문루를 해 세운다. 8월 27일에는 예치禮治의 기준서인 『국조오례의國朝五禮儀』를 현실적으로 보완한 『속오례의續五禮儀』를 완성하며 11월 28일에는 치국治國의 기본 법전인 『경국대전經國大典』을 시류에 맞게 보완한 『속대전續大典』의 완성을 본다. 조선성리학 이념으로 다스려 나가는 조선중화시대朝鮮中華時代를 이끌어 갈 새 예전禮典과 법전法典을 마련한 셈이다.

이해에도 예외 없이 2월 2일에 십탄十灘 이우신李雨臣(1670~1744)이 77세로 돌아가고 2월 21일에는 창애蒼崖 홍경보洪景輔(1692~1744)가 타계한다. 모두 겸재 그림을 높이 평가하여 아끼던 인물들이었다. 5월 28일에는 삼연문하의 동문사우로 겸재 그림에 적지 않은 제발을 남긴 서당西堂 이덕수李德壽(1673~1744)도 72세로 서거한다.

그런데 겸재 그림의 광적 애호가 중 하나인 양관대제학兩館大提學 뇌연雷淵 남유용南有容(1698~1773)이 십탄十灘이 소장한 도연명陶淵明「귀거래사歸去來辭」를 화제로 한 겸재 그림 소병풍小屛風 두 폭에 다음과 같은 시제詩題로 제화시 2수首를 남기고 있다.

십탄十灘 어른의 소병小屛에 도연명의「귀거래사」를 그렸는데 정원백鄭元伯이 그린 바이다. 완계사浣溪沙◆조調로 그 두 벌을 짓는다.

◆**완계사**浣溪沙
당唐나라시대의 교방곡敎坊曲 이름

十灘丈小屏, 畵淵明歸去來辭, 鄭元伯所作也. 以浣溪沙調, 爲賦其二疊.

아침안개 푸르러 초목이 아련하니, 시내 남쪽 좁은 길 분명치 않다.

어느 마을 노인이 또 홀로 가나, 시상촌柴桑村 가려는데 어느 곳인가.

다리 가에 말 세우고 앞길 물으니, 머리 돌려 멀리 가리키자 골구름 인다.

오른쪽은 '길 가는 사람에게 앞길을 묻다' 를 기술했다.

宿霧蒼蒼草樹平, 溪南細路未分明.

何村老子亦孤征, 欲徃柴桑何處是.

橋邊立馬問前程, 回頭遙指峽雲生. 右述問征夫以前路.

물새 놀라 날고 웃음소리 시끄런데, 종들은 나 맞으려 산자락에 이르렀다.

다시 보니 어린 아들 사립문서 기다리고, 미끄러지는 조각배 봄물이 넓기만 하다.

산뽕나무 옛 그대로 산촌을 둘렀으니, 풍진風塵 세월 10년 만에 전원田園으로 돌아왔네. 오른쪽은 '어린 아들이 문에서 기다리다' 를 기술했다.

水鳥驚飛笑語喧, 僕夫迎我至山樊.

更看幼子候衡門, 客裔扁舟春水闊.

衣衣桑拓繞山村, 風塵十載返田遠. 右述稚子候門.

南有容, 『雷淵集』卷八 十灘丈小屏, 畵淵明歸去來辭, 鄭元伯所作也. 以浣溪沙調, 爲賦其二疊.

이 어름에 겸재는 〈동작진銅雀津〉을 그려 낸다. 자세히 살펴보도록 하겠다.

지금 동작대교가 놓여 있는 동작 나루를 서울 쪽에서 보고 그린 그림이다. 멀리 관악산 우면산이 원경으로 처리되고 현재 국립묘지가 들어서 있는 강 건너 동작 마을 일대가 그림의 중심을 이루고 있다. 그 앞으로 여러 척의 나룻배들이 여기저기 정박해 있고 배 한 척은 힘차게 삿대질하며 강 이쪽으로 건너오고 있다. 그런 한강 물과 백사장이 근경을 이룬다.

지금 지하철 굴길이 뚫려 있는 동작봉 제일 높은 봉우리 밑으로는 이때도 과천 가는 큰 길이 나 있었던 것을 알 수 있는데 강변 쪽으로 작은 산언덕 하나가 봉싯 솟아나서 운치를 더해 준다. 그 위에 해묵은 노송들이 울창하게 숲을 이루고 있음에서랴!

지나온 경치를 못 잊는 듯 시선을 뒤에 준 과객 하나가 아이가 끄는 당나귀에 올라타고 내려오는데 이쪽 강변 백사장에는 말 타고 앞뒤로 구종을 거느린 선비 행차가 머물러 서서 사공을 소리쳐 부르고 있다.

당시는 승방천僧房川이라 부르던 반포천盤浦川이 한강으로 흘러드는 이수교梨水橋 일대는 저지대라 그런지 버드나무숲이 가득 우거져 있고 흑석동 쪽 강변 마을 역시 버들숲으로 가득 가려져 있다. 버드나무가 많기로는 동작리 마을 역시 마찬가지다. 그래서 "노들강변 봄버들" 이란 노랫말이 생겼었던가 보다. 이때 이 동작리는 거의 서울 세가들 별장으로 가득 차 있었던 듯 번듯번듯한 기와집들이 즐비하게 들어차 있다.

동작봉 산 중턱에까지도 큰 기와집을 짓고 있는 것을 보면 오히려 지금보다 이 일대는 더 개발되고 있지 않았나 하는 생각이 든다. 물론 이때의 개발은 자연경관을 훼손하지 않고 그와 조화시키는 일을 했으므로 오히려 집이 들어서면 더 그림 같아졌을 뿐이다.

그래서 겸재 만년기晚年期의 역제자易弟子로 순조대왕의 외백조外伯祖가 된 근재近齋 박윤원朴胤源(1734~1799)도 이런 시를 남겨 놓는다.

성곽 나서자 티끌 같은 세상일 없고, 강물 빛 비 맞아 다시 새롭다.

동작진銅雀津 도판110

1744년 갑자甲子경, 견본담채絹本淡彩, 32.6×21.8cm, 개인 소장.

배에 앉으니 산은 저절로 오가고, 물에 나앉자 백로와 서로 친한다.

물 위에 정자 많으나, 누각엔 주인이 적다.

누가 능히 내게 빌려 줘 살게 하려나, 꽃과 대나무에 경륜經綸을 붙여 보겠네.

出郭無塵事, 江光雨更新. 坐船山自動, 臨水鷺相親.

湖上多亭子, 樓中少主人. 誰能借我住, 花竹寄經綸.

朴胤源, 『近齋集』卷一, 過銅津

강변 나루터 풍경을 인상적으로 살려 내기 위해 화면 전체를 물빛으로 우려내서 담담한 쪽빛이 화면 전체를 지배하니 청신淸新한 느낌이 한결 고조된다. 저 마을 뒷산이 바로 왕기王氣 서린 명당으로 선조대왕의 조모인 창빈昌嬪 안씨安氏의 산소가 있는 곳이다.

겸재가 6세 나던 해인 숙종 7년(1681)에 예조판서 신정申晸(1628~1687)이 왕명을 받들어 지은 「창빈안씨신도비명병서昌嬪安氏神道碑銘幷序」에서 이렇게 기록하고 있다.

창빈 안씨는 본관이 안산安山이며 적순부위迪順副尉 안탄대安坦大의 따님으로 중종 2년(1507) 7세로 입궁入宮하는데 중종 모후인 정현대비貞顯大妃 파평윤씨의 사랑을 받아 서사書史를 익히게 되고 중종 13년(1518) 20세 때는 후궁으로 뽑힌다. 이어 중종 24년에 숙원淑媛이 되고 35년(1540)에는 숙용淑容으로 지위가 오르며 그 사이 2왕자 1옹주를 두게 된다.

중종이 승하한 뒤 얼마 안 된 명종 4년(1549)에 사가私家에 나갔다가 홀연히 앓지 않고 돌아가니 나이는 51세였다. 처음에는 양주읍 서쪽 장흥리長興里에 장사 지냈는데 택조宅兆가 불길不吉하다 하여 뒤에 과천果川 동작리銅雀里로 이장해 왔다.

이런 내용인데 이장한 것이 언제인지는 알 수 없으나 어떻든 선조의 생부인 덕흥대원군德興大院君은 명종 14년(1559)에 30세로 요절하고 그 8년 뒤인 명종 22년(1567)에 선조는 16세의 어린 나이로 명종에게 입승대통入承大統해 보위에 오르게 되며 14왕자 11왕녀를 두는 자식복을 누려 그 후손들이 나라가 망할 때까지 왕통을 이어 간다.

그렇다면 선조 이후의 모든 조선 왕들은 창빈 안씨의 혈통을 이은 분들이라 하지 않을 수 없다. 과연 이곳 동작동의 창빈묘昌嬪墓는 건원릉 못지않은 명당이란 소리가 나올 만하다. 다행히 그곳이 지금 국립묘지가 되어 국가유공자들이 안장될 수 있는 곳이 됐으니 안심이다.

창빈묘가 이런 명당을 차지할 수 있었던 것은 결코 우연한 일이 아니었다. 그만큼 창빈 일가가 적덕을 쌓았기 때문이다. 효종 부마 동평위東平尉 정재륜鄭載崙 (1648~1723)이 쓴『동평공사문견록東平公私聞見錄』에는 이런 얘기가 실려 있다.

창빈의 친정아버지 안탄대安坦大는 창빈이 왕자를 낳자 미천한 신분으로 왕자의 외조부라는 이름을 듣기가 송구하다 해 두문불출하고 혹시 이웃과의 사소한 시비라도 있으면 무조건 어린아이에게라도 사과하는 겸손으로 일관했었다 한다.

그는 90여 세를 살아 선조가 등극한 이후에도 오랫동안 생존해 있었는데 일체 벼슬을 사양하고 혹시 선조가 선물이라도 보내면 과분한 것은 한사코 받지 않았다 한다.

만년에 선조가 담비 가죽옷을 해 드리고 싶으나 과분하다고 받지 않을 듯하여 먼저 사람을 시켜 주상主上이 담비 가죽옷을 해 드리려고 만들고 있다고 전했더니 안탄대는 천민이 담비 가죽옷을 입는 것도 죽을죄고 왕이 보낸 옷을 안 입는 것도 죽을죄니 죽기는 매일반이라 분수나 지키다 죽으련다며 받지 않겠다고 전했다 한다.

이렇게 분수를 철저히 지킨 현명한 분들이었으니 어찌 왕손을 둘 만한 명당을 얻지 못하겠는가. 덕을 쌓지 않고는 욕심낸다고 얻어지는 것이 아니다.

겸재는 이곳 동작진 일대가 이렇게 유서 깊은 곳이라는 사실을 알았기 때문에 바로 그 동작리를 화면의 중심으로 삼아 그 일대를 실감나게 사생해 놓았던 것이다.

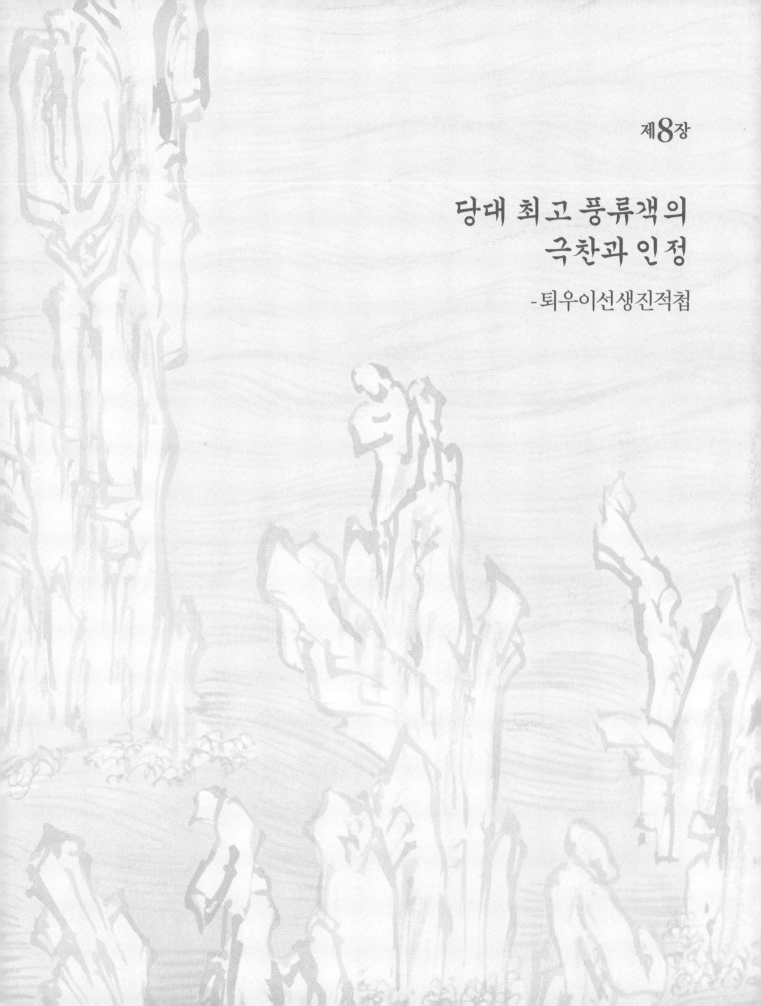

제8장

당대 최고 풍류객의
극찬과 인정

-퇴우이선생진적첩

27

옥소玉所 예찬禮讚

그런데 지난해(1743)부터 겸재의 진경산수화에 몰입하기 시작한 옥소玉所 권섭權燮(1671~1759)삽도75이 겸재의 진경산수화에 심취하여 시문으로 그 진가를 끝없이 예찬한다. 지난해의 「원백에게 영동 십승의 그림을 빌다丐元伯嶺東十勝之畵」라는 시에서 이렇게 읊었었다.

> 큰 바다 좋아하는 성벽이라 넓고 넓구나, 꿈속의 넋이 몇 개의 누대樓臺를 길게 둘렀나.
> 자네는 능히 한가한 때 그림 그려 줄 수 있으니, 앉고 누울 때 위해 내 창 사이에 걸어 주게나.
> 性癖滄溟浩浩哉, 夢魂長繞幾樓臺. 君能乞與閑時筆, 掛我窓間坐臥時.
> 權燮, 『玉所稿』卷一

이해에는 겸재 그림에 더 많은 제사와 시평 및 찬사를 달고 있다.
「정원백鄭元伯 해악도海嶽圖에 제함題鄭元伯海嶽圖」을 옮기면 다음과 같다.

> 유리가 매끄럽고 푸르니, 누대는 옥색 눈빛이다.
> 맑고 밝은 가람은, 어째서 하나만 왔나.
> 겸재옹의 풍채와 금도는, 넓고 넓은 남기嵐氣이어라.
> 琉璃滑碧, 樓臺玉雪. 晴明伽藍, 何來一箇. 謙翁風襟, 浩浩烟嵐.
> 權燮, 『玉所稿』卷一

翁趣百

翁自述李元泰書

老而有是非無官御史之臺諤然無營為
有髮頤施之寺一室伊吾真似于章向窩
儒半生跌宕或起其風流男子畢竟水石
烔霞之氣是為王所山人雲椽居士

真歲四十六

巉應會為我寫照人日非甫也別是某
村之某也戲書為贊

小面美髯子真是郎退之與戴其誰其邪
是一莊周即百東坡

권섭權燮 **초상**肖像^{삽도75}

진응회秦應會, 1734년 경인庚寅, 견본채색絹本彩色, 26.0×36.4cm, 안동권씨종중 소장.

「겸재謙齋의 도원도桃源圖를 평評함謙齋桃源圖評」은 이렇다.

산 입구에 배꼬리가 나오지 않은 것이 한스럽고, 숲 사이 지붕모서리 붙이지 않은 것이 흠이다.

山口恨未出船尾, 林間欠不着屋角.

權燮, 『玉所稿』卷八

또 겸재 스승 노가재 김창업의 손자인 여호驪湖 김양행金亮行(1715~1779)이 겸재 그림 11폭과 관아재 그림 14폭을 얻고 사천의 각폭 제화시를 얻어 시화첩詩畵帖을 꾸미고 3대三大 청취淸趣를 합장한 시화첩이란 의미로 《삼청첩三淸帖》이라 이름 붙인 다음 옥소에게도 그 제화시를 부탁한다. 그러자 74세의 옥소는 「김양행金亮行 자정子靜의 삼청첩三淸帖에 제題함題金亮行子靜三淸帖」이라는 글을 지어 이에 응한다. 옮기면 다음과 같다.

시를 한다면 백춘伯春(김원행金元行, 1702~1772, 양행의 사촌형)에게 웃음거리가 되고, 그림 좋아한다면 종보宗甫(조영석趙榮祏, 1686~1761)에게 놀림감이 된다. 지을 줄 모르는 시로 알지 못하는 그림에 제를 한다면 되겠는가. 그림은 일원一源(이병연李秉淵, 1671~1751)의 시로 가득 차 있는데 일원은 10년 동안 벼루를 함께 썼으나 그 시를 두려워한다. 못난 손으로 그 방자하고 오만한 한 붓을 막아 내는 것이 또한 가능하겠는가. 김군의 청을 불응함은 이로해서다. 옥소산인이 쓴다.

북쪽동네의 맑은 경치로 일원의 시와 정겸재, 조관아재의 그림을 얻었는데 곧 《사청첩四淸帖》이라 하지 않았으니 어째서인가. 김군은 시화로 소문난 집안인데 이 시화첩이 있게 되었으니 또 마땅히 《오청첩五淸帖》이라 해야 마땅하다 하겠다. 또 쓴다.

爲詩爲伯春笑, 喜畵爲宗甫漫. 以不能之詩, 題不知之畵, 可乎. 畵有一源詩盈帖, 一源十年同硏, 而畏其詩. 以劣手抗肆傲之筆, 又可乎. 金君之請, 不應之爲是. 玉所山人書.

以北里之淸, 得一源詩鄭趙畵, 則不曰四淸帖, 何也. 金君 是詩畵閥閱而有是帖, 又宜曰五淸帖. 又書.

363

權燮,『玉所稿』卷八

이제 겨우 30세가 된 김양행은 수암 권상하의 증손서라서 옥소에게는 종손녀사위에 해당하는 일가였다. 그래서 이런 제사를 정겹게 써 줄 수가 있었던 것이다. 뿐만 아니라 옥소는 그 외조부인 좌의정 이세백李世白(1635~1703)이 농암 김창협 형제들과 내외종 사촌간이라서 벌써 10세 때부터 외숙인 도곡陶谷 이의현李宜顯 (1669~1745)을 따라 농암과 삼연 문하에 나가 배우기 시작했다.

그가 평생 진경시의 대가로 자부한 것도 이런 연유 때문이었다. 미호 김원행은 농암 김창협의 손자니 김양행의 6촌형에 해당하는데 몹시 근엄하여 시정표출도 경박하다고 시 짓는 일조차 삼갔다 한다. 그래서 옥소는 미호를 끌어다 그 지나침에 일침을 가했던 모양이다.

뒤이어《삼청첩》25폭에 각 폭마다 제사를 붙였는데 겸재 그림 11폭 중 제1폭〈저자도楮子島〉에는 그 그림에서 자신의 선조인 화천군花川君 권함權瑊 (1423~1487)의 별당을 확인하며 백화봉百花峯이나 무동도舞童島는 왜 안 그렸냐고 지적한다. 제2폭〈삼전도三田渡〉에서는

내게 천균 무게의 몽둥이 있으니, 나룻머리 비갈을 깨뜨리고저.

다시 한강의 파도에 거꾸러뜨리고, 겸재 그림을 만 번 빨아내리라.

我有千鈞椎, 欲碎津頭碣. 後傾江漢波, 萬濯元伯筆.

라는 사천의 시구를 인용하고 나서 이렇게 평어를 달았다.

〈삼전도〉에 비갈(청태종기공비)을 그리는 것은 원백의 필법인데 사천이 만 번 빨

아낸다 했으니 원백이 이를 두고 깨부수고자 하는 뜻을 모르는가 보다. 〈삼전도〉

에서 비갈을 빼낸다면 어찌 삼전도라 하겠나.

라고 하여 겸재가 삼전도비를 그리는 뜻이 무엇인지 알아야 한다고 지적했다. 제7폭〈공려무인空廬無人〉에서는

그림은 좋으나 시가 좋지 않으니 일원은 여기서 원백에게 한 머리를 양보해야 하겠다.

畫好而詩不好, 一源於是讓元伯一頭

제11폭〈남전藍田〉에서는

남전이 이 그림 같은지 이 그림이 남전 같은지 모르겠다. 우리집 능강이 이 그림 같으나 혹간 이보다 나을 듯하다. 일원과 원백과 더불어 함께 마주앉아 이를 얘기하지 못하는 것이 한스럽다.

　산수도 역시 사람을 타고 오르려는 마음이 있는가 보니 나와 일원이 다같이 원백의 무심만 못한 것은 아닐까.

不知藍田似此畫耶, 此畫似藍田耶. 吾家之凌江, 似此畫而或勝之, 恨不與一源 元伯, 一
對坐談之. 然山水亦有欲上人之心, 無乃吾與一源, 共不如元伯之無心.

權燮, 『玉所稿』卷八

라고 겸재를 추켜세운다. 뒤이어 당세 국중 제일 예능인 16명을 열거하며 찬사를 붙인 「십육찬十六贊」에서도 겸재를 제일 첫째로 꼽아 극찬을 아끼지 않고 있다. 그 서문과 정겸재 산수 부분을 옮겨 보겠다.

내가 당세에서 나라 안 인재를 구해 보니 사대부에서 8인을 얻고 여항에서 8인을 얻었다. 이를 마음으로 심히 기이하게 여겨 각각 써서 소찬을 삼는다.

　정겸재鄭謙齋 산수山水. 정겸재는 자가 원백元伯, 이름이 선歚인데 여러 현을 거쳐 현재 양천陽川을 맡고 있다. 사람됨이 성실하고 순박하며 문필 또한 기뻐할 만하여 나와 매우 친하다. 그림재주가 짝이 없어 동시에 정강중鄭剛仲(유승維升, 1660~1738), 조원장趙元章(원형元亨, ?~1741, 거상주居尙州에서 살던 초화草花 그림의 명인名人)이 있으나 모두 바람이 이 아래에 있다. 홍금성洪金城 득구得龜(1653~1703)와 이인의李引儀 인상麟祥(1710~1760)도 또한 조금 뒤진다.

　조관아재趙觀我齋 종보宗甫(조영석趙榮祏, 1686~1761) 및 윤두서尹斗緖(1668~

1715)가 서로 오르내리는데 만약 당세 1인을 꼽으라면 곧 손가락이 먼저 겸재에게 굽는다. 겸재의 신들린 곳을 어찌 당할 수 있겠는가. 종이와 비단이 흥건히 젖으면 귀신이 울고 용이 외치니 몇 사람이 들끓는지 손 거둘 줄 모른다.

余求國中人才於當世, 士夫得八人, 閭巷得八人. 心甚奇之, 各書爲小贊. 鄭謙齋山水. 鄭謙齋字元伯名歚, 歷數縣, 而見莅陽川. 爲人愿淳, 文筆亦可喜, 與我友善. 畵才絶倫, 同時有鄭剛中, 趙元章, 而皆風斯下矣. 洪金城 得龜, 李引儀 麟祥, 亦少遜. 獨趙觀我齋 宗父 及尹斗緖, 相上下, 而若數當世一人, 則指先屈於謙齋. 謙齋入神處何可當. 賤絅淋 漓, 鬼泣龍吼, 幾人沄沄, 不知袖手.

權燮, 『玉所稿』卷八, 十六贊

이 어름에 옥소는 그림재주를 타고난 17세의 서손자 권신응權信應(1728~1787)을 겸재에게 보내 그림을 배우게 한다. 옥소는 수암遂菴 권상하權尙夏(1641~1721)의 둘째 아우인 연잠淵潛 권상명權尙明(1652~1684)의 장자로 좌의정 이세백李世白(1635~1703)의 따님인 모친 용인이씨(1652~1712)의 외가인 삼청동 정창징鄭昌徵(1615~1664)댁에서 태어났다. 그런데 정창징의 외아들이 인평위寅平尉 정제현鄭齊賢(1642~1662)이었으므로 인평위의 누님이었던 외조모 정씨를 따라 어린 시절 자주 인평위궁을 드나들며 자랐다.

이 인평위궁은 뒷날 영조의 잠저가 되는 창의궁彰義宮이었으니 이런 인연으로 옥소는 10세에 부근에 있던 낙송루洛誦樓에 입학하여 농암과 삼연 문하의 제자가 되었다. 따라서 겸재와는 10대 초반부터 동문사우로 친교를 맺었을 것이다. 그래서 겸재와는 매우 친하다고 「십육찬」에서 스스로 밝히고 있다. 그러나 옥소는 수암의 조카로 젊은 시절부터 백부의 대변자가 되어 사림의 우대를 일신에 모으고 은일隱逸을 자처하며 명승유람名勝遊覽을 일상사日常事로 하여 진경시眞景詩의 대가로 군림했으니 5년 후배인 겸재가 안중에 있었을 리 없다.

그래서 자신의 진경시에 강력한 경쟁자라고 생각하고 있던 사천이 겸재를 지극히 사랑하는 것을 오히려 의아하게 생각했었다. 그러나 70세가 넘어 각력脚力이 쇠퇴하고 인심도 변하여 명승지 유람이 여의치 않게 되자 겸재 진경산수화의 진가를 깨닫기 시작하고 겸재에게 다가가려 노력했던 것 같다. 위의 글들은 그런 정황을 나타내 주는 것이라 할 수 있다.

한편 영조는 8월 19일에 대탕평의 주역인 원경하를 도승지로 삼아 대탕평의 정치기반을 확고히 한다. 그런데 공교롭게도 10월 13일에 승정원에 불이 나서 보관 중이던 역대『승정원일기承政院日記』가 거의 불타고 말았다. 그래서 실화失火가 아니라 방화放火라는 유언비어가 돌기까지 했다.

그사이 1월 11일 왕세자 가례嘉禮(『승정원일기』 967책 참조)와 7월 17일 명릉明陵과 후릉厚陵 개수(『승정원일기』 975책 참조) 및 11월 4일 전정악기殿庭樂器 조성(『승정원일기』 979책 참조)에서 최천약의 조각기능은 더욱 빛나 겸재일파와 함께 진경문화를 절정으로 끌어올리고 있었다. 이에 영조는 진경문화의 선도자인 사천 이병연을 예우하기 위해 부호군(9월 20일, 10월 20일), 첨지僉知(9월 28일) 등의 벼슬을 연이어 내린다.

현재玄齋 심사정沈師正(1707~1769)은 이해 여름 상고당尙古堂 김광수金光遂(1699~1770)의 사랑인 와룡암臥龍菴을 찾아가〈와룡암소집도臥龍菴小集圖〉를 그려 석농石農 김광국金光國(1727~1797)에게 기증하는데, 7월 모친 하동정씨河東鄭氏(1678~1744)가 67세로 돌아간다. 상고당과 석농은 당대 제일의 감식안이자 수장가들인데 상고당은 이조판서 김동필金東弼(1678~1734)의 자제였고, 석농은 4대 내의원정內醫院正 집안 장손이었다.

그런데 겸재는 뜻밖에 이해 갑자 4월 25일에 경기감사 유엄柳儼(1692~1752)의 장계로 군량미軍餉 수거 실적이 끝에서 둘째라 하여 영문결장營門決杖, 즉 감영문監營門에서 곤장을 맞는 형벌을 당한다.

그 대목을『승정원일기』에서 이렇게 기록해 놓고 있다.

(영의정) 김재로가 아뢰기를, '이는 경기감사 유엄柳儼의 장계입니다.……군량미는 곧 교동喬洞부사 구수훈具樹勳이 꼴찌가 되고 양천현감 정선鄭敾이 그 다음입니다.……그 다음인 양천현감 정선을 의례대로 영문결장營門決杖하심이 어떻겠습니까?' 상감이 이르기를 '아뢴 대로 하라.'

在魯曰 此乃京畿監司柳儼狀啓也.……軍餉則喬桐府使具樹勳爲居末, 陽川縣監鄭敾爲之次……之次 陽川縣監鄭敾, 依例營門決杖……何如. 上曰依爲之.

『承政院日記』971册

사천은 15년 전인 영조 5년(1729)에 59세로 의금부까지 잡혀 와 이런 곤욕을 치렀는데 겸재는 70 당년에 만기를 1년 남겨 놓고 이런 수모를 겪게 되었던 것이다.

더구나 감사 유엄은 금창부위錦昌副尉 박태정朴泰定(1640~1688)의 맏외손자로 겸재의 절친한 벗들인 순암順菴 이병성李秉成(1675~1735)과 김치겸金致謙(1677~1747)의 이질姨姪이었다. 자신의 조카와 같은 경기감사에게 뜻밖의 모욕을 당하자 겸재는 사직의 뜻을 밝히고 영조로서도 어쩔 수 없어 다음 해인 영조 21년(1745) 을축乙丑 1월 28일에 나이 70이면 지방수령직을 맡을 수 없다는 규정을 들어 사직을 허락한다.(『승정원일기』 982책 참조)

이해 3월 28일에는 도승지가 된 노론탕평당 수장 원경하와 소론탕평당 수장 좌의정 송인명이 서로 남계南溪 박세채朴世采(1631~1695) 연원이라 해서 탕평蕩平을 가학家學이라고 어전에서 주장할 만큼 노소탕평당 세력이 백중을 다투게 되는데 원경하에 대한 국왕의 권우가 극진하여 8월 9일에 대사헌, 9월 24일에 우참찬으로 계속 특차시키는 이수異數의 은전恩典을 베푸니 점차 노론탕평당의 세력이 우세해 가기 시작한다. 이런 정국의 변화는 오히려 백악사단에 유리한 것이었으므로 겸재가 비록 양천현령 자리에서 물러나기는 했지만 겸재에게 어떤 영향도 미치지 않았다.

조용히 인곡정사仁谷精舍에 돌아와 이미 안의安義 현감자리에서 만기를 채우고(1743) 먼저 관아재觀我齋로 돌아와 있던 관아재 조영석(60세)과 이제 75세의 극노인이 되어 생으로 묻혀 있는 것 같다고 활매암活埋庵의 옥호屋號를 붙여 놓고 있던 사천 등 몇몇 남은 옛 친구들과 아침저녁으로 만나며 그림으로 소일하게 되니 겸재가 평생 처음이자 마지막으로 초상화를 그리는 것도 이즈음의 일이었다. 평생 지기인 사천의 초상화를 그린 것이다. 여기에 관아재는 이런 화상찬畵像贊을 붙이었다.

말총 당건唐巾 학창의鶴氅衣로, 비바람 추위와 더위에도 여기에 앉았구나.
승려나 도사라 해도 오히려 같지 않고, 범상한 늙은이는 단연 아닐세.

생각나는 바 있으면 시 한 수 짓네.

馬尾唐巾鶴氅衣, 風雨寒署坐於斯. 謂釋道士猶不類, 謂凡老翁斷然非.

若有所思題一詩.

趙榮祐,『觀我齋稿』卷三, 鄭元伯畫槎川像贊

또 사천의 서재인 〈노촉재老燭齋〉도 그렸던 모양으로 관아재가 다시 「겸재가 그린 사천의 노촉재도에 찬함謙齋寫槎川老燭齋圖贊」이라는 글을 남긴다.

돌이 있어 진 듯하니 북악의 바위요.

집이 있어 넓고 깊으니 활매암活埋庵이다.

파초 심어 숲 이루니, 녹색 눈 뜰에 반쯤 차.

법서法書 고서古畵는, 더불어 그늘 만든다.

그 가운데 한 노인 있어, 창에 기대앉았다.

누구와 벗하는가, 바람과 달과 나.

하는 일 무엇인가, 바람에 응수하고 달에 대답하는 것.

오늘도 내일도, 그 일은 그치지 않네.

젊어서는 방외方外에 노닐지 않고, 늙어서도 숨지 않는다.

그 시 만 수萬首라서 위남渭南◆의 짝이 되겠네.

有石如負 北岳之巖. 有屋寬深, 活埋之庵.

種蕉成林, 綠雲半庭. 法書古畵, 與之陰冥.

中有一老, 倚窓而坐. 誰與爲友, 風月與我.

所事維何, 酬風答月. 今日來日, 有事不輟.

少非方外, 老非隱淪. 其詩萬首, 渭南之倫.

趙榮祐,『觀我齋稿』卷三, 謙齋寫 槎川老燭齋圖贊

◆ **위남**渭南
북송北宋 대시인 방옹放翁
육유陸游의 별호.
만년晚年에 위남백渭南伯에
봉해졌기 때문에 붙은 이름이다.
『위남문집渭南文集』50권이 있다.

겸재가 초상화와 서재도를 그리고 관아재가 이에 찬을 붙였다는 것은 당시로서도 더할 수 없는 영광이었다. 진경문화를 주도해 간 백악사단의 영수에 대한 예우이었을 것이다. 진경문화가 절정에 이르렀던 시기의 가화성사佳話盛事이기도

하다.

이에 영조도 그 정황을 짐작하고 겸재에게 희망과 위로를 전하려는 듯 4월 14일에 이병연을 돈녕부 도정都正(정3품 당상)에 제수하고, 5월 17일에 부호군副護軍(종4품)으로 옮겼다가 7월 14일에는 장예원掌隷院 판결사判決事(정3품 당상)로 승진시키는 등 파격인사를 단행한다.

사천이 끝내 실직을 사양하자 할 수 없이 조정에서는 사천을 부호군의 명예직에 머물게 하는데 이날 인사발령에 진경시대 사생조각의 최고봉인 천재조각가 최천약崔天若이 평안도 선사포宣沙浦 첨사僉使(종3품)에 제수된다.

이해 75세의 옥소는 「악해첩발嶽海帖跋」을 짓는데 관동팔경을 비롯해서 금강산 일대를 그의 서손자 권신응에게 사생해 오게 해서 겸재에게 보내 겸재 솜씨로 이모하게 했던 모양이다. 그것이 무려 21폭이었다 한다. 그 일부만 옮기면 다음과 같다.

관동팔경關東八景은 이미 이름을 우리나라에서 치달리고 금강金剛이라는 한 산은 또한 중국에까지 명색을 떨친다. 옥소산옹玉所山翁은 남쪽으로부터 북쪽까지 천여 리를 수건 한 장과 두 눈만으로 매양 옮겨 다니며 마음대로 보았으며 한 돛이나 두 돛단배가 열 번이나 떠서 일렁이었다. 그 만이천봉과 다섯 골짜기는 짚신 한 켤레와 지팡이 하나로 다섯 번이나 찾아 높이 이르기를 팔십을 바라보는 나이에도 그칠 줄 몰랐다.

……지금은 일신이 피곤하고 두 다리가 연약하니 아아! 다시 손잡고 가기는 어렵겠구나. 어린 손자에게 직접 시켜서 그 비슷한 모습을 초벌 그리도록 하고 겸재謙齋 정원백鄭元伯의 명필법을 얻어 이를 이모하게 하니 진짜와 가깝기가 그림 같아 이 눈으로는 정녕 구분이 안 된다. 한 화첩으로 꾸며 항상 책상머리를 떠나지 않게 하고 한가하여 생각나면 앉거나 눕거나 펼쳐 보니 낮밤으로 내 몸이 맑고 찬 바다에 있는 듯하다.……또 5폭도 아니고 7폭도 아니며 모두 21폭이다.

關東八景, 已馳名於左國, 金剛一山, 亦動色於中原. 玉所山翁, 從南終北千餘里, 一巾雙眸, 每徙倚而縱觀, 一帆雙棹, 十泛浮而蕩漾. 其萬二千峰 五洞壑, 雙鞋一笻, 五幽尋而高陟, 望八年, 而不知止.……今一身瘦 兩脚軟, 嗚呼難復去手携, 面命於阿小孫, 草成

其彷彿形似, 而得謙齋鄭元伯名手筆, 而移模之, 則逼眞如畵, 誠不分於斯眼. 作爲一帖,

常不離於案頭, 閑居思至, 坐臥披閱, 日夕吾身 在澄冷蒼茫之界.……又非五, 而非七, 共

二十一幅.

權燮, 『玉所稿』卷四, 嶽海帖跋

또 「악해첩에 제함又題嶽海帖」에서는《악해첩》21폭이 그려지는 과정을 밝히고
있다. 옮겨 보겠다.

겸재가 나를 위해 동해 10도圖를 그린 것이 있는데 내 아우가 이를 보고 명화名畵
가 병중에서도 일으켜 살려 놓는다 하고 나를 위해 평어를 폭마다 좇아 써 놓았다.
뒤에 다시 5도圖가 있었고 다시 금강 6도圖가 있는데 곧 평어의 글씨가 한 솜씨가
아니다. 그러니 내가 매양 한 번 펼칠 때마다 내 마음이 또한 어떻겠는가. 다만 이
런 좋고 좋은 물건도 도리어 슬픈 일이 되기도 하는구나.

謙齋爲我有東海十景, 我弟見之曰, 名畵病中起生. 逐書爲我評語. 後復有五圖, 復有金
剛六圖, 則評語之寫. 非一乎. 而我也, 每一披來, 我心亦如何. 只此好好物事, 反成悲事.

權燮, 『玉所稿』卷四, 又題嶽海帖

여기서 옥소가 아우라고 한 사람은 대사간을 지낸 청은清隱 권영權瑩(1678~
1745)이다. 위 글을 통해서도 겸재 그림의 애호자인 것을 알 수 있는데 겸재보다 2
세 연하로 겸재와 우의가 깊었던 듯 그 형에게 전해질 그림이 모두 그에게 전달되
고 있다. 권영도 겸재 그림의 수장이 적지 않았던 듯 임종에 당해서 그 중〈옹천甕
遷〉삽도76과〈반구盤龜〉삽도77 2폭을 기증하도록 유언을 남기고 돌아간다. 그 사실은
「아우의 시찰화첩詩札畵帖에 제함題弟詩札畵帖」에서 확인할 수 있다. 옮겨 보겠다.

이는 내 아우 청은옹清隱翁이 죽을병이 든 가운데 갑자(1744) 섣달 13일 이불을 둘
러쓰고 앉아 초 잡아 쓴 석별의 시다. 이는 을축(1745) 정월 22일에 내 애타는 걱정
을 위로해 풀려는 편지다.〈옹천〉,〈반구〉두 그림은 겸재의 명수필名手筆을 얻어
서 같이 좋아한다고 내게 나누어 준 것인데 또한 정월 28일의 일이다.……을축 아

옹천甕遷 삽도76
정선鄭敾, 1740년 경신庚申경, 건본담채絹本淡彩,
18.0×31.8cm,《공회첩孔懷帖》, 안동권씨종중 소장.

반구盤龜 삽도77
정선鄭敾, 1740년 경신庚申경, 건본담채絹本淡彩,
18.0×31.8cm,《공회첩孔懷帖》, 안동권씨종중 소장.

무달 아무날 죽지 못한 형 옥소옹이 쓴다.

此我弟淸隱翁, 死病中, 甲子臘月十三日, 擁衾起坐, 草寫惜別之詩也. 此乙丑正月

二十三日, 慰紓我焦憂之書也. 甕遷 盤龜二畵, 得謙齋名手筆, 謂同好而分我者, 亦正月

二十八日事也.……乙丑某月日, 未死兄 玉所翁書.

權燮,『玉所稿』卷八, 題弟詩札畵帖

또「반구도에 제함題盤龜圖」에서는 이렇게 쓰고 있다.

이것이 최씨崔氏집 정자인가. 이것이 내 아우가 제한 바의 청몽루淸夢樓인가. 그 바위와 시내의 빼어남은 또한 내가 예전에 노닐었었다. 어떻게 원백元伯의 이를 모사함은 그 진면목을 분별할 수 없게 하는가. 그 윗머리 시 한 수는 또 내 아우가 스스로 짓고 손수 쓴 것이다. 병중에 내게 보냈으니 내가 같이 좋아함을 알아서이다. 이를 위해 족자로 만들어 곁에 걸어 놓고 매양 나는 눈물을 줄줄 흘린다.

此崔家之亭耶. 此是我弟所題淸夢樓耶. 其岩川之勝, 亦我昔年婆娑. 何元伯之模寫此, 不辨其眞面目. 其上頭一律, 又是我弟自述而手題者. 病中寄我, 知我之同好也. 爲之簇而張之傍, 每我淚之漣漣.

權燮, 『玉所稿』卷八, 題盤龜圖

겸재 71세 때인 영조 22년(1746) 병인丙寅은 겸재와 사천 주변에 애경사哀慶事가 겹치는 해였다. 1월 20일에 사천의 부인 임천조씨林川趙氏(1675~1746)가 돌아갔고(李槎川秉淵夫人哀辭, 조현명趙顯命, 『귀록집歸鹿集』권19), 2월 14일에는 관아재觀我齋 조영석趙榮祏(1686~1761)이 회갑을 맞았다. 모두 겸재 이웃으로 가장 절친한 사이였으니 겸재가 이들의 애경사에 슬픔과 기쁨을 함께 나눴을 것이다.

사실 이해는 나라에도 일이 많았다. 대왕대비 인원仁元왕후가 60세 되는 해라서 1월 1일에 이를 경축하기 위해 70세 이상의 벼슬한 신하와 80세 이상의 일반 백성 및 왕의 증손부와 외손부로 살아 있는 사람에게 먹을 것과 입을 것을 차등에 따라 나눠 주도록 했다. 그런데 3월 28일 동지사 조관빈趙觀彬(1691~1757) 일행이 돌아와 복명復命하면서 청나라에서 책문柵門을 없애자는 논의가 있다는 사실을 보고한다.

청나라와의 유일한 무역창구인데 이를 없앤다면 물류유통에 타격을 받게 됨으로 영조가 우려를 표명하자 영의정 김재로는 강희康熙(1661~1722) 때 선례를 들며 청나라가 이利를 얻으려 하기 때문에 감히 없애지 못하리라고 예단한다. 사실 청나라에서 책문을 철거하겠다고 엄포를 놓은 것은 청과 일본이 직거래를 틈으로써 조선의 중계무역량이 급감하여 책문에서 얻는 이익이 갑자기 줄어들었기 때문이었다. 이에 실제로 책문을 철폐하는 시늉을 하여 조선을 위협하니 윤3월 5일 책문 철폐를 시작했다는 변방의 보고가 이르고 윤3월 27일에는 봉황성에서 자문咨文을 보내 책문 철거가 사실임을 알린다.

영조는 이에 굴하지 않고 진주사陳奏使를 보내 이해득실로 청제를 설득하고 4월 11일과 4월 13일에 연속 사치풍조를 경계하는 교지를 반포하며 청으로부터 능라綾羅*를 무역해 들이는 것을 엄금한다. 이에 8월 17일 청 건륭제는 조선의 청을 들어주는 척하며 책문 철폐 의논을 그치게 한다.

그러자 영조는 11월 26일 운문단雲紋緞*뿐만 아니라 기교한 청나라 사치품의 수입 일체를 엄금하는 칙령을 내리고 12월 15일에는 이 칙령을 어기고 문단을 사들여 온 이명직李命稷이란 자를 순영옥巡營獄에 가둔다. 평안도사都事 임집任塈이 문단을 불태워 버리지만 이명직의 효수梟首를 청하지 않았다 해서 오히려 파직당하는 중벌을 받는다.

이렇게 영조가 사치 억제라는 유교적 덕목을 명분으로 내세워 무역불균형을 타파해 나가자 책문 철폐를 위협수단으로 삼아 교역증대를 획책하려던 청상들은 혹 떼려다 혹을 더 붙이는 격이 되었다. 이에 연상燕商 정세태鄭世泰는 12월 15일에 이 소식을 듣고 크게 놀라 즉각 강남에 통보해서 문단 직조를 중지시켰다 한다.

◆능라綾羅
비단

◆운문단雲紋緞
구름무늬를 넣어 짠 비단

374

28

퇴우이선생진적첩退尤二先生眞蹟帖

이처럼 노련한 영조의 경제정책은 조선의 경제력을 더욱 굳건히 다져 가게 되었고 이를 기반으로 영조는 20여 년간 소론에게 주었던 정국의 주도권을 되찾아 왕권을 강화하려 한다. 동지를 핍박하여 적과 동침할 수밖에 없었던 상황을 청산할 때가 되었다고 판단한 것이다. 그래서 적들을 응징하고 동지들을 현양하는 일에 착수한다.

윤3월 27일 좌의정 송인명이 탕평책을 놓고 우의정 조현명과 불화하자 조현명을 즉각 면직시켜 영돈녕부사로 옮겨 조송건곤趙宋乾坤 금장식金粧飾이라는 정국구도를 깨뜨린다. 그러자 5월 24일 노론 중진인 이조판서 박필주朴弼周(1680~1748)가 왕이 불러 본 자리에서 경종의 질환내역을 「신유대훈」에 첨가해 놓고 역적 다스리기를 엄중히 하기를 청한다.

바로 5월 29일에 우의정으로 복귀한 조현명이 박필주를 탄핵하지만 영조는 6월 2일 「신유대훈」에서 미진한 뜻을 추가로 밝히기 위해 「뜻을 보여 충신을 위로하는 글示意慰忠志」 2편을 직접 짓고 신임사화 당시 희생된 충신들을 복권시킬 뜻을 분명히 밝힌다. 그리고 6월 5일에는 신임사대신인 김창집·이이명·이건명·조태채에게 제사를 내린다. 이에 불만을 품은 좌의정 송인명은 7월 11일 수재水災를 핑계로 면직을 청한다.

이 자리에서 영조는 '경이 점점 한쪽 편에 의지한다卿漸倚一邊'고 꾸짖자 송인명은 '이제 피차 화합하여 이전 규칙이 조금 바뀌었으므로 나오기 어려운 사람을 쓰려고 한다'고 대답한다. 영조가 '당습에 젖은 사람을 쓰고자 한다면 이게 옳으냐'고 재차 꾸짖자 송인명은 조금도 물러서지 않고 '오직 그 재주를 쓰고자 할 뿐이라'고 막가는 대답을 한다.

대권을 놓친 상실감과 국왕의 신임을 잃은 공포감으로 심화가 일었던지 8월 11일에 송인명은 58세로 세상을 떠난다. 조송건곤趙宋乾坤시대가 무너지기 시작한 것이다. 이에 9월 2일에는 삼사합계三司合啓로 신임사화를 주도하고 경종시대 정승을 지냈던 조태구趙泰耈(1660~1723), 유봉휘劉鳳輝(1659~1727), 이광좌李光佐(1674~1740), 최석항崔錫恒(1654~1724), 조태억趙泰億(1675~1728)의 관작추탈을 청한다.

9월 3일에 영조는 조현명에게 유봉휘의 충역을 묻고 9월 4일에도 조현명에게 조태구, 최석항의 충역을 물어 역이라는 대답을 듣고 3인을 추탈한다. 영조의 유도심문에 걸려 신임사화를 양성한 경종대 소론 정승들을 역逆이라 대답할 수밖에 없었던 우의정 조현명은 9월 5일 힘써 사임을 청했고 9월 6일에 면직을 허락받는다. 이에 조송건곤이 막을 내렸다.

그래서 9월 26일에는 대탕평의 주역인 원경하(49세)가 병조판서가 되어 병권을 장악하고 11월 30일에는 인현왕후의 친정 당질인 민응수閔應洙(1684~1750)를 우의정, 동평위東平尉 정재륜鄭載崙(1648~1723)의 손자로 소론탕평당인 정석오鄭錫五(1691~1748)를 좌의정으로 하는 탕평색이 강한 노론 정부를 꾸민다. 그리고 12월 5일에는 유엄柳儼을 형조판서, 홍봉한洪鳳漢을 승지로 발탁하여 근위세력을 삼는다. 홍봉한은 왕세자의 장인이었다.

이런 분위기 속에서 10월 2일에는 전라도 진사 이진흥李震興 등이 송시열·송준길 양 송의 문묘종사文廟從祀를 청하고 10월 4일에는 황해도 유생 김갑린金甲麟 등이 같은 청을 하며 11월 10일에는 경상도 유생 김생기金生箕 등이 또 같은 청을 한다. 노론정국으로 바뀌었다는 신호였다.

이에 앞서 4월 11일에는 『속대전』의 인쇄가 이루어졌고 5월 16일 좌의정 송인명의 청으로 『승정원일기』의 수정修整 작업이 5월 20일부터 진행되기 시작했다. 선조 임진년(1592)부터 경종 신축(1721)년까지 총 1,796권 중 2권만 살아남았다고 한다.

이런 진경문화의 절정기를 맞아 겸재는 일급 화견畵絹과 일급 채색彩色을 구입해 들여 제일급의 그림을 그려 낼 수 있었을 것이다. 당시 청淸도 건륭성세乾隆盛世를 맞아 문화가 난만하게 발전하는 문화적 절정기를 맞고 있었다.

그런데 이해 가을에 겸재는 다시 기념비적인 업적을 남겨 놓는다. 그 막내 자제 정만수鄭萬遂(1710~1795)가 겸재 외조부 박자진朴自振(1625~1694)의 장증손長曾孫인 박종상朴宗祥(1680~1745)을 졸라 박자진이 그 처가로부터 물려받아 온 퇴계退溪 이황李滉(1501~1570)선생 친필의 「주자서절요서朱子書節要序」[삽도78-1,2]와 박자진이 두 차례나 무봉산舞鳳山으로 우암尤庵 송시열宋時烈(1603~1689)선생을 찾아가 「주자서절요서」를 보여 드리고 그때마다 받아 낸 발문跋文[삽도80]이 합장合粧된《퇴우이선생진적첩退尤二先生眞蹟帖》을 물려받아 온 것이다.

「주자서절요서」가 퇴계 손자인 이안도李安道(1541~1584)로부터 그 외손자인 홍유형洪有炯(1590~1650)에게 전해지고 홍유형은 다시 사위인 박자진에게 전해 주었으니 다시 박자진의 외손外孫인 겸재에게 전해 주어야 한다고 설득하며 졸라서 성공했던 모양이다. 퇴계 외예外裔로서 우암의 학통學統을 잇고 있는 겸재에게 이《퇴우이선생진적첩》은 지보至寶 중의 지보가 아닐 수 없었다.

그런데 이 보물을 내준 외가집 장조카 박종상이 지난해 3월 5일에 66세로 타계하고 말았다. 이에 겸재는 감회가 남달라 이 진적첩을 천하제일의 공벽拱璧으로 만들어 놓기 위해 이 진적첩이 이루어져서 자신의 집에까지 전래되는 과정을 한눈으로 파악할 수 있도록 4폭의 그림을 그려 내 사천으로 하여금 이에 대한 제화시를 쓰도록 하며 자제 정만수에게는 발문을 짓게 한다. 그리고 이를 모두 합장해 서화합벽첩으로 꾸미고 이를 본래대로《퇴우이선생진적첩》이라 했다.

이때 그린 4폭의 그림은 퇴계선생이 퇴계退溪에 고요히 물러나 살며 「주자서절요서」를 짓는 장면을 그린〈계상정거溪上靜居〉[도판111]와 겸재 외조부 박자진이 수원水原 만의촌萬義村 무봉산舞鳳山에 은거하고 있던 우암선생을 찾아가 이 「주자서절요서」를 선생께 보여 드리고 발문을 받아 오는 장면을 그린〈무봉산중舞鳳山中〉[도판112]과 이를 보관하고 있던 청풍계靑楓溪의 외가댁 모습을 그린〈풍계유택楓溪遺宅〉[도판113]과 자신의 집을 그린〈인곡정사仁谷精舍〉[도판114]가 그것이다.

用藥石應物而施爐錘或抑或揚或導或進
之或牛而警言之心術隱微之间無所容其纖惡義理
宴素之際獨芝照於毫差視模廣大心法嚴密戰兢
臨履無時或息懲窒遷改如恐不及剛健篤實輝光
日新其㢒其㢒㢒勉勉循循而已者無间於人之已改其告
人也若夫人感發而興起焉不獨於當時及門之士為然
雖百世之達為可自内教之無㢒於而命也嗚呼
至矣顧其當恢洪穰未易究覷魚而裁書子之间或不
免己内召失其之愚需不自撰祇未其尤㢒孝問吻揚
推受用之表而出之不拘篇章准務以要乃屬諸友之
善書者及子姪輩分寫訖凡内十四巻居七册善視其
本出而㢒少始三之二僭妄之罪無所逃焉雖然尝已
宋孝士集弓記魯齋王先生以其不善字書未訂

주자서절요서朱子書節要序 삽도78-1

이황李滉 찬서撰書, 1558년 무오戊午 4월, 지본묵서紙本墨書, 각 40.1×25.6cm, 개인 소장.

晦菴書節要序

晦菴朱夫子挺亞聖之資承河洛之統道巍而德崇

業廣而功崇其發揮經傳之旨以幸教天下後世者既皆

質諸鬼神而無憾百世以俟聖人而不惑夫子既沒二王氏

及余氏裒粹夫子平日所著詩文之類為一書名之曰朱子

大全總若干書而其中泛言大夫門人知舊往還書札

多至四十卷此書之行於東方絕無而僅有故士之

得見者蓋寡嘉靖癸卯中我中宗大王命書館印出

頒行臣某於是始知有是書而求得之於未知其屐等何處

也日病罷官載歸湖上得日閉門靜居而讀之自是漸覽

其言之有味其意無窮而於書札也尤有感焉蓋就

其全書而觀之如地負海涵雅言無元不各而於書札

至於書札則各隨其人材稟之高下學問之淺深氣質之

之推此亦但務誦說而不以求道爲心也
此書之論語之旨而無遺奪之害於予小子
歲歲典起而從子猶真知實踐之捨是也何以哉夫子
之言四者之之不進由無入處而不知其無
入處由不肯立志耐煩理會使今之讀是書之高
弦志心趣志耐煩理會如夫子之訓則自然知之久而見
其入趣後知其住三可咸不憚如多豪之從口耳而謂
大觀模嚴心佐者庶可以用力矣由是而志用直上
不可与近伊洛而達洙泗向之所云重經取舊傳果於爲也
之髙爰豈僞當此一也云其年簿掌揄按爲病弖
山悼若咲之笑學煩除額之雜理於而正之業爲豪
已賴稚此志不敢以人之掎目而自隱乎以告同志且以
俟後棄秡之嘉詩戊午夏四月日謹序

주자서절요서朱子書節要序 삽도78-2
이황李滉 찬서撰書, 1558년 무오戊午 4월, 지본묵서紙本墨書, 각 40.1×25.6cm, 개인 소장.

於北山何先生云則古人曾已作也矣其善訂正
精密可傳於當時

亦百載之後又安可蘄尺於彼而不為之精加損約以為用
功於地也哉又曰書經賢傳誰此實錄又今夫子之說宗
傳而人誦者亦豈教也子獨拳々於夫子之書抑何以書之
偏而不弘邪口子之言以笑而於未也夫人之為學必名為
端與起之廣乃可因是而進也且天下之英才不為不為
讀書賢之書誦夫子之說亦為不勤而卒無名用力於
此亭々無他未名以為其獨而作於心也盡壽熟之及
東澤於吾之所以名其一時師友之間講明上可訣責
勉工程何若此裘人意為作人心也若重人之教詩史
亦乘以吏為程朱梅本乃以論語為最切於學而為
其言亦於是也鳴呼諸一也免乎以下道矣今人

계상정거溪上靜居^{도판111}

무봉산중舞鳳山中^{도판112}

풍계유택楓溪遺宅^{도판113}

인곡정사仁谷精舍^{도판114}

계상정거溪上靜居^{도판111}

겸재가 71세 때(영조 22년, 1746)《퇴우이선생진적첩退尤二先生眞蹟帖》을 꾸미기 위해 그려 낸 네 폭의 그림 중 한 폭이다.

겸재의 외조부 박자진이 퇴계 이황선생의 친찬친필親撰親筆의 「주자서절요서朱子書節要序」를 퇴계선생의 장손 이안도의 외손자이자 그의 장인이 되는 홍유형에게 전수받아 와 이를 가지고 숙종 즉위년(1674)과 숙종 8년(1682) 두 번에 걸쳐 수원 무봉산 만의촌에 은거해 있는 우암 송시열선생에게 보여 드리고 그때마다 발문을 받아 와 《퇴우이선생진적첩》을 만들어 놓았다. 이후 겸재의 둘째 자제인 정만수가 본래 이 「주자서절요서」가 외손가로만 전해져 오던 사실을 핑계로 겸재 외조부 박자진의 장증손인 박종상을 졸라서 이를 자신의 집으로 전수받아 온다.

그런데 마침 이를 물려준 겸재의 외가댁 장조카인 박종상이 겸재 70세 되던 해인 영조 21년(1745)에 66세로 먼저 타계하게 되자 겸재는 그 다음 해에 이를 잘 꾸며서 가보家寶로 전해야 한다는 사명감으로 이 진적眞蹟들이 이루어지던 상황과 전래되어 온 경로를 진경眞景으로 그려 진적의 뒤에 합장合粧한다.

그리고 진경시眞景詩의 태두泰斗이며 자신의 단금지우斷金之友인 사천 이병연李秉淵에게 제시題詩^{삽도81}를 짓게 하고 이를 전수받아 온 차자 만수에게 그 내력을 밝히는 발문^{삽도80}을 짓게 해 역시 그림 뒤에 합장해 놓는다. 표지에 「퇴우이선생진적退尤二先生眞蹟」이라 쓴 글씨는 박자진 친필일 것이고 화제 글씨는 겸재 친필이다.

그야말로 진경문화가 어떤 경로를 거쳐 이루어져 왔는가를 일목요연하게 확인할 수 있는 자료집을 완성해 놓은 것이다. 「주자서절요서」의 원적이나 『퇴계집退溪集』 권42에 수록된 내용을 통해 보면 『주자서절요朱子書節要』란 퇴계선생이 58세 때인 명종 13년(1558) 무오戊午 4월에 『주자대전朱子大全』에 실린 주자의 편지 47권 분량에서 14권 분량만 뽑아내서 편찬해 낸 책이라 한다.

주자성리학朱子性理學의 요체要體를 공경대부公卿大夫, 문인門人, 친구에게 각각 그 사람의 수준에 맞도록 편지로 설명해 준 내용들이라서 주자성리학을 만인에게 이해시키려면 이런 편지들을 읽히는 것이 첩경이라 생각하고 이 책을 꾸며

계상정거溪上靜居^{도판111}

1746년 병인丙寅 가을, 지본수묵紙本水墨, 40.1×25.6cm,《퇴우이선생진적첩退尤二先生眞蹟帖》, 개인 소장, 보물585호.

계상정거溪上靜居 부분

낸 것이다.

퇴계는 '병으로 인해서 벼슬을 파하고 퇴계상退溪上으로(『주자대전』을) 싣고 돌아와 날마다 문을 닫아 걸고 고요히 앉아 그것을 읽으면서因病罷官, 載歸溪上, 得日閉門, 靜居而讀之' 그 중요성을 깨달아 이 책을 편찬해 낸다고 겸양하고 있다.

그러나 사실 퇴계는 명종 즉위년 을사乙巳(1545) 8월 22일부터 일기 시작한 을사사화乙巳士禍의 소용돌이를 몸소 겪고 나서 중종 14년(1519) 기묘사화 이래 사림들이 성리학 이념을 정치에 구현해 보려고만 하면 사화를 만나 무참히 좌절되는 이유에 대해 깊이 반성해 보게 된다.

그 결과 사림을 자처하는 성리학자들 자신이 성리학에 대한 철저한 이해도 없는 상태에서 성급하게 그 이상을 구현해 보려 했기 때문에 확고한 이념적 결속이 이루어질 수 없는 것은 물론 확신에 찬 저변 확산이 불가능하여 지지기반이 미약한 탓이라는 결론에 도달한다.

이에 다음 해인 명종 원년(1546) 병오丙午 2월에 장인의 장례에 참석하는 것을 핑계로 퇴계는 『주자대전』을 싣고 고향으로 내려가 그때까지 토끼내로 불리우던 토계兎溪를 퇴계退溪라 개명改名하고 그 동쪽에 양진암養眞庵이라는 독서당을 짓고 『주자대전』 연구에 몰입한다.

그러나 연거푸 부르는 왕명을 거스를 수 없어 명종 3년(1548) 무신戊申 1월에 고향에 가까운 단양군수丹陽郡守로 잠시 나가지만 곧 그해 9월에 고향에 더 가까운 풍기군수豊基郡守로 옮겼다가 그해 12월에 이마저 사양하고 다시 퇴계로 돌아온다. 그리고 다음 해 2월에는 퇴계 서쪽으로 터를 옮겨 한서암寒栖庵을 새로 짓고 그곳에서 성리학 연구에만 몰두한다.

명종 7년에는 홍문관교리겸경연시독관弘文館校理兼經筵侍讀官으로 잠시 상경上京하여 성균관成均館 대사성大司成, 형조참의刑曹參議 등을 지내는데, 3년 만인 명종 10년(1555) 2월에 칭병하고 바로 퇴계로 물러 나온다. 그리고 한서암에 파묻혀 『주자서절요』를 완성해 낸다. 서문이 이루어지는 것이 가정嘉靖 무오戊午 즉 명종 13년(1558) 여름 4월이라 했으니 3년 만에 편집이 끝난 것으로 보아야 한다.

그런데 바로 그해 봄 2월에 23세의 율곡栗谷 이이李珥(1536~1584)선생이 58세의 퇴계선생을 도산서당陶山書堂으로 찾아뵙고 3일 동안 머물면서 청학請學하여 인가印可를 받고 돌아온다. 참으로 절묘한 인연이다.

이 시기 두 선생이 만난 사실은 『퇴계집』과 『율곡전서栗谷全書』에 모두 시문詩文으로 기록되어 전해지고 있는데 『퇴계집』 별집別集 권1에 수록된 「이李 수재秀才 이이字叔獻이 퇴계를 찾아와 비로 3일을 머물다李秀才珥字叔獻見訪溪上, 雨留三日」라는 시에서는 이렇게 읊고 있다.

젊어 이름 떨치는 자네 서울에 있고, 늙어 병 많은 나 시골에 있네.
오늘 찾아올 줄 어찌 알았으리, 지난날 쌓인 회포 말해 보세나.
早歲盛名君上國, 暮年多病我荒村. 那知此日來相訪, 宿昔幽懷可款言.

천재소년天才少年 2월 봄에 기쁘게 만나, 3일을 만류하니 정신이 통한 듯하네.
비는 소나기 져 내려 시내에 가득 차고, 눈은 옥꽃을 만들어 나무를 싼다.

말 빠지는 진흙탕 가는 길 막고, 해 부르는 새소리에 경개 새롭다.

한 잔 술 두 잔 술을 내 어찌 얕게 하겠나, 이로부터 나이 잊고 도의道義로 다시 친하세.

才子欣逢二月春, 挽留三日若通神. 雨垂銀竹稍溪足, 雪作瓊花裏樹身.

沒馬泥融行尙阻, 喚晴禽語景織新. 一杯再屬吾何淺, 從此忘年義更親.

李滉, 『退溪集』別集 卷一

이에 앞서 율곡은 퇴계에게 이런 시를 먼저 지어 바쳤었다.

◆사수泗水
공자孔子가
강학전도講學傳道하던 곳

◆무이산武夷山
주자朱子가 은거隱居하며
강학講學하던 곳

시내 나누어저 수수洙水와 사수泗水◆인데, 봉우리 빼어나 무이산武夷山◆이로다.

생계는 경전經典 천 권千卷뿐, 행적은 집 몇 간에 감춰졌구나.

가슴에 품은 뜻 개는 달 열어 주고, 얘기하며 웃는 소리 미친 물결 그치게 한다.

소자小子는 도道 듣기를 구하였으나, 한나절 한가함을 훔치지 않았으리까.

溪分洙泗派, 峯秀武夷山. 活計經千卷, 行藏屋數間.

襟懷開霽月, 談笑止狂瀾. 小子求聞道, 非偸半日閒.

李珥, 『栗谷全書』卷十四, 瑣言

　　이런 학연學緣으로 율곡선생은 퇴계선생이 완벽하게 소화해 낸 이기이원론적理氣二元論的인 주자성리학을 이기일원론적理氣一元論的 조선성리학으로 계승 발전시켜 갈 수 있었던 것이다. 그 결과로 진경문화가 발흥發興할 수 있었으니 진경문화 절정기의 주역인 겸재가 어찌 그 「주자서절요서」를 짓고 있던 퇴계의 모습을 진경산수화로 재현해 내는 데 머뭇거렸겠는가. 더구나 하양河陽현감과 청하淸河현감을 지내면서 몇 번이나 이곳을 찾아와 참배하고 사생했을 그곳이고 보면 눈 감고도 그려 낼 만큼 익숙한 정경이었을 것이다.

　　그래서 도산陶山 아래 퇴계 서쪽에 자리 잡은 도산서당 완락재玩樂齋에서 방문을 활짝 열어 놓은 채 「주자서절요서」를 짓고 있는 퇴계선생의 모습을 본 듯이 그려 내고 있는데 사방관四方冠 학창의鶴氅衣차림으로 서안書案을 대하고 단정히 앉은 자세가 학처럼 고고하기만 하다. 음력 4월의 초여름 날씨니 녹음방초 우거지고 훈풍이 싱그러운 풀냄새를 실어 올 것이다.

한없이 긴긴 해에 고요하기는 어떻게 그렇게 고요한지! 초록빛 짙어 가는 초여름 한낮에 강산의 적막을 누려 본 사람만이 아는 계절감각이다. 그런데 겸재는 퇴계선생이 「주자서절요서」를 짓던 그날의 정지된 듯한 그 적막감을 거의 완벽하게 이 그림에 재현해 내고 있다.

소나무 그늘은 길기만 하고 낙천洛川 강물은 잔잔하게 물결져 내리며 일엽편주一葉片舟는 천광운영대天光雲影臺의 줄에 매어 떠 있고 울 안 울 밖 어디에도 인적은 전무한데 주인공은 다만 글짓기에 열중하고 있을 뿐이다. 도산의 온갖 정기가 훈풍을 타고 퇴계선생의 정신 속으로 빨려 들어가는 듯한 분위기다.

동취병東翠屏, 서취병西翠屏이 낙천으로 흘러내리는 퇴계의 수구水口를 이루어 놓는데 맞바라다보는 두 봉우리가 동암東岩, 서토西土의 대조로 나타나서 겸재의 음양대비 법칙이 예외 없이 적용된 것을 볼 수 있다.

가까이 있는 도산이건만 피마준계의 소략한 필선으로 산형山形을 상징하고 수윤水潤과 담묵훈淡墨暈으로 음영陰影을 붙인 다음 미점과 태점을 여러 농도로 난타亂打해 임상林狀을 나타냈는데 맑은 기운을 강조하기 위해 연운煙雲을 일체 베풀지 않아서 언뜻 황량하고 먼 듯한 느낌이 든다. 그래서 더욱 태고太古와 같은 적막감과 습기 없는 쾌적감을 공감할 수 있으니 화성 겸재 아니고서는 터득해 내기 어려운 동국진경산수화법東國眞景山水畵法의 묘리妙理라 하겠다.

산줄기가 낙천강을 따라 뻗어 내려간 서쪽 저 멀리로 두 곳의 독서당讀書堂을 표현해 놓은 것은 실재했던 퇴계 제자들의 독서당들이겠지만 그만큼 서로 떨어져 있어 고적孤寂한 분위기라는 것을 강조하기 위해 그려 넣은 것으로 보아야 한다. 낙천의 물길을 장원長遠하게 보이기 위해 송림松林으로 그 중간을 끊어 놓았다.

호방장쾌豪放壯快한 필묵법筆墨法을 박진감 있게 구사했건만 허술하거나 미흡한 구석은 조금도 엿볼 수 없다. 정녕 마음먹은 대로 하여도 추호도 화법에 어그러짐이 없는 화성의 경지를 보여 준 그림이라 하겠다. 성리학적 우주관을 바탕으로 화리畵理에 통달했기 때문에 도달할 수 있었던 경지다.

무봉산중 舞鳳山中 ^{도판112}

주자성리학을 조선성리학으로 토착화시키는 데 성공한 율곡학파栗谷學派는 율곡
으로부터 사계沙溪 김장생金長生(1548~1631), 우암 송시열로 학통을 이어 가면서
그 이념을 계승 발전시켜 나가니 그 문하에서 배출된 많은 제자 문생들이 점차 학
계와 정계를 주도해 가게 된다.

그런데 우암 대에 이르면 성리학적 국제질서에 충실하려다 신흥한 야만 여진족
청淸에게 무릎을 꿇는 병자호란의 치욕을 겪는다. 이에 그 민족적 열패감을 어떻
게 극복하느냐 하는 문제를 놓고 지식인들은 성리학 이념에 보다 충실해야 한다
는 쪽과 그로부터 탈피해야 한다는 쪽으로 양분된다.

그러나 탈피를 주장하는 쪽이 성리학의 원칙론을 부정하려는 소북小北계의 보
수반동 세력이었고 고수를 주장하는 쪽이 율곡학파인 서인西人계의 혁신개혁 세
력이었으므로 예송禮訟이라는 정쟁政爭 형태를 거치면서 결국 율곡학파가 승리
하게 된다. 그래서 조선성리학을 바탕으로 조선중화朝鮮中華의 기치를 내세우는
국수적國粹的인 이상주의에 의해 난후의 열패감을 훌륭히 극복해 냈을 뿐만 아니
라 도리어 민족적 자긍심을 더욱 고양시키기에 이른다.

이런 역할을 앞장서서 담당해 나간 이가 바로 우암 송시열이다. 복수설치復讐雪
恥를 표방하며 북벌北伐을 계획함으로써 민족적 적개심을 불러일으키고 조선만
이 유일한 중화문화中華文化의 계승자니 조선이 곧 세계문화의 중심이라는 조선
중화주의朝鮮中華主義를 부르짖은 것이다.

이로 말미암아 조선성리학을 사상적 바탕으로 하여 현양돼 오던 문에 방면의
조선 고유색이 급속한 발전을 보이게 된다. 우암 제자 대에서 서포西浦 김만중金
萬重(1637~1692)^{삽도79}의 한글 소설, 삼연三淵 김창흡金昌翕(1653~1722)의 진경시眞
景詩 등이 그 선구를 이루고 뒤를 이어 삼연의 제자들인 사천槎川 이병연李秉淵
(1671~1751)과 겸재謙齋 정선鄭歚(1676~1759)이 나와 진경시와 진경산수화의 기틀
을 확립해 놓는다.

이 그림은 이런 진경문화의 출현 배경을 도설적으로 나타내 준 진경풍속도다.
외가 덕에 성장한 겸재에게 절대적인 영향력을 미친 겸재의 외조부 박자진이 외

김만중金萬重 **초상**肖像 삽도79
견본채색絹本彩色, 88.0×170.0cm,
김기중金麒中 소장.

손으로만 전해져서 그의 수장이 된 퇴계 친필의 「주자서절요서」 원본을 가지고 수
원 만의촌 무봉산 중에 퇴거해 있는 우암을 찾아뵙고 그것을 보여 드리는 장면을
그린 그림이다.

　박자진이 우암을 찾아간 것은 기본적으로 우암을 존경하기 때문이었겠지만 집
안 간의 특별한 인연도 작용했으리라 생각된다. 박자진의 재당숙인 종부시정宗簿
寺正(정3품 당하관) 박승건朴承健(1609~1667)은 우암과 도의로 사귀던 가까운 벗이

무봉산중舞鳳山中^{도판112}

1746년 병인丙寅 가을, 지본수묵紙本水墨, 21.5×30.2cm,《퇴우이선생진적첩退尤二先生眞蹟帖》, 개인 소장, 보물585호.

무봉산중舞鳳山中 부분

었고, 그 넷째 따님인 밀양박씨(1644~1681)는 우암의 장손인 송은석宋殷碩(1645~1692)에게 출가해서 우암의 장손부가 되었다. 따라서 박자진은 우암에게 장손부의 8촌오라비로 사돈에 해당했다.

차아嵯峨한 무봉산 봉우리가 우뚝우뚝 솟아 있고 그 아래 우암이 우거하던 기와집 한 채가 숲 속에 둘러 싸여 연하煙霞에 잠겨 있는데 계변溪邊 초당草堂에서 우암과 박자진이 경상經床을 사이로 두고 마주 앉아 있다. 사방관을 쓰고 수염이 희고 탐스런 이가 우암일 것이고 갓 쓰고 수염 검은 이가 박자진일 것이다.

박자진이 처음 우암을 이곳으로 찾아뵌 것은 그가 50세이고 우암이 68세 때로 우암이 갑인예송甲寅禮訟에 몰려 이곳에 퇴거해 있던 숙종 즉위년 갑인甲寅(1674) 팔월 추석날이었다. 그 뒤 9년째 되는 겸재 7세 때인 숙종 8년 임술壬戌(1682) 11월 17일에도 이제 세도世道를 되찾고 물러앉은 우암을 이곳으로 다시 찾아뵙는다. 그때마다 우암은 이 퇴계 친필 원본 뒤에 발문삽도80을 써서 박자진의 정성에 보답한다.

그 발문 내용을 옮기면 다음과 같다.

오른쪽「절요서」와 목록은 다만 현행 인쇄본으로만 보았을 뿐이다. 이제 박朴진사 자진自振씨가 선생의 초본 진적을 가지고 무봉산중으로 내게와 보여 준다. 내가 바야흐로 국상을 당해 대죄待罪하다가(현종 15년 갑인 1674년 2월 23일 왕대비 덕수 장張씨 상, 8월 18일 현종 상도 이어진다) 어루만지며 쓰다듬기를 햇빛이 바뀌도록 오래하여 종이 부푸러기가 일기에 이르렀으나 차마 놓지 못한다. 아아! 참으로 이 걸음이 헛되지만은 않았구나.

박진사 말에 따르면 그것을 그 장인인 정랑正郎 홍유형洪有炯에게 얻었는데, 홍은 선생의 외현손이라고 한다. 때는 숭정崇禎 알봉섭제격(갑인) 중추일(8월 15일)이며 후학 은진 송시열이 삼가 쓴다.

右節要序與目錄, 只見於見行印本矣. 今朴進士自振氏, 以先生草本眞蹟, 來示余於舞鳳山中. 余方素襪待罪, 撫玩移暑, 至於紙毛而不忍捨. 噫 眞不負此行矣. 朴進士 因言 得之於其外舅正郎洪有炯, 洪是先生外玄孫云爾. 時 崇禎閼逢攝提格(甲寅) 仲秋日 後學 恩津 宋時烈 敬書.

萬遂敬書于地山齋中
全篇而爲四幅題之二節而爲兩片耳崇禎後再丙寅後學光山鄭
其爲先先生跋於宋先生遺祝於仁祝也卽二卽而序
又以小墨作詩上靜居舞鳳山中楓涇遺完仁祝精舍凡四幅以
者其亦異數先庵宋先生爲眞外曾王考所請題跋語其下家夫人
祥氏藏于家盖余誠心欽消故朴先許之於此書尺前渡必傳於外齋
余於退陶李文純公爲外裔而先生爲序章本消之於朴元宗

律宋時烈敬書
崇禎閼逢攝提格仲秋日後學恩
洪是 先生外玄孫云甫省
因言得之於其外曾正郞洪公有惆
而不忍捨喧眞不員此行夫朴進士
方素襪待罪接玩稷袈至於紙毛
眞蹟来示余於舞鳳山中余
右英今朴進士自振氏以 先生草本
右節要序與目錄口見於見行卽

後九年壬戌至月十七日再見於舞鳳
山中其不魚食塵昏若是其葆藏之誠也時烈再書

9년 뒤인 임술년(1682) 동짓달(11월) 17일 무봉산중에서 다시 보다. 그 좀먹거나 먼지로 어두워지지 않기가 이와 같으니 그 잘 간직한 정성을 볼 수 있다. 시열이 다시 쓴다.

後九年壬戌至月十七日, 再見於舞鳳山中. 其不魚食塵昏若是, 可見其葆藏之誠也. 時烈再書.

주자서절요서 朱子書節要序

발문 跋文 삽도80

송시열宋時烈 찬서撰書,
1674년 갑인甲寅, 1682년 임술壬戌,
정만수鄭萬遂 찬서撰書,
1746년 병인丙寅, 지본묵서紙本墨書,
합合 40.1×25.6cm,
개인 소장.

겸재가 71세 나던 해인 영조 22년(1746)에 그린 겸재의 외가댁 모습이다. 외조부 박자진선생께서 사시던 청풍계유택靑楓溪遺宅이란 의미로 〈풍계유택〉이라 했다.

겸재가 5세 나던 해인 숙종 6년(1680) 12월 21일에 외조모 남양南陽 홍씨洪氏는 57세로 타계하고, 외조부는 겸재가 19세 나던 숙종 20년(1694) 갑술甲戌 9월 25일에 서거하니 겸재는 주로 외조부의 사랑을 받으며 외가댁을 드나들었을 것이다.

더구나 겸재의 부친 정시익鄭時翊(1638~1689)이 겸재 14세 나던 해인 숙종 15년(1689) 기사己巳 정월 3일 바로 겸재의 생일날에 돌아가서 그 모친이 46세의 한창 나이로 어린 삼남매를 데리고 과부가 되자 외조부 박자진은 거의 겸재 일가의 생계를 책임지다시피 했던 것 같다.

그러니 겸재는 지금 북악산 아래 경복고등학교 경내인 유란동幽蘭洞 난곡蘭谷에 살면서 개울 건너 인왕산 아래 청풍계에 있는 외가댁을 무시로 드나들었을 것이다. 그런데 앞문 쪽 보다는 뒷문으로 드나드는 것이 더 가까웠던지 후원 뒷문으로 시선을 두고 뒷면에서 그리고 있다. 그것이 바로 유란동 겸재댁에서 보이던 외가댁의 모습이었을지도 모르겠다.

바깥사랑채 일부만 보여서 행랑채와 대문은 보이지도 않는데 내당內堂이 이층 누각 형태의 격자집이고 후원에 상당한 규모의 별당이 두 채나 있으며 사당채가 따로 지어져 있는 것으로 보면 상당한 규모의 저택인 것 같다. 겹겹이 둘러친 담장 안 요소요소에는 해묵은 나무들이 자리 잡아 오래된 고가古家임을 말해 주고 멀리 청풍계 산등성이에는 노송이 숲을 이루고 있다.

물소리 솔바람 소리가 계곡을 타고 쏴아쏴아 들릴 듯한 분위기다. 겸재가 이 그림을 그릴 때는 겸재의 모친 밀양박씨가 92세의 천수를 다 누리고 세상을 뜬 지도 벌써 12년이 지난 뒤였다. 물론 큰외숙인 박견성朴見聖(1642~1728)도 벌써 19년 전에 서거하고 없었다.

겸재 외조부 박자진은 광해군 때 영의정을 지내다 인조반정 후에 자결한 박승종朴承宗(1562~1623)의 당질로 광해 세자빈의 친정아버지가 되는 병조참판 박자

풍계유택楓溪遺宅^{도판113}

1746년 병인丙寅 가을, 지본수묵紙本水墨, 22.0×32.3cm,《퇴우이선생진적첩退尤二先生眞蹟帖》, 개인 소장, 보물585호.

홍朴自興(1581~1623)과는 재종형제밖에 안 되는 명문 출신이었다. 따라서 고조부인 이조판서 낙촌駱村 박충원朴忠元(1507~1581) 이래 닦아 온 가업의 기반이 자못 튼튼했을 테니 이만한 대저택을 누리고 살기에는 족하였을 것이다. 그래서 어린 나이로 부친을 여읜 겸재 일가가 의지하고 살 만했던 듯하다.

이 대저택 별당에서 겸재와 순암, 사천 등은 비슷한 또래인 겸재 큰외숙의 셋째 아들 박공미朴公美 창언昌彦(1677~1731)과 항상 모여 성리학 원전을 함께 읽고 강론했었던 모양이니 순암은 겸재에게 편지를 보내면서 이런 시를 동봉하여 그 사실을 전해 주고 있다.

측백나무 단 앞에 눈발이 희끗희끗, 등잔불 화로불은 꿈같이 아득하다.
주미 휘두르던 제옹霽翁, 박창언은 간 데 없고, 담경談經하던 겸로謙老, 겸재 정선
는 이미 백발 되었네.
側栢壇前雪霰稠, 燈檠爐火夢悠悠. 霽翁揮塵歸玄夜, 謙老談經已白頭.
李秉成, 『順庵集』卷四, 臨書口占 寄鄭元伯敾

이 시를 짓게 된 사연을 순암은 이렇게 표현해 놓고 있다.

이날 주자서朱子書를 읽다가 공미公美, 원백元伯과 함께 강론講論하던 옛일을 추억하고 그것을 위해 쓸쓸해 하다.
是日讀朱書, 追憶公美元伯講論舊事, 爲之恨然.

그때 그 측백나무가 후원 담장 안에 높이 솟은 저 나무인가 보다.

인곡정사仁谷精舍^{도판114}

영조 22년(1746) 겸재가 71세 때 살던 겸재 자택의 모습이다. 현재 종로구 옥인동 20번지 부근 인왕산 아래에 있었기 때문에 인곡정사仁谷精舍라는 택호宅號를 썼나 했더니 이웃에 살고 있던 관아재 조영석이 자신의 집에 대한 모든 것을 기록해 놓은 「택기宅記」에서 밝힌 바에 의하면 당시 이 동네의 공식 명칭이 한도漢都 북부北部 순화방順化坊 창의리彰義里 인왕곡仁王谷이라 했다 하므로 동네 이름을 표방하는 의미도 겸해진 모양이다.

이 그림이 그려지게 되는 내력은 이 그림과 다른 세 폭의 그림, 그리고 퇴계 이황선생 친필의 「주자서절요서」 및 우암 송시열선생의 발문과, 겸재 차자 정만수의 발문, 사천 이병연의 제시 등이 합장된 《퇴우이선생진적첩》의 여러 내용에서 분명히 밝혀 놓고 있다.

퇴계선생이 친서한 이 「주자서절요서」를 선생의 손자인 직장 이안도가 외손자인 정랑 홍유형에게 전수해 주고 홍유형은 다시 사위인 박자진에게 이를 물려주었는데 박자진은 이를 가지고 존경하는 스승인 우암 송시열선생을 두 번씩이나 찾아가 보여 드리고 발문을 받아 낸다.

그런데 그 박자진이 바로 겸재의 외조부이다. 이에 겸재의 차자 정만수는 박자진의 주증손胄曾孫인 진외가 재종형 박종상을 졸라 이를 다시 외손가인 자신의 집으로 물려받아 온다.

겸재는 이를 크게 기뻐하여 퇴계가 사시던 도산서원을 그려 〈계상정거〉라 이름 붙이고 외조부 박자진이 우암선생을 두 차례 찾아가 뵙던 우암선생의 수원 무봉산 만의촌 은거처를 그려 〈무봉산중〉이라 하며, 외조부가 사시던 청풍계 외가댁을 그려 〈풍계유택〉이라 한 다음 이 지보至寶를 물려받아 간수하고 있는 자신의 집을 〈인곡정사〉라는 이름으로 그려 여기에 합장하고 평생지기인 사천 이병연으로 하여금 제시^{삽도81}를 지어 붙이게 한다.

사천의 시는 다음과 같다.

솔숲 푸르른 곳 대바람 소리 속에, 붓 휘둘러 아이들에게도 마구 그려 준다.

인곡정사仁谷精舍 ^{도판114}

1746년 병인丙寅 가을, 지본수묵紙本水墨, 22.0×32.3cm,《퇴우이선생진적첩退尤二先生眞蹟帖》, 개인 소장, 보물585호.

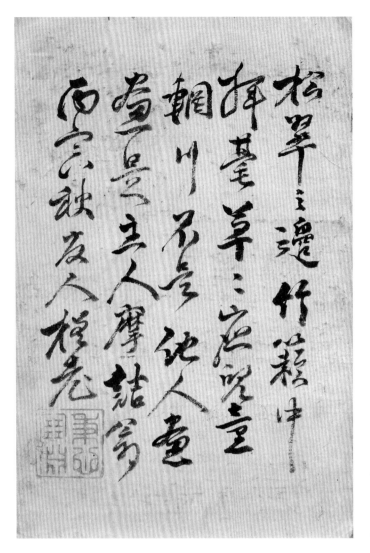

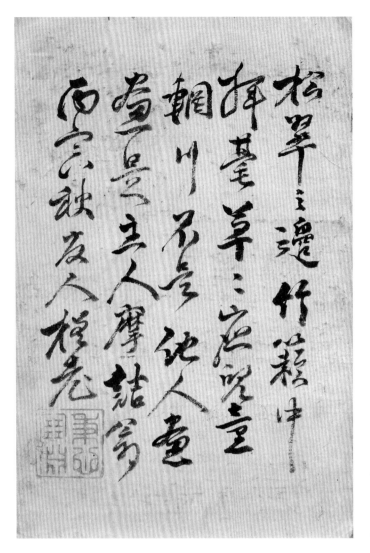

퇴우이선생진적첩退尤二先生眞蹟帖 **제시**題詩 삽도81
이병연李秉淵 시서詩書,
1746년 병인丙寅 가을,
지본묵서紙本墨書, 20.0×25.6cm,
개인 소장.

망천도輞川圖는 다른 이 그린 것 아니라, 주인主人인 마힐옹摩詰翁을 그린 것이라네. 병인(1731)년 가을 벗 사천.

松翠之邊竹籟中, 揮毫草草應兒童. 輞川不是他人畵, 畵是主人摩詰翁. 丙寅秋, 友人 槎川.

이런 내용들을 정만수의 발문삽도80을 통해 직접 확인하겠다.

나는 퇴도退陶 이문순공李文純公께 외예外裔가 되어 선생의 「절요서節要序」 초본

草本을 박형朴兄 종상씨宗祥氏에게 얻어서 집에 수장했는데 대개 내가 성심으로 얻고자 한 까닭으로 박형이 허락한 것이다. 그러나 이 글씨가 앞뒤에서 반드시 외예에게만 전해지는 것은 그 또한 이상한 일이다.

우암 송선생께서 진외증조부의 소청으로 그 아래에 발어跋語를 붙이게 되셨고 가대인家大人께서는 또 수묵으로 〈계상정거〉와 〈무봉산중〉, 〈풍계유택〉, 〈인곡정사〉의 무릇 네 폭을 그려 넣으셨으니 그 노선생께로부터 나와서 송선생께서 무완撫玩하시고, 청풍계에 수장하셨다가 인곡仁谷으로 전해 주심을 나타내는 것이다. 「절요서」 전편은 네 폭이 되고 발문 두 마디二節는 두 쪽二片이 되었을 뿐이다. 숭정후재병인崇禎後再丙寅(1746) 후학後學 광산光山 정만수鄭萬遂가 삼가 지산재地山齋 중에서 쓰다.

余於退陶 李文純公, 爲外裔, 李先生節要序草本, 得之於朴兄宗祥氏, 藏于家, 盖余誠心欲得, 故朴兄許之. 然此書之前後必傳於外裔者, 其亦異哉. 尤庵宋先生, 爲陳外曾王考所請, 題跋語其下, 家大人, 又以水墨, 作溪上靜居 舞鳳山中 楓溪遺宅 仁谷精舍 凡四幅, 以其出於老先生, 而撫玩於宋先生, 藏於楓溪, 而傳於仁谷也. 節要序全篇 而爲四幅, 跋文二節 而爲兩片耳. 崇禎後再丙寅, 後學光山鄭萬遂 敬書于地山齋中.

그림을 보면 남향집으로 행랑채가 붙은 솟을대문 안에 ㄷ자 모양의 안채가 있는 집인데 담장이 굽이굽이 둘려 있고 앞뒤 정원이 알맞게 갖춰져서 아담한 느낌이 든다. 뒤뜰 안에는 대나무가 우거지고 그 담장 밖 뒷동산 언덕 위로는 노송이 숲을 이루었다.

앞뜰에는 잡목 두어 그루가 마음대로 자라 있으며 행랑채 옆 담장 안에도 고목나무 한 그루가 서 있다. 고목나무 그늘 아래에 가끔 나와 앉을 수 있는 좌대석座臺石 하나가 놓여 있고 울바자로 지붕을 씌운 김치막 곁에는 바위더미가 자연스럽게 쌓여 있다.

안채로 들어가는 중문中門은 사랑채로부터 직각의 곡장曲墻을 교묘히 쳐내어 동향문을 만들어 놓았는데 그 돌출한 담장 안으로는 동향한 헛간이 일자一字 초가로 지어져 있어 쓸모 있게 보인다.

정녕 화성畫聖다운 감각으로 운치 있게 꾸며 놓은 생활공간이다. 지금 감각으로도 이보다 더 풍류 어린 주거환경을 만들어 낼 수는 없을 것이다. 그래서 고전적인 가치는 영원하다 하지 않는가.

대체로 안채가 삼사십 간 되어 보이고 행랑채가 오류 간 되어 보이는데 이 댁 곁에 살았었다는 관아재觀我齋 조영석趙榮祏(1686~1761)의 「택기宅記」에 의하면 삼실일청三室一廳, 즉 방 셋에 대청 하나가 있는 그의 16간 집을 당시에 은화 150냥에 샀다 했으니 그 곱절이 넘어 보이는 이 집값은 아마 은화 삼사백 냥은 되었을 듯하다.

이보다 30여 년 전인 숙종 34년(1708)에 숙종이 막내왕자인 연령군延齡君에게 서울에서 제일 좋은 집을 사 주려 할 때 대지 2천2백60간에 기와집 건평 177간인 집을 은화 3천3백25냥에 사들이려 한 것으로 보면 이 당시 집값은 30여 년 동안에도 그리 큰 변동은 없었던 듯하다.

그런데 관아재가 쓴 「소문첩에 제함題昭文帖」이라는 글에서 보면 겸재는 화첩 한 벌을 그려 주고 3천 전錢(3백 냥)을 받았다 하고, 연령군 집값이 동전銅錢으로 따지면 1만 냥이 넘는다 하여 은화 1냥에 동전 5냥 정도로 교환되었던 것 같으니 그 그림값은 거의 작은 집 반 채 값과 맞먹었던 것 같다.

당시 쌀값은 흉풍에 따라 변동은 있었지만 대체로 가마당 동전 3냥에서 5냥으로 오르내렸으니 3천 전이면 쌀이 60가마로부터 100가마에 이르는 값이었다. 그러니 겸재가 이만한 집을 꾸미고 산다는 것은 그리 어려운 일이 아니었을 것이다.

뒷날 고산鼓山 임헌회任憲晦(1811~1876)는 이《퇴우이선생진적첩》을 보고 「삼가 퇴우이선생진적의 뒤에 쓴다敬題退尤二先生眞蹟後」^{삽도82}는 발문을 다시 덧붙인다. 그 내용을 옮기면 이렇다.

이는 퇴도 이선생의 「주자서절요서」 초본과 우암 송선생의 발이다. 금년 늦봄에 내가 선세先世◆의 연시례延諡禮◆를 위해 아산牙山 시골(둔포면 신양리) 행보를 했는데 가다가 독성리獨醒里에 이르러서 이를 얻었다. 권을 펴자 숙연하여 황홀하기가 마치 도산서원과 무봉산 사이에서 친히 얼굴을 대하고 말씀을 듣는 듯했다. 참으로 우암이 일컫은 바인 '참으로 이 걸음이 헛되지만은 않았다는 것'이고, 정겸재 그림과 이사천 시 또한 쌍절雙絶이라 이를 만했다.

◆ **선세**先世
7대조 임홍망任弘望(1635~1715).
우암 문인으로 벼슬이 도승지,
지중추에 이르렀다. 시호는 정효貞孝다.

◆ **연시례**延諡禮
시호를 맞이하는 의례

敬題退尤二先生眞蹟後

此退陶李先生未嘗草本尤庵宋先
生跋語也今年春余為先世迷護禮作于鄉
行至榮醒停此聞春亦悅書載得譽於陶
山舞風之間真先生正負此貼自洪氏朴自朴
畫李樣州一再凌天…謂墨人…歸吉集寶經枢
六郎一…自洪氏朴自朴
化吉涌于如此吉異日之又不歸地人亦未…傳之
二先生講學二先生之道世々勿替則
永久也歟沒之人勗哉

崇禎五壬申六月後日學西河任憲晦謹書
六月炎天非七十老人近筆硯時節偶得夕雨驟
至書盧頤鉉田愚金寶鉉適來同觀雨止蟬聲清

此誠至寶也宜其保藏之
金泰鎭謹題

퇴우이선생진적후

退尤二先生眞蹟後　　삽도82

임헌회任憲晦 찬서,
1872년 임신壬申 6월,
지본묵서紙本墨書,
40.1×25.6cm, 개인 소장.

아아! 이 첩은 홍洪씨로부터 박朴씨에게, 박씨로부터 정鄭씨에게 가고 정씨 이후에 또 몇 사람을 거쳐서 나에게 돌아왔는지 모른다. 지중한 보배는 사유하기 어려우니 변화의 공교가 치우치지 않음이 이와 같은 것이 있다. 다른 날 타인에게 돌아가지 않는다는 것도 또한 알 수 없다. 그 오직 두 선생의 글을 읽고, 두 선생의 도를 배워 세세로 바꾸지 않는다면 첩 또한 영구히 전할 수 있으리라. 뒷사람은 힘쓸지어다. 숭정 5년(1872) 임신 6월 일 후학 서하 임헌회가 삼가 쓰다.

6월 더운 날은 70세 늙은이가 붓과 벼루를 가까이 하는 시절이 아닌데 우연히 저녁 소나기를 얻고 쓰기에 이르렀다. 노석현盧碩鉉과 전우田愚, 김보현金寶鉉이 맞

403

취 와서 함께 구경하는데 비가 그치고 매미소리가 맑다.

敬題退尤李先生眞蹟後

此退陶李先生朱書節要序草本, 尤庵宋先生跋語也. 今年春暮, 余爲先世延諡禮, 作牙鄕
行, 行至獨醒得此. 開卷肅然, 怳若親承謦欬於陶山 舞鳳之間. 眞尤翁所謂, 眞不負此行
者, 而鄭謙齋畵 李槎川詩, 亦可謂雙絶也. 噫 此帖, 自洪而朴, 自朴而鄭, 鄭以後, 又不知
歷幾人而歸於余. 至寶難私, 化工無偏, 有如此者. 異日之 又不歸他人, 亦未可知. 其惟
讀二先生書, 學二先生道, 世世勿替, 則帖亦可以傳之, 永久也歟. 後之人勖哉. 崇禎五
壬申 六月 日 後學 西河任憲晦 謹書

六月炎天, 非七十年老人近筆硏時節, 偶得夕雨驟, 至書. 盧碩鉉 田愚 金寶鉉 適來同翫,
雨止蟬聲淸.

이 내용은 『고산집鼓山集』 권9 「경서퇴우이선생진적후敬書退尤二先生眞蹟後」에
그대로 실려 있는데 다만 '정겸재 그림과 이사천 시 또한 쌍절이라 이를 만하다'
는 구절에서 '쌍절'이라는 말을 '합포合浦의 물가에 한 개의 명주明珠를 더해 놓다
合浦之濱, 添一明珠'라는 말로 윤색해 놓은 것이 다를 뿐이다. 고산이 뒷날 개고改
稿했거나 『고산집』 간행 시에 편집인들이 윤문했을 가능성이 크다.

임헌회는 농암農巖 김창협金昌協(1651~1708), 도암陶庵 이재李縡(1680~1746), 미
호渼湖 김원행金元行(1702~1772), 근재近齋 박윤원朴胤源(1734~1799), 매산梅山 홍
직필洪直弼(1776~1852)로 이어지는 낙론洛論계 우암학통의 정통을 잇는 조선성리
학자로 그 학통을 간재艮齋 전우田愚(1841~1922)에게 전하여 조선성리학통을 무리
없이 마무리 짓게 한 인물이다.

따라서 임고산에게 퇴계의 친필 「주자서절요서」와 우암의 친필 발문 및 겸재의
진경사경도眞景四景圖는 각별한 의미가 있는 것이었다. 그래서 책을 열자마자 넋
을 잃을 정도로 충격을 받고 손에 넣었던 모양이다. 근대의 문인화가이자 대감식
안이었던 영운穎雲 김용진金容鎭(1878~1968)도 이런 배관기를 남기고 있다.

이는 참으로 지중한 보배다. 마땅히 보호 수장해야 한다. 김용진이 삼가 쓰다.
此誠至寶也. 宜其保藏之. 金容鎭 敬題.

이 그림들은 겸재가 심혈을 기울어 그린 탓도 있겠지만 양천현령 시절에 한강과 임진강을 비롯한 서울 주변의 경치를 사생하면서 터득한 새로운 기법이 가미되어 더욱 풍부하고 원숙한 필법을 드러내 보여 주고 있다. 이 어름에 겸재는 〈동문조도東門祖道〉^{도판115}와 〈임천고암林川鼓岩〉^{도판116}도 그려 낸다.

동문조도東門祖道^{도판115}

임천고암林川鼓岩^{도판116}

29

권신응權信應의 입문入門

동문조도東門祖道^{도판115}

조도祖道라는 말은 길 떠나는 이를 위해 전별연餞別宴을 베풀어 송별한다는 의미다. 옛적 황제黃帝의 아들 누조纍祖가 원유遠遊하기를 좋아하다가 도로道路에서 죽어 도로신道路神이 되었으므로 길 떠나는 이들은 여행의 안녕과 구복을 위해 반드시 길 떠나기 전에 조신祖神에게 제사를 드렸는데 이때 친지들은 이 음식으로 떠나는 이를 전별했다 한다.

그래서 길 떠나는 이를 전별하는 의식을 조도라 하니 이 그림은 동문, 즉 동대문 밖에서 전별한다는 내용의 진경산수화다. 그러나 전별연을 베푸는 구체적인 장면은 어느 곳에도 표현되지 않고 있다. 다만 당시 동대문 일대의 모습이 정확하게 묘사돼 있을 뿐이다.

낙산 등성이를 타고 내려온 한양성이 2층 누문을 가진 동대문을 만들어 놓았다. 한양 서울은 인왕산과 낙산이 좌청룡 우백호가 되고 북악산과 남산이 북현무 남주작이 되어 명당을 이루어 놓은 분지다. 따라서 각 산골짜기를 타고 흘러내린 시냇물은 중앙의 낮은 곳으로 모여들어 큰 물줄기를 이루니 이것이 청계천淸溪川이다.

그런데 백호가 웅크린 듯 솟아나고 청룡이 치달리듯 벋어 있는 명당의 특성상 도성 안은 서쪽이 높고 동쪽이 낮다. 이에 청계천은 서쪽에서 동쪽으로 흘러가게 되고 동대문 근처에 이르면 한양 성안의 모든 물이 한데 모여든 결과 그 수량이 극대화된다. 이 많은 물을 성 밑으로 내보내기 위해서는 5개의 궁륭형穹窿形 수문을 설치해야만 했다. 이것이 오간수문五間水門이다.

이 그림은 동대문에서 청계천의 오간수문으로 이어지는 성곽의 표현을 근경으로 잡았다. 그리고 서울의 내청룡內靑龍인 낙산 줄기와 외청룡外靑龍인 안암산安岩山 줄기 및 지금 금호동 산줄기인 수릿재車峴 높은 언덕을 좌우 중경으로 삼았다.

멀리는 용마산이 우뚝 솟아 원경을 이루는데 아득히 떠나가야 할 먼 길을 상징하듯 청묵선靑墨線으로 윤곽만 그려 놓았다. 낙산, 안암산, 수릿재에는 모두 노송림이 숲을 이루고 있으며 창신동 동망봉東望峰은 암산岩山으로 표현돼 있다. 동대문은 지금과 달리 돈대墩臺가 고준高峻하다. 지세가 낮아 도성의 기운이 이곳으로 새어 나간다 해서 일부러 이렇게 높게 지었던 모양이다. 다른 문의 현판과 달리 흥인지문興仁之門의 4자를 정사각형 현판으로 넓게 새겨 걸었던 것과 같은 의도였을 듯하다.

문안 낙산 밑에는 기와집이 즐비하다. 바로 이곳이 선조 때 대북大北파의 영수로 일시 권세를 좌우하며 집치레를 굉장하게 했었다는 홍여순洪汝諄(1547~1609)의 집이 있었던 곳인가 보다. 여기 보이는 담장 넓게 친 큰 저택이 혹시 그 집이 아닐지 모르겠다.

그러나 수백 년 묵은 반송盤松을 옮겨 오면서 동대문이 좁다고 성벽을 헐어서 들어오라던 그 하늘 높은 줄 모르던 권세도, 장안 제일 갑제甲第로 호사를 극하여 기화요초 난만하고 뜰 안에 먼지 한 점 없었다던 그 화려한 저택도, 인과因果의 엄연한 철칙 앞에서는 무색했던 것이니 끝내 홍여순은 진도 유배지의 토담집에서 거적송장이 된 채 백성들의 비웃음 속에 저세상으로 가게 된다.

그린 그 집이 지금 어느 권문의 손에 들어가 있는지 그 자리에 번듯하게 자리를 지키고 있고 문밖에도 기와집이 옹기종기 모여 있는 큰 동네가 길 양편으로 벌어져 있다. 오간수문 아래 청계천변에 동지東池가 넓게 경영되어 있는 것이 보이고 그 동편 평지에는 동관왕묘東關王廟가 중앙에 우람하게 자리 잡고 있다. 임진왜란 당시 옛적 중국의 삼국쟁패시대 영웅인 관우關羽의 영혼이 자주 나타나 전승戰勝을 도왔다 하여 선조 33년(1600)에 명 신종神宗이 보낸 삼천 금三千金으로 지었다는 관우의 사당이다.

지금도 이 그림과 같은 관왕묘가 그대로 남아 있는데 아마 이때는 이 부근에서 떠나는 이들의 전별연을 베풀었던가 보다. 이때에는 광나루를 건너 광주, 여주를

동문조도東門祖道^{도판115}

1746년 병인丙寅경, 저본담채紓本淡彩, 22.0×26.7cm, 이화여자대학교박물관 소장.

거쳐 동남방으로 내려가거나 철원이나 춘천을 거쳐 동북방으로 가는 이들이 모두 이곳을 거쳐야 했다. 그러니 떠나야 할 사람이 좀 많았겠는가.

삼척부사로 내려가던 사천 이병연과도 이곳에서 전별해야 했고 섬강蟾江 고향으로 낙향하는 단금斷金의 벗 섬곡蟾曲 김상리金相履(1671~1748)와도 이곳에서 헤어져야 했으며 겸재 자신이 하양河陽과 청하淸河 두 골의 현감으로 내려갈 때도 서울 벗들과 이곳에서 석별의 정을 나눠야 했었다. 이에 겸재는 〈동문조도東門祖道〉라는 화제로 이런 그림을 그리게 됐던 모양이다.

그러나 이런 내용의 시와 그림은 이미 전대부터 있어 왔으니 규장각에는 호곡壺谷 남용익南龍翼(1628~1692)의 서서가 있는 〈동문송별도東門送別圖〉 일축一軸이 전해지고 있는 바 그 내용의 일단一端을 잠시 옮겨 보겠다.

임술년壬戌年(1682) 추추 7월 공부좌시랑工部左侍郎(공조참판工曹參判) 추담秋潭 유공兪公 창장(1614~1692)이 병을 고하고 고향으로 돌아가게 되었다. 대체로 공은 오랫동안 버슬할 뜻이 없어 벼슬 살면서 벼슬이 쌓여 갈수록 오히려 벼슬 높은 것을 두려워했으므로 영평永平 백운산白雲山 아래에 방 하나를 마련하고 도서圖書로 즐기고 있었다.

대신이 그 물러나기 좋아하는 것을 포상하기를 청함에 상감께서 가납하시고 곧 아경亞卿으로 발탁하시자 공은 여러 번 상소하여 사양했으나 받아들여지지 않아 억지로 조정에 나왔다가 몇 달도 못 채우고 옷깃을 떨치고 돌아가게 되었다.

나와 조은朝隱 이상서李尙書가 동대문 밖 관제묘關帝廟에 나와 전별餞別하는데 오랜 장마가 처음 걷혀 비 개인 경치가 선명했다. 술이 몇 순배 돌자 나는 조은朝隱에게 청하여 부채에 심약沈約의 송우시送友詩를 쓰게 하고 또 고사古事를 본떠서 〈동문송별도東門送別圖〉를 그리게 했다. 그리고 각각 화답하는 시를 그림 아래에 써 넣었다.

歲壬戌七月, 工部左侍郎 秋潭兪公, 告病還鄉. 盖公久無宦情, 在緋玉, 秩積數稔, 猶懼祿位之高, 卜築永平白雲山下一室, 圖書晏如也. 大臣, 剡薦請褒其恬退, 上嘉之, 卽擢亞卿, 公屢疏不得請, 則强起造朝, 未數月, 拂衣而歸. 余與朝隱李尙書, 出餞於東門外 關帝廟, 于時積潦初收, 霽景鮮明. 酒數行, 余請朝隱, 書沈約送友詩於便面, 又倣古事, 作東門送別圖. 仍各書和章于圖下.

南龍翼, 『壺谷集』卷十五, 東門送別圖序

그때 호곡의 시는 이렇다.

위하여〈동문송별도東門送別圖〉그리고, 겸해서 제시題詩 지어 선구仙區에 바친다.

높은 풍류는 옛사람과 같으나, 신묘한 그림 이 세상에 없다고 말하지 말게.

선면에 휘호하는 이 어떤 노인인가, 봉노 끝에 술잔 잡은 이 과연 나일세.

그 중에 야복野服 입고 눈썹 긴 사람, 이 분이 현명한 그 대부大夫시라네.

爲寫東門送別圖, 兼題詩什寄仙區. 古風可與前人竝, 妙畵休言此世無.

扇面揮毫何許老, 壚頭把酒果然吾. 其中野服厖眉客, 自是賢哉一大夫.

南龍翼, 『壺谷集』卷三, 題寄潭翁東門送別圖

임천고암林川鼓岩^{도판116}

현재 충청남도 부여군扶餘郡 세도면世道面 반조원리頒詔院里 고암鼓岩에서 은거
하던 겸재謙齋 삼종질三從姪 삼회재三悔齋 정오규鄭五奎(1678~1744)의 생활장면을
그린 진경이다.

삼회재는 종애거사鐘崖居士 부수敷(1659~1712)의 장자로 수암遂庵 권상하權尙夏
(1641~1729)문하에서 수학하고 은일隱逸로 성리학 연구에 조예가 깊던 학자였다.
도암陶庵 이재李縡(1680~1746)와의 친분이 매우 두터웠으며, 사계沙溪 김장생金長
生(1548~1631)의 주증손冑曾孫인 김만준金萬埈(1639~1700)의 서랑胥郎으로 그의 6
촌 처남인 김진상金鎭商(1684~1755)과 사천槎川 이병연李秉淵 등과도 친밀한 사이
였다. 따라서 겸재와는 삼종숙질三從叔姪 간이라는 친척관계를 떠나서 지기상통
志氣相通하는 벗이었으리라 생각된다.

높은 학식을 가지고 있으면서도 벼슬길에 일체 나서려 하지 않은 그의 청고淸高
한 기품이 사우간師友間에 크게 존숭되기도 했겠지만, 그의 은자적隱者的 생활분
위기에 겸재는 크게 매료당했던 모양이다. 그래서 그가 은거하는 임천林川 고암
리鼓岩里까지 찾아가서 그의 청한淸閒한 생활분위기를 화폭에 올린 것이 바로 이
그림일 것이라고 생각된다.

이곳은 삼회재의 조부 반주盤洲 정시형鄭時亨(1619~1699)이 기사년己巳年(1689)
에 우암尤庵 송시열宋時烈이 사사賜死되는 등 서인西人이 실각하는 것을 보고 둔세
遯世의 뜻을 가지고 경영한 향저鄕邸였다. 삼회재는 부조父祖의 뜻을 이어 출사出
仕를 단념하고 이곳에서 학문연구에만 몰두하여「독서질의讀書質疑」,「의례영언
疑禮零言」등의 저술을 비롯한 유고遺稿를 남겼다 하나 세상에 알려져 있지 않다.

더구나 이 삼회재는 겸재 집안의 족보를 최초로 간행한 인물이었다. 겸재의 백
부伯父인 반곡盤谷 정시설鄭時卨(1621~1681)이 편찬해 놓은『광주정씨세보光州鄭
氏世譜』의 초본草本을 저본底本으로 첨삭添削을 가해 이 족보를 초간해 냈다 하니
당시 겸재 일문一門의 대표적 인물이었던 겸재의 적극적 후원 없이는 이루어질 수
없었던 일이었을 것이다. 겸재와 삼회재와의 관계가 얼마나 긴밀했던가를 짐작하
게 해 주는 사실이다. 이를 확인하기 위해 겸재가 환갑되던 해인 영조 12년(1736)

411

병진丙辰 5월에 지은 『광주정씨세보』 초간初刊 발문跋文 일부를 옮겨 보겠다.

우리 정鄭씨가 광주光州에 적관籍貫한 것은 전조前朝(고려)의 중엽에 비롯되었는
데, 보첩譜牒이 병화兵火에 산일散佚하니 무릇 지금 서석瑞石(광주光州)에 줄기를
대는 이들은 모두 벼슬이 대광문하찬성사大匡門下贊成事이던 휘諱 신호臣扈로 상
조上祖를 삼는다. 여러 파의 집집마다 소장한 것은 그 세차世次만을 간략하게 기
록하여 지금까지 아직 이루어진 족보가 없으니, 황태사黃太史가 칠세七世 이상 족
보를 잃은 이유와 서로 비슷하다.

오규五奎가 일을 살피기 시작한 이래 이로써 걱정하고 탄식하여 당세 인물로 뜻
이 있는 이들과 더불어 일찍이 이 일을 의논한 것이 오래였다. 남南쪽의 족조族祖
인 참봉공參奉公 시설時卨(겸재의 백부伯父)의 집안에 소장본이 있다고 해서 가져
와 보니 약간 초졸하고 혼잡하다. 규모가 서지 않고 조례條例가 이루어지지 않아
서 상세한 것은 번잡에 가깝고 소략한 것은 빠지고 잘못되기에 이르렀다.

그런 까닭에 오규가 망령되게도 스스로 거취去就를 정해서 크게 조목마다 첨삭
添削을 가해 뒤엉킨 것을 빗질해 내고 빠진 것을 첨가해 넣어 서차序次를 정하고
범례凡例를 이루어 놓았다.

我鄭氏籍貫光州, 始於勝國之中葉, 而譜牒散佚於兵燹, 凡今之系於瑞石者, 皆以官大匡
門下贊成事 諱臣扈爲上祖. 諸派家藏, 略記其世次, 而至今未有見成之譜, 此與黃太史由
七世以上失譜者 相類也. 五奎省事以來, 用是憂歎, 與當世人物有志者, 相論此事久矣.

南中族祖參奉公時卨家, 有所藏本云, 故取而見之, 乃略干草沓也. 規模不立, 條例未
成, 而祥者近於繁冗, 疎者至於脫誤, 故五奎妄自去就, 大加條削, 絲棼者 爬櫛之, 闕略
者 添補之, 序次定而凡例成焉.

鄭五奎(1678~1744) 丙辰草譜跋

이렇게 겸재와 뜻을 같이할 만한 은일隱逸들이 은거하기에 알맞은 분위기가 화
폭 위에 전개되니, 금강錦江에 면한 벼랑바위 위에 독서당讀書堂이 경영되고, 독서
당 마당에는 전나무와 버드나무를 비롯한 노거수老巨樹들이 서로 가지를 맞대고
서서 안채의 살림집과 별구別區를 이루어 놓는다. 목책 울타리에 사립문이 있는

임천고암林川鼓岩^{도판116}

1744~46년 병인丙寅경, 지본수묵紙本水墨, 48.9×80.0cm, 간송미술관 소장.

조촐한 농가 규모의 안채와는 달리 독서당만은 난간 있는 대청이 강으로 면하도록 번듯하게 지어져 쾌적한 독서환경을 만들어 놓았다.

살포를 짚고 사방관四方冠에 학창의鶴氅衣 입은 선비가 바로 삼회재인 모양인데, 그 뒤에 동자 하나가 따르고 있어 은사隱士의 조촐한 생활장면을 보는 듯하다. 독서당 저쪽에서 걸어 나오는 학두루미와 안채에서 몰고 나오는 농우農牛, 그리고 벼랑 아래 매여 있는 배 한 척이 그 모든 것을 다 말해 주고 있다.

절벽의 표현을 능우수직준稜隅垂直皴*과 쇄찰법刷擦法을 마구 혼용하여 어지럽게 쓸어내림으로써 깎아지른 절벽을 상징하고, 이 무게를 상쇄하기 위해 집 뒤로 보이는 토성산土城山을 미가산법米家山法으로 중후하게 처리해 왼쪽 위로 몰아붙였다. 그 결과 겸재가 진경산수에서 항상 즐겨 쓰는 음양대조적 조화미를 살려 내고 동시에 주거 분위기를 더욱 안정시켜 놓았다.

◆능우수직준稜隅垂直皴
모진 수직준

이는 잔산곡수殘山曲水가 무진하게 이어져 내려오는 오른쪽 강물의 표현과도 잘 어울리는 화면구성법이다. 무심히 떠오는 돛단배 한 척은 이를 망연히 바라보는 은사의 시심詩心을 자극하기에 알맞을 것 같다.

이런 능란한 화면구성법이나 난숙한 필묵법은 겸재가 70대에 이르러서야 도달하는 경지다. 이 그림도 70세 전후해서 이루어졌다고 생각되는데, 삼회재가 겸재 69세 나던 해 8월 29일에 서거하고, 겸재는 67세 때에 양천현령陽川縣令으로 있으면서 10월 기망旣望에《연강임술첩漣江壬戌帖》을 그리고 있으므로 그 사이 어느 시기에 그려진 것이라고 보아야 할 것 같다.

그러나 위에서 지적하고 나온 이 그림이 가지는 기법적 특색이나 '원백元白'이라는 9×10밀리미터의 방형주문인方形朱文印이〈금강내산金剛內山〉선면扇面에만 찍혀 있는 것 등으로 보아서 이 그림은 오히려 삼회재 서거 후에 그를 추모해서 그린 것이 아닌가 하는 생각도 든다. 겸재는 사생寫生원본이 만들어지면 이를 기반으로 하여 많은 실험작을 거듭 그려 내면서 진경眞景을 이념화해 가기 때문이다.

한편 76세의 옥소는 이해 「원백元伯의 금강金剛팔화八畵에 제題함題元伯金剛八畵」을 지어 겸재의〈금강산도〉8폭에 제사를 붙이고 있다. 그림제목도 없이 제사 8조만 열서해 놓았는데 내용으로 보면 1. 비로봉毘盧峯, 2. 진불암眞佛庵, 3. 사자암獅子岩, 4. 혈망봉穴望峯, 5. 보덕굴普德窟, 6. 명경대明鏡臺, 7. 장안사長安寺 비홍교

임천고암林川鼓岩 부분

飛虹橋, 8. 장안사長安寺인 것 같다. 내용을 옮겨 보겠다.

1. 중향성 밖으로 우뚝 서니 옆으로 보기를 존중했구나. 옆으로 그린 그림은 그 같지 않음이 해롭지 않다. 중향성을 보면, 이르는 곳마다 곧 기이하거늘, 하필 정양사正陽寺와 청련암靑蓮庵만 비로봉 아래에 늘어 놓여 있는가. 또 특별히 기이하다.
特立衆香外, 尊重橫看. 側成, 不害其不同. 衆香之瞻, 到處卽奇, 何必正陽 靑蓮, 列在毘盧之下, 又別奇.

2. 진불암眞佛庵의 보태고 깎아 냄이 있음은 이 늙은이의 붓끝 조화인데 안목이 신기하고 이채롭구나. 또 작은 암자가 깨끗하고 아름다운 것을 기뻐한다.
眞佛之有增刪, 是翁筆端造化, 眼目神異. 又喜小庵淨嘉.

3. 사자암獅子岩은 등한히 보아서는 안 되는데 매양 그 그림을 이해할 사람이 없음을 한탄한다.
獅子岩, 非等閑可觀, 而每恨其無人解畵.

4. 단지 혈망봉穴望峯만 그렸으니 또 이는 특별한 의견이다. 어찌 마하연을 그리지 않고 이 봉우리와 마주했는가.
只畵穴望峯, 又是別意見. 何不畵摩訶衍, 而對此峯.

5. 끊어진 낭떠러지 위태한 사다리 길은 당시의 타고 오름을 걱정하게 하는 듯하다.
截崖危棧, 若愁當時之攀援.

6. 명경대明鏡臺 한 벽이 양쪽 낭떠러지를 밀치고 가운데 서서 한 번 사람들을 씻어 내는데, 단지 황천 골짜기 형세만 그려 냈을 뿐이다.
明鏡一壁, 排兩崖, 而中立, 一洗人人, 只畵黃泉壑勢.

7. 늘어선 집은 숲 속에 숨고 날아갈 듯한 기와골은 다리에 임했다. 기이하고 걸출

416

하며 밝고 어두우니, 예부터 그려 내기 어려워라.

列屋隱林, 飛甍臨橋. 奇傑明穩, 自古難畵出.

8. 맛없는 땅에도 문득 맛이 있거늘, 장안사 내려다보고 앉아 기이함 어찌 아니 그렸나.

無味地界, 却有味, 俯臨長安寺, 爲奇何不畵.

以上 權燮, 『玉所稿』卷八, 題元伯金剛八畵

그리고 옥소는 「신응화첩 뒤에 제함題信應畵帖後」에서 그의 손자 권신응權信應 (1728~1787)이 겸재에게 그림을 배우고 인가를 받은 그림제자임을 밝히고 있다. 옮기면 이렇다.

어린 손자 신응은 13·4세 때부터 즐겨 시문을 짓고 그 전서·예서·해서·초서와 도장도 눈여겨보기만 하면 문득 그 묘처를 이해하여 붓을 잡고 그 법을 따라할 수 있었으니 참으로 하늘이 낳은 뛰어난 재주다. 또 일찍이 재미삼아 그림 그리는 일을 하랬더니 겸재謙齋 정원백鄭元伯에게 왕래하며 그 지휘를 얻어 여러 화본을 휘둘러 내고 『입옹보笠翁譜(개자원화보芥子園畵譜)』에 전력했다.

그러자 겸옹은 '기력氣力이 기이하고 군세며 배포排鋪가 아담하고 그 법도를 잃지 않으니 어린 사람 모습이라 할 수 없다' 했다. 이에 겸옹을 스승 삼아 한 뜻으로 본떠서 산수山水·어해魚蟹·금수禽獸 14폭을 그리니 거의 진짜와 가짜를 분별하지 못하겠다. 버려 버리기 아까워서 잇대어 한 화첩으로 하게 하고 이로써 겸옹에게 평어를 기다린다. 76세 옥소옹이 쓴다.

小孫兒信應, 自年十三四時, 喜爲詩文, 其篆隸楷草圖章, 寓目輒解其妙, 握毫而能依倣其法, 眞天生絶才. 又嘗戲爲繪事, 徃復謙齋鄭元伯, 得其指揮, 揮去諸本, 專力於笠翁譜. 則謙翁曰 氣力奇健, 排鋪雅淡, 不失其法度, 不可以年少貌. 於是師謙翁, 而一意摸擬, 作山水魚蟹禽獸十四幅, 幾不辨眞贗. 棄去可惜, 使之聯爲一帖, 以待評於謙翁. 七十六歲玉所翁書.

417

권신응이 겸재로부터 초충·산수·영모·어해 등 각 화과畫科의 그림 체본을 받아 와서 그대로 임모하여 배웠던 사실을 옥소는 「화첩발畫帖跋」에서 이렇게 쓰고 있다.

박꽃의 나비, 패랭이꽃의 벌레, 병아리 품은 닭, 다람쥐의 열매 찾기, 사람이 물가에 앉아 폭포 보기, 그 나귀 타고 다리 건너기, 배 안에서 봉창에 기대기, 숲 밖에서 지팡이 끌기, 그 새가 울고 까치 짖기, 개가 쭈그려 앉고 고양이 엎드리기, 물고기가 들어가고 게가 나오기. 아아! 정겸재는 어찌 그리 진짜와 똑같아 신의 경지에 들어갔는가. 어린 손자 신응은 나이 이제 19세인데 새로 배운 그림으로 능히 금수어해를 본뜨니 어느 손에서 나왔는지 가릴 수 없다. 더욱 얼마나 기이한가.

　매화는 곧 어몽룡魚夢龍(1566~1617)과 조속趙涑(1595~1668) 등 여러 노인들이 그를 본다면 어떻게 이를지 모르겠다. 겸재 그림을 화첩으로 하고 손자 그림을 아래쪽에 붙이고 또 그 아래쪽에 기꺼이 시 한 수를 붙인다.

　아아! 사람마다 모두 다섯 손가락인데, 조화를 뺏는 권리는 이상하다 너희뿐이구나.

　어떤 특별한 손이기에 진위를 어지럽히는가.

匏華之蝶, 石竹之虫, 抱雛之鷄, 山鼠之探草實, 人坐岸而觀瀑, 其騎驢而登橋, 舟中依篷窓, 林外曳笻杖, 其鳥喑鵲噪, 蹲猫伏, 魚入蟹出. 嗟乎. 鄭謙齋何其逼眞而入神. 我小孫信應, 年今十九, 以新學之畫, 能依倣禽獸魚蟹, 不辨出於何手. 尤何奇也. 梅則未知魚趙諸老見之, 則謂何如. 謙畫爲帖, 而付孫筆於下方, 又其下方喜題一詩. 嗟嗟 人人盡五指, 奪造化權異哉爾. 何貌 別盤之手, 眩眞僞.

權燮,『玉所稿』卷八, 畫帖跋

옥소는 또 겸재가 그린 〈박생연朴生淵〉을 보고 이런 제사를 남기고 있다.

벽 위에 한 족자 걸고 펼치니 정원백鄭元伯 붓끝 삼매가 분명한데 인력이 조화를 빼앗았구나. 절벽의 형세와 쏟아져 흐르는 물은 진짜 당시의 범사정이리라. 나는 막 누우려다 후다닥 일어나 앉았다.

壁中掛一簇展之, 鄭元伯筆端三昧分明, 人力奪造化. 壁勢泉流, 眞箇當時之坐泛槎亭瞻看. 又見下方有一閣, 眞箇當時之泛槎亭. 余方臥, 卒然起坐.

權燮,『玉所稿』卷八